Incógnito

David Eagleman

Incógnito

As vidas secretas do cérebro

Tradução de Ryta Vinagre

Título original
INCOGNITO
The Secret Lives of the Brain

Copyright © David M. Eagleman, 2011
O direito moral do autor foi assegurado.

Primeira publicação na Grã-Bretanha em 2011
por Canongate Books, Ltd.

Figura página 24 © Randy Glasbergen, 2001
Figura página 34 © Tim Farrell (no topo) e © Ron Rensink (mais abaixo)
Figura página 38 © Springer
Figura página 40 © astudio
Figura página 45 © Fotosearch (esquerda) e © Mar Grenier (direita)
Figura página 59 © Elsevier

Material protegido pela lei do direito autoral, sua reprodução
proibida sem autorização escrita do editor.

PROIBIDA A VENDA EM PORTUGAL.

Direitos para a língua portuguesa reservados
com exclusividade para o Brasil à
EDITORA ROCCO LTDA.
Rua Evaristo da Veiga, 65 – 11º andar
Passeio Corporate – Torre 1
20031-040 – Rio de Janeiro, RJ
Tel.: (21) 3525-2000 – Fax: (21) 3525-2001
rocco@rocco.com.br
www.rocco.com.br

Printed in Brazil/Impresso no Brasil

preparação de originais
MAIRA PARULA

CIP-Brasil. Catalogação na fonte.
Sindicato Nacional dos Editores de Livros, RJ.

E11i	Eagleman, David
	Incógnito: as vidas secretas do cérebro/David Eagleman; tradução de Ryta Vinagre. – Rio de Janeiro: Rocco, 2012.
	14x21 cm
	Tradução de: Incognito: the secret lives of the brain
	ISBN 978-85-325-2712-7
	1. Inconsciente (Psicologia). 2. Neurociência. I. Título.

11-6109	CDD-153
	CDU-159.95

O homem é igualmente incapaz de ver o nada de que emerge e o infinito em que é engolfado.

— BLAISE PASCAL, *Pensées*

SUMÁRIO

1. Tem alguém na minha cabeça, mas não sou eu — 9
2. O testemunho dos sentidos: como é *realmente* a experiência? — 29
3. A mente: o hiato — 65
4. Os pensamentos que podemos ter — 85
5. O cérebro é uma equipe de rivais — 112
6. Por que a questão não é a imputabilidade — 163
7. A vida depois da monarquia — 207

Apêndice — 240
Agradecimentos — 241
Notas — 243
Bibliografia — 265

1

TEM ALGUÉM NA MINHA CABEÇA, MAS NÃO SOU EU

Dê-se uma olhada no espelho. Por baixo de sua beleza elegante agita-se um universo oculto de maquinaria em rede. A maquinaria inclui uma sofisticada armação de ossos interligados, uma rede de músculos com tendões, uma boa quantidade de fluido especializado e a colaboração de órgãos internos trabalhando no escuro para manter você vivo. Uma lâmina de material sensorial autocurativo de alta tecnologia que podemos chamar de pele reveste sua maquinaria numa embalagem agradável.

E há o seu cérebro. Um quilo e trezentos do mais complexo material que descobrimos no universo. Este é o centro de controle que dirige toda a operação, reunindo despachos por pequenos portais no bunker blindado do crânio.

Seu cérebro é formado de células chamadas neurônios e glia – centenas de bilhões delas. Cada uma das células é complicada como uma cidade. Cada uma delas contém todo o genoma humano e por elas transitam bilhões de moléculas numa economia complexa. Cada célula envia pulsos elétricos a outras células, chegando a centenas de vezes por segundo. Se você representasse cada um desses trilhões e trilhões de pulsos em seu cérebro por um único fóton de luz, o produto combinado cegaria.

As células estão interligadas em uma rede de complexidade tão impressionante que a linguagem humana não basta, requerendo novas composições matemáticas. Um neurônio típico faz cerca de dez mil conexões com neurônios vizinhos. Como são bilhões de neurônios, há tantas conexões em um único centímetro cúbico de tecido cerebral como estrelas na Via Láctea.

O órgão de um quilo e trezentos em seu crânio – com sua consistência rosada de gelatina – é um tipo estranho de material computacional. É composto de peças miniaturizadas que se autoconfiguram e ultrapassa em larga medida qualquer coisa com que sonharíamos construir. Assim, se você está com preguiça ou tédio, coragem: você é a coisa mas atarefada e radiante do planeta.

Nossa história é inacreditável. Pelo que se pode dizer, somos o único sistema no planeta com tal complexidade que nos atiramos de cabeça no jogo de decifrar nossa própria linguagem de programação. Imagine que seu computador comece a controlar seus dispositivos periféricos, retire o próprio gabinete e aponte a webcam para o próprio circuito. Isto somos nós.

E o que descobrimos espiando dentro do crânio se classifica entre os desenvolvimentos intelectuais mais significativos de nossa espécie: o reconhecimento de que os inumeráveis aspectos de nosso comportamento, nossos pensamentos e experiências são inseparavelmente unidos a uma rede vasta, úmida e eletroquímica chamada sistema nervoso. A maquinaria nos é inteiramente estranha, mas, de algum modo, *somos* nós.

A MAGIA TREMENDA

Em 1949, Arthur Alberts viajou de sua casa em Yonkers, Nova York, a aldeias entre a Costa do Ouro e Timbuktu, na África ocidental. Levou a mulher, uma câmera, um jipe e – graças a seu amor pela música – um gravador movido à bateria do jipe. Querendo abrir os ouvidos do mundo ocidental, ele gravou parte da música mais importante a se revelar na África.[1] Mas Alberts meteu-se em problemas sociais ao usar o gravador. Um nativo da África ocidental ouviu a própria voz gravada e acusou Alberts de "roubar sua língua". Alberts, por muito pouco, não foi surrado por pegar um espelho e convencer o homem de que sua língua ainda estava intacta.

Não é difícil entender por que os nativos acharam o gravador tão despropositado. Uma vocalização parece efêmera e inefável: é como abrir um saco de penas e espalhá-las na brisa, sem poder recuperar nenhuma. As vozes não têm peso nem odor, não são algo que se pode segurar na mão.

Assim, é uma surpresa e tanto que uma voz *seja* física. Se construíssemos uma máquina sensível o bastante para detectar as mínimas compressões das moléculas no ar, poderíamos capturar o que a máquina pega e reproduzir essas mudanças de densidade. Chamamos essas máquinas de microfones, e cada um dos bilhões de rádios no planeta serve orgulhosamente de sacos de penas que considerávamos irrecuperáveis. Quando Alberts tocou a música do gravador, um membro da tribo descreveu a proeza como "magia tremenda".

O mesmo acontece com os pensamentos. O que é exatamente um pensamento? Não parece ter peso nenhum. Parece efêmero e inefável. Não se acharia que um pensamento tem forma, cheiro ou qualquer instanciação física. Os pensamentos parecem uma espécie de magia tremenda.

Mas, como as vozes, os pensamentos são escorados por matéria física. Sabemos disso porque as alterações no cérebro mudam o pensamento que podemos ter. Em sono profundo, não há pensamentos. Quando o cérebro faz a transição para o sono profundo, ocorrem pensamentos espontâneos e bizarros. Durante o dia, desfrutamos de nossos pensamentos normais e aceitáveis, que as pessoas modulam, entusiasmadas, batizando os coquetéis químicos do cérebro com álcool, narcóticos, cigarros, café ou exercício físico. O estado da matéria física determina o estado dos pensamentos.

E a matéria física é absolutamente necessária para o pensamento normal. Se você machucasse o dedo mínimo em um acidente, ficaria triste, mas sua experiência consciente não seria diferente. Mas se ferisse uma parte de tamanho equivalente no tecido cerebral, poderia ser outra sua capacidade de compreender música, dar nomes a animais, enxergar cores, avaliar riscos, tomar decisões, interpretar sinais de seu corpo, ou compreender o conceito de um espelho – desmascarando portanto o funcionamento estranho e velado da maquinaria por trás deles. Nossas esperanças, sonhos, aspirações, medos, instintos cômicos, ótimas ideias, fetiches, senso de humor e desejos surgem deste órgão estranho – e quando o cérebro muda, mudamos nós. Assim, embora seja fácil intuir que os pensamentos não têm base física, que são algo como plumas ao vento, na realidade eles dependem diretamente da integridade do enigmático centro de controle de um quilo e trezentos.

A primeira lição que aprendemos no estudo de nossos circuitos é simples: a maior parte do que fazemos e sentimos não está sob nosso controle consciente. A vasta selva de neurônios opera seus próprios programas. O você consciente – o *eu* que ganha vida quando você acorda pela manhã – é a menor parte do que se revela de seu cérebro. Embora sejamos dependentes do funcionamento do cérebro em nossa vida interior, ele cuida de seus próprios negócios. A maior parte de suas operações está acima do espaço de segurança da mente consciente. O *eu* simplesmente não tem o direito de entrar.

Sua consciência é como um passageiro clandestino mínimo em um vapor transatlântico, assumindo o crédito pela viagem sem dar pela presença da maciça engenharia sob seus pés. Este livro trata dessa realidade espantosa: como a conhecemos, o que ela significa e o que explica sobre as pessoas, os mercados, segredos, strippers, contas de aposentadoria, criminosos, artistas, Ulisses, bêbados, vítimas de derrame, jogadores compulsivos, atletas, cães farejadores, racistas, amantes e cada decisão que você já considerou sua.

Em um recente experimento, solicitaram a homens que classificassem o grau de atração que viam em fotografias de diferentes faces femininas. As fotos tinham 20 por 30 centímetros e mostravam mulheres olhando a câmera ou num perfil de três quartos. Sem que os homens soubessem, em metade das fotos, os olhos das mulheres estavam dilatados, e em outra metade não estavam. Os homens ficaram consistentemente mais atraídos a mulheres com olhos dilatados. Notadamente, os homens não discerniram sobre o que os levou a tomar uma decisão. Nenhum deles disse: "Percebi que as pupilas estavam dois milímetros maiores nesta foto do que nessa outra." Eles simplesmente se sentiam mais atraídos a algumas mulheres do que a outras, por motivos que não conseguiam saber.

Então, quem está tomando a decisão? No funcionamento do cérebro, em grande parte inacessível, *algo* sabia que os olhos dilatados de uma mulher têm correlação com a excitação e a disposição sexuais. Seus cérebros sabiam disso, mas os homens do estudo, não — pelo menos, não explicitamente. É possível também que os homens não saibam que sua concepção de beleza e sentimentos de atração estão profundamente programados, guiados na direção certa por programas gravados por milhões de anos de seleção natural. Quando escolhiam as mulheres mais atraentes, os homens não sabiam que a decisão não era deles, *verdadeiramente*, mas de programas bem-sucedidos que foram gravados fundo no circuito cerebral durante centenas de milhares de gerações.

O cérebro opera na coleta de informações e guia o comportamento de maneira conveniente. Não importa se a consciência está envolvida na tomada de decisão. E, na maior parte do tempo, não está. Quer estejamos falando de olhos dilatados, ciúme, atração, gosto por comida gordurosa ou a ótima ideia que você teve na semana passada, a consciência é o participante menos importante nas operações do cérebro. Nosso cérebro funciona principalmente no piloto automático, e a mente consciente tem pouco acesso à fábrica gigantesca e misteriosa que funciona por baixo dela.

Podemos ter provas disto quando nosso pé segue para o freio antes de percebermos conscientemente que um Toyota vermelho está dando a ré numa entrada de carro à nossa frente. Vemos isso quando percebemos nosso nome falado numa conversa na sala que pensávamos não estar ouvindo, quando achamos alguém atraente sem saber por quê, ou quando nosso sistema nervoso nos dá um "pressentimento" sobre que decisão devemos tomar.

O cérebro é um sistema complexo, mas isso não significa que seja incompreensível. Nossos circuitos neurais foram gravados pela seleção natural para resolver problemas que nossos ancestrais enfrentaram durante a história evolutiva de nossa espécie. Seu cérebro foi moldado por pressões evolutivas, assim como seu baço e os olhos. E o mesmo ocorreu com a consciência. A consciência se desenvolveu porque era vantajosa, *mas vantajosa apenas de forma limitada*. Considere a atividade que caracteriza uma nação num dado momento. Fábricas se agitam, linhas de telecomunicações zumbem de atividade, empresas despacham produtos. As pessoas comem constantemente. Redes de esgoto orientam os dejetos. Por toda a grande extensão de terra, a polícia persegue criminosos. Apertos de mão garantem negócios. Amantes se encontram. Secretárias dão telefonemas, professores ensinam, atletas competem, médicos operam, motoristas de ônibus dirigem seus veículos. Você pode querer saber o que está acontecendo em dado momento em sua grande nação, mas não pode apreender todas as informações de uma só vez. Nem seria útil, mesmo que você pudesse. Você quer um resumo. Então escolhe um jornal – não um jornal grosso como o *New York Times*, mas um mais leve, como *USA Today*. Você não se surpreende que nenhum dos detalhes das atividades esteja no jornal; afinal, você quer saber o ponto principal. Quer saber se o Congresso acaba de aprovar uma nova lei de impostos que afeta sua família, mas a origem detalhada da ideia – envolvendo advogados, corporações e obstrucionistas – não é especialmente importante para a questão principal. E você certamente não quer saber todos os detalhes do abastecimento de alimentos do país – como as vacas estão comendo e quantas são comidas –; só quer ser alertado se houver um surto de doença da vaca louca. Você não se importa como o lixo é produzido e descartado; só lhe interessa se vai terminar no seu quintal. Não liga para a rede elétrica e a infraestrutura das fábricas; só importa se os trabalhadores entraram em greve. É isto o que você obtém ao ler o jornal.

Sua mente consciente é o jornal. Seu cérebro zumbe de atividade o tempo todo, e, como o país, quase tudo transpira localmente: pequenos grupos estão constantemente tomando decisões e enviando mensagens a outros grupos. Destas interações locais surgem as coalizões maiores. Quando você lê uma manchete mental, a ação importante já transpirou, os acordos já foram feitos. Você tem surpreendentemente pouco acesso ao que aconteceu nos bastidores. Movimentos políticos inteiros ganham terreno e se tornam irreprimíveis antes que você consiga percebê-los como uma sensação, intuição ou pensamento que lhe ocorre. Você é o último a saber da informação.

Mas você é um leitor singular de jornal, lendo a manchete e levando o crédito pela ideia como um pensamento seu. Você diz alegremente "Acabo de pensar uma coisa!", quando, na realidade, seu cérebro realizou uma quantidade enorme de trabalho antes de seu momento de gênio. Quando uma ideia é fornecida pelos bastidores, seu circuito neural esteve trabalhando nela por horas, dias ou anos, consolidando informações e experimentando novas combinações. Mas você leva o crédito sem indagar sobre a vasta maquinaria oculta nos bastidores.

E quem pode culpá-lo por pensar que merece o crédito? O cérebro faz suas maquinações em segredo, conjurando ideias como uma magia tremenda. Ele não permite que seu colossal sistema operacional seja sondado pela cognição consciente. O cérebro cuida de seus negócios incógnito.

Então o que exatamente merece os aplausos por uma ótima ideia? Em 1862, o matemático escocês James Clerk Maxwell desenvolveu equações fundamentais que unificaram a eletricidade e o magnetismo. No leito de morte, ele soltou uma estranha confissão, declarando que "alguma coisa dentro dele" descobriu as famosas equações, e não ele. Admitiu que não sabia como as ideias realmente lhe surgiram – simplesmente surgiram. William Blake contou uma experiência semelhante, a respeito de seu longo poema narrativo *Milton*: "Escrevi este poema por injunção imediata doze ou às vezes vinte versos de uma só vez, sem premeditação e até contra minha vontade." Johann

Wolfgang von Goethe afirmou ter escrito sua novela *Os sofrimentos do jovem Werther* sem praticamente nenhuma informação consciente, como se segurasse uma caneta que se movia por conta própria. E pense no poeta britânico Samuel Taylor Coleridge. Ele começou a usar ópio em 1796, originalmente para aliviar a dor de dente e a neuralgia facial – mas logo estava irreversivelmente fisgado, tomando até dois litros de láudano por semana. Seu poema "Kubla Khan", com suas imagens exóticas e oníricas, foi escrito em uma euforia de ópio descrita por ele como "uma espécie de devaneio". Para ele, o ópio tornou-se uma maneira de recorrer a seus circuitos nervosos subconscientes. Creditamos as belas palavras de "Kubla Khan" a Coleridge porque elas vieram do cérebro *dele* e de ninguém mais, não é assim? Mas ele não encontrou essas mesmas palavras quando estava sóbrio, então a quem exatamente pertence o crédito pelo poema?

Como observa Carl Jung: "Em cada um de nós há um outro que não conhecemos." Como diz o Pink Floyd: "Tem alguém na minha cabeça, mas não sou eu."

Quase tudo o que acontece em nossa vida mental não está sob nosso controle consciente e a verdade é que é melhor assim. A consciência pode levar o crédito que quiser, mas é melhor que fique à margem na maioria das decisões acionadas pelo cérebro. Quando se mete em detalhes que não compreende, diminui a eficácia da operação. Depois que começamos a deliberar sobre onde nossos dedos estão saltando no teclado de um piano, não conseguimos mais tocar a peça.

Para demonstrar a interferência da consciência como um truque de festa, dê a um amigo dois pincéis atômicos – um para cada mão – e peça-lhe para assinar seu nome com a mão direita ao mesmo tempo que assina de trás para frente (o oposto especular) com a mão esquerda. Ele rapidamente descobrirá que só pode fazer isso de um jeito: *sem* pensar no que faz. Ao excluírem a interferência consciente, suas mãos podem fazer os movimentos especulares complexos sem nenhuma dificuldade – mas, se pensar em seus atos, a tarefa rapidamente se embola numa confusão de traços tartamudos.

Assim, é melhor que a consciência fique de fora da maioria das festas. Quando ela é incluída, em geral é a última a saber da informação. Pense no arremesso de uma bola de beisebol. Em 20 de agosto de 1974, em um jogo entre os California Angels e os Detroit Tigers, o *Guinness Book of World Records* registrou a bola rápida de Nolan Ryan a 161,44 quilômetros por hora (44,7 metros por segundo). Se trabalharmos os números, veremos que o lançamento de Ryan parte do monte e cruza a base do rebatedor, a 18,5 metros, em quatro décimos de segundo. Isso dá tempo suficiente para que os sinais luminosos da bola atinjam o olho do rebatedor, atravessem o circuito da retina, ativem sucessões de células pelas supervias sinuosas do sistema visual no fundo da cabeça, atravessem vastos territórios para as áreas motoras e modifiquem a contração dos músculos que giram o bastão. Incrivelmente, toda esta sequência é possível em menos de quatro décimos de segundo; caso contrário, ninguém jamais rebateria uma bola rápida. Mas a parte surpreendente é que a consciência leva mais do que isso: cerca de meio segundo, como veremos no Capítulo 2. Assim, a bola viaja com rapidez demais para os rebatedores terem consciência de que realizam sofisticados atos motores. Pode-se perceber isso quando começamos a nos abaixar para fugir de um galho de árvore que se quebra antes de estarmos conscientes de que vem na nossa direção, ou quando já saltamos quando tomamos consciência do toque do telefone.

A mente consciente não é o centro da ação no cérebro; ela fica numa margem distante, ouvindo apenas sussurros de atividade.

O LADO POSITIVO DO DESTRONAMENTO

A emergente compreensão do cérebro altera profundamente nossa visão de nós mesmos, e abandonamos um senso intuitivo de que estamos no centro das operações em favor de uma visão mais sofisticada, esclarecida e admirável da situação. E decerto já vimos esse tipo de progresso.

Numa noite estrelada no início de janeiro de 1610, um astrônomo toscano chamado Galileu Galilei ficou acordado até tarde, com o olho na extremidade de um tubo que havia projetado. O tubo era um telescópio e fazia com que os objetos parecessem vinte vezes maiores. Nesta noite, Galileu observou Júpiter e viu o que pensava serem três estrelas fixas próximas a ele, descrevendo uma linha em torno do planeta. Esta formação chamou sua atenção e ele voltou ao telescópio na noite seguinte. Contrariando suas expectativas, Galileu viu que os três corpos tinham se movido com Júpiter. Isso não batia: as estrelas não se movem com os planetas. Assim, Galileu voltou seu foco a esta formação noite após noite. Em 15 de janeiro tinha desvendado o caso: não eram estrelas fixas, mas corpos planetários que giravam em torno de Júpiter. Júpiter tinha satélites.

Com esta observação, as esferas celestes foram abaladas. Segundo a teoria ptolomaica, só havia um único centro – a Terra –, em torno da qual tudo girava. Uma ideia alternativa fora proposta por Copérnico, segundo a qual a Terra girava em torno do Sol, enquanto a Lua girava em volta da Terra – mas esta ideia parecia absurda até para os cosmólogos tradicionais, porque exigia dois centros de movimento. Mas ali, naquele momento tranquilo de janeiro, os satélites de Júpiter davam testemunho de múltiplos centros: as grandes rochas que rolavam em órbita *em volta* do planeta gigante não podiam também fazer parte da superfície das esferas celestes. O modelo ptolomaico, em que a Terra ficava no centro de órbitas concêntricas, foi esmagado. O livro em que Galileu descreveu sua descoberta, *Sidereus Nuncius*, saiu das prensas de Veneza em março de 1610 e fez a fama de seu autor.

Seis meses se passaram antes que outros observadores de estrelas conseguissem construir instrumentos com qualidade suficiente para ver as luas de Júpiter. Logo havia uma correria no mercado de fabricação de telescópios e rapidamente astrônomos se espalharam pelo planeta para traçar um mapa detalhado de nosso lugar no universo. Os quatro séculos seguintes estabeleceram um desvio cada vez mais rápido do centro, depositando-nos firmemente como uma partícula no universo visível, que contém 500 milhões de grupos de galáxias, 10 bilhões de grandes galáxias, 100 bilhões de galáxias anãs e dois quintilhões de sóis. (E o universo visível, a cerca de 15 bilhões de anos-luz, pode ser uma partícula de uma totalidade muito maior que ainda não podemos ver.) Não é de admirar que estes números espantosos implicassem uma história radicalmente diferente sobre nossa existência do que se sugerira anteriormente.

A queda da Terra do centro do universo causou profunda inquietação em muitos. A Terra não mais podia ser considerada o paradigma da criação: agora era um planeta, como outros. Este desafio à autoridade exigia uma mudança na concepção filosófica que o homem tinha do universo. Cerca de duzentos anos depois, Johann Wolfgang von Goethe comemorou a grandeza da descoberta de Galileu:

> De todas as descobertas e opiniões, nenhuma pode ter exercido maior efeito sobre o espírito humano (...). O mundo mal tomara conhecimento de que era redondo e completo em si quando foi solicitado a desistir do imenso privilégio de ser o centro do universo. Nunca, talvez, fizeram exigência maior à humanidade – pois, graças a esta admissão, tanto desapareceu em névoa e fumaça! Que foi feito de nosso Éden, de nosso mundo de inocência, devoção e poesia; todo testemunho dos sentidos; da convicção de uma fé poético-religiosa? Não admira que seus contemporâneos não desejassem ceder e impusessem toda resistência possível a uma doutrina que, para seus conversos, autorizava e exigia uma liberdade de visão e grandeza de pensamento até então desconhecidas e sequer sonhadas.

Os críticos de Galileu depreciaram sua nova teoria como um destronamento do homem. E em seguida ao abalo das esferas celestes, veio o de Galileu. Em 1633, ele foi levado diante da Inquisição católica, seu espírito vencido numa masmorra, e obrigado a apor sua assinatura prejudicada em uma renúncia de sua obra.[2]

Galileu podia se considerar um homem de sorte. Anos antes, outro italiano, Giordano Bruno, sugeriu também que a Terra não era centro e, em fevereiro de 1600, foi arrastado a praça pública por sua heresia contra a Igreja. Seus captores, temerosos de que ele incitasse a turba com sua eloquência inflamada, cerraram uma máscara de ferro em seu rosto para evitar que ele falasse. Ele foi queimado vivo na fogueira, os olhos por trás da máscara espiando uma multidão de espectadores que saíam de suas casas para se reunir na praça, querendo estar no centro dos acontecimentos.

Por que Bruno foi exterminado em silêncio? Como um homem com o gênio de Galileu se viu acorrentado no chão de uma masmorra? Evidentemente, nem todos gostam de uma mudança radical na visão de mundo.

Se pudessem saber aonde tudo isso levaria! O que a humanidade perdeu em certeza e egocentrismo foi substituído pelo assombro e o pasmo com nosso lugar no cosmo. Mesmo que a vida em outros planetas seja tremendamente improvável – dizem que a probabilidade é de menos de uma em um bilhão –, ainda podemos esperar que vários bilhões de planetas brotem de vida como Chia Pets. E se houver apenas a probabilidade de uma em um milhão de planetas abrigando níveis significativos de inteligência (digamos, mais do que bactérias espaciais), isso ainda nos deixaria com vários milhões de globos contendo criaturas mescladas em estranhas e inimagináveis civilizações. Desta maneira, a queda do centro abriu nossa mente para algo muito maior.

Se você acha a ciência espacial fascinante, atente para o que está acontecendo na ciência do cérebro: fomos derrubados de nossa posição no centro de nós mesmos e entra em foco um universo muito mais esplêndido. Neste livro navegaremos por esse cosmo interior e investigaremos as formas de vida alienígenas.

PRIMEIROS VISLUMBRES DA VASTIDÃO DO ESPAÇO INTERIOR

São Tomás de Aquino (1225-1274) preferia acreditar que os atos humanos sucediam da deliberação sobre o que é bom. Mas não pôde deixar de perceber todas as coisas que fazemos com pouca relação com a consideração racional – como soluçar, bater o pé inconscientemente com um ritmo, rir repentinamente de uma piada e assim por diante. Este era um pequeno entrave para seu sistema teórico, então ele relegou todos esses atos à categoria distinta dos atos humanos peculiares, "uma vez que não procedem de deliberação da razão".[3] Ao definir esta categoria a mais, ele plantou a primeira semente da ideia de um inconsciente.

Ninguém regou esta semente por quatrocentos anos, até que o polímata Gottfried Wilhelm Leibniz (1646-1716) propôs que a mente é uma mescla de partes acessíveis e inacessíveis. Quando jovem, Leibniz compôs trezentos hexâmetros em latim em uma manhã. Depois inventou o cálculo, o sistema numeral binário, várias novas escolas de filosofia, teorias políticas, hipóteses geológicas, a base da tecnologia da informação, uma equação para a energia cinética e as primeiras sementes da ideia da separação entre suporte lógico e equipamento físico.[4] Vertendo todas essas ideias, ele começou a desconfiar – como Maxwell, Blake e Goethe – de que talvez houvesse cavernas mais profundas e inacessíveis em seu íntimo.

Leibniz sugeriu que havia algumas percepções das quais não temos consciência e as chamou de "pequenas percepções". Os animais têm percepções inconscientes, conjeturou ele – então por que não as teriam os seres humanos? Embora a lógica fosse especulativa, ele descobriu que algo de fundamental ficaria de fora se não supuséssemos um inconsciente. "As percepções insensíveis são tão importantes [para a ciência da mente humana] quanto os corpúsculos insensíveis o são para a ciência natural", concluiu ele.[5] Leibniz sugeriu então que havia aspirações e tendências ("apetições") dos quais também somos inconscientes, mas que podem impelir nossos atos. Esta foi a primeira exposição significativa do impulso inconsciente e ele conjeturou que sua ideia seria fundamental para explicar por que o homem tem o comportamento que apresenta.

Entusiasmado, ele escreveu tudo isso em seus *Novos ensaios sobre o entendimento humano*, mas o livro só foi publicado em 1765, quase meio século depois de sua morte. Os ensaios entravam em choque com a concepção iluminista de conhecer a si mesmo, e assim só foram apreciados quase meio século depois. A semente ficou em dormência de novo.

Nesse meio-tempo, outros eventos ditavam as fundações para a ascensão da psicologia como uma ciência experimental e material. Um anatomista e teólogo escocês chamado Charles Bell (1774-1842) descobriu que os nervos – as irradiações finas que partem da medula espinhal para todo o corpo – não eram iguais, mas podiam se dividir em dois tipos diferentes: motores e sensoriais. O primeiro transportava informações do centro de comando do cérebro e o último trazia as informações de volta. Esta foi a primeira descoberta importante de um padrão da estrutura misteriosa do cérebro e, nas mãos de pioneiros subsequentes, levou a um retrato do cérebro como um órgão construído com organização detalhada, e não de uma uniformidade opaca.

Identificar esse tipo de lógica em um desnorteante bloco de tecido de um quilo e trezentos era muito estimulante, e, em 1824, um filósofo e psicólogo alemão de nome Johann Friedrich Herbart propôs que *as próprias ideias* podiam ser compreendidas em um sistema matemático estruturado: uma ideia pode ser contraposta por uma ideia contrária, enfraquecendo assim a ideia original e levando-a a afundar abaixo de um limiar de consciência.[6] Já as ideias que partilham de uma semelhança podem apoiar a sua ascensão mútua à consciência. À medida que uma nova ideia ascende, puxa com ela outra similar. Herbart cunhou a expressão "massa aperceptiva", indicando que uma ideia se torna consciente não isoladamente, mas assimilada a um complexo de outras ideias já presentes na consciência. Desta maneira, Herbart introduziu um conceito fundamental: existe um *limite* entre os pensamentos conscientes e inconscientes; tornamo-nos conscientes de algumas ideias, e não de outras.

Neste pano de fundo, um físico alemão chamado Ernst Heinrich Weber (1795-1878) interessou-se cada vez mais em levar o rigor da física ao estudo da mente. Seu novo campo da "psicofísica" objetivava quantificar o que as pessoas podem detectar, com que velocidade reagem e o que precisamente percebem.[7] Pela primeira vez, as percepções eram medidas com rigor científico e as surpresas começaram a aparecer. Por exemplo, parecia evidente que seus sentidos lhe dão uma representação precisa do mundo – mas, em 1833, um fisiologista alemão, Johannes Peter Müller (1801-1858), percebeu algo perturbador. Se acendesse uma luz no olho, pressionasse este órgão ou estimulasse eletricamente seus nervos, tudo levava a sensações semelhantes de visão – isto é, uma sensação de *luz*, e não de pressão ou eletricidade. Isto lhe sugeriu que não estamos diretamente conscientes do mundo, mas apenas dos sinais no sistema nervoso.[8] Em outras palavras, quando o sistema nervoso lhe diz que algo está "lá fora" – como uma luz –, é nisso que você acreditará, independentemente de como os sinais lhe chegaram.

Estava montado o cenário para as pessoas relacionarem o cérebro físico com a percepção. Em 1886, anos depois da morte de Weber e Müller, um americano de nome James McKeen Cattell publicou um artigo intitulado "The time taken up by cerebral operations".[9] O ponto central desse artigo era enganosamente simples: a velocidade com que se pode reagir a uma pergunta depende do tipo de pensamento que se tem. Se simplesmente tivermos de reagir a um clarão ou um estouro, podemos fazer com muita rapidez (190 milissegundos para os clarões e 160 milissegundos para os estouros). Mas, se tivermos de tomar uma decisão ("Diga-me se viu um clarão vermelho ou verde"), levaremos dezenas de milissegundos a mais. E se tivermos de nomear o que acabamos de ver ("Eu vi um clarão azul"), levaremos mais tempo ainda.

As medições simples de Cattell não chamaram a atenção de quase ninguém no planeta, no entanto foram os rumores de uma mudança de paradigma. Com o alvorecer da era industrial, os intelectuais pensavam em *máquinas*. Como agora as pessoas aplicam a metáfora do computador, a metáfora da máquina permeou o pensamento popular na época. Àquela altura, a última parte do século XIX, os progressos na biologia atribuíam confortavelmente muitos aspectos do comportamento a operações mecânicas do sistema nervoso. Os biólogos sabiam que era preciso tempo para que os sinais fossem processados nos olhos, viajassem pelos axônios que os conectam ao tálamo, depois subissem as vias nervosas até o córtex, e por fim fizessem parte do padrão de processamento em todo o cérebro.

O *pensamento*, porém, ainda era considerado por muitos algo diferente. Não parecia surgir de processos materiais, mas recaía na categoria especial do mental (ou, frequentemente, o espiritual). A abordagem de Cattell batia de frente com o problema do pensamento. Mantendo os mesmos estímulos, mas alterando a tarefa (*agora tome tal e tal decisão*), ele pôde medir quanto tempo a mais levavam para tomar uma decisão. Isto é, ele pôde medir o *tempo de pensamento* e propôs isso como uma maneira clara de estabelecer uma correspondência entre o cérebro e a mente. Escreveu que esse tipo de experimento simples traz "o mais forte testemunho que temos para o paralelismo completo dos fenômenos físicos e mentais; não há dú-

vida nenhuma de que nossas determinações medem ao mesmo tempo a taxa de mudança no cérebro e de mudança na consciência".[10] No *zeitgeist* do século XIX, a descoberta de que o pensamento consome tempo destacou os pilares do paradigma do pensamento imaterial. Indicava que o pensamento, como outros aspectos do comportamento, não era uma magia tremenda – mas tinha uma base mecânica. Poderia o pensamento ser equiparado ao processamento feito pelo sistema nervoso? Poderia a mente ser como uma máquina? Poucas pessoas prestaram atenção a esta ideia nascente; a maioria continuou a intuir que suas operações mentais apareciam imediatamente por ordem sua. Mas, para uma pessoa, esta ideia simples mudou tudo.

EU, MEU SER E O ICEBERG

Na época em que Charles Darwin publicava seu revolucionário livro *Origem das espécies*, um menino de três anos da Morávia mudava-se com sua família para Viena. Este menino, Sigmund Freud, seria criado com uma nova visão de mundo darwinista em que o homem não diferia de nenhuma outra forma de vida e os refletores da ciência podiam ser lançados no tecido complexo do comportamento humano.

O jovem Freud ingressou na faculdade de medicina, atraído mais pela pesquisa científica do que pela aplicação clínica. Especializou-se em neurologia e logo abriu um consultório particular para o tratamento de distúrbios psicológicos. Examinando atentamente seus pacientes, Freud passou a suspeitar de que as variedades de comportamento humano só podiam ser explicadas em termos de processos mentais invisíveis, a maquinaria operando as coisas nos bastidores. Freud percebeu que era frequente entre seus pacientes que não houvesse nada de óbvio em sua mente consciente impelindo o comportamento, e, assim, dada a nova visão do cérebro como máquina, concluiu que devia haver causas subjacentes e ocultas. Nesta nova perspectiva, a mente não equivalia apenas à parte consciente com que convivemos familiarmente; era como um iceberg, com a maior parte de sua massa fora de vista. Esta simples ideia transformou a psiquiatria. Anteriormente, os processos mentais aberrantes eram inexplicáveis, a não ser que os atribuíssemos à vontade fraca, possessão demoníaca e assim por diante. Freud insistia em procurar a causa no cérebro físico. Como Freud viveu muitas décadas antes das modernas tecnologias do cérebro, sua melhor abordagem foi coletar dados de "fora" do sistema: falando com os pacientes e tentando inferir seus estados cerebrais a partir dos estados mentais. Deste ângulo, ele deu muita atenção às informações contidas nos lapsos de linguagem, equívocos da escrita, padrões de comportamento e conteúdo dos sonhos. Tudo isso, segundo sua hipótese, era o produto de mecanismos nervosos ocultos, maquinaria a que não se tinha acesso direto. Examinando os comportamentos que espiavam a superfície, Freud estava confiante de que podia vislumbrar o que espreitava no fundo.[11] Quanto mais considerava a chispa da ponta do iceberg, mais percebia sua profundidade – como a massa oculta podia explicar algo sobre os pensamentos, os sonhos e os impulsos das pessoas.

Aplicando este conceito, o mentor e amigo de Freud, Josef Breuer, desenvolveu o que parecia ser uma estratégia de sucesso para ajudar pacientes histéricos: pedir que falem, sem inibições, de ocorrências anteriores de seus sintomas.[12] Freud estendeu a técnica a outras neuroses e sugeriu que as experiências traumáticas sepultadas em um paciente poderiam ser a base oculta de suas fobias, de paralisia histérica, paranoias e assim por diante. Esses problemas, conjeturou ele, estavam ocultos da mente consciente. A solução era trazê-los ao nível da consciência para que fossem diretamente confrontados e eliminado seu poder de causar a neurose. Esta abordagem serviu de base para a psicanálise pelo século seguinte.

Embora a popularidade e os detalhes da psicanálise tenham mudado um pouco, a ideia básica de Freud proporcionou a primeira exploração do modo como os estados ocultos do cérebro participam da direção do pensamento e do comportamento. Freud e Breuer publicaram conjuntamente seu trabalho em 1895, mas Breuer se desencantava cada vez mais com a ênfase de Freud nas origens sexuais dos pensamentos inconscientes, e por fim os dois se separaram. Freud publicou então sua maior exploração do inconsciente, *A interpretação dos sonhos*, em que analisava sua própria crise emocional e a série de sonhos incitados pela morte do pai. A autoanálise lhe permitiu revelar sentimentos inesperados por seu pai – por exemplo, que sua admiração era mesclada com o ódio e a vergonha. Este senso da vasta presença abaixo da superfície o levou a contemplar a questão do livre-arbítrio. Freud raciocinou que, se as escolhas e decisões têm origem em processos mentais ocultos, a livre escolha ou é uma ilusão ou, no mínimo, mais estritamente restrita do que se pensava antes.

Em meados do século XX, os pensadores começaram a estimar que nos conhecemos muito pouco. Não estamos no centro de nós mesmos, mas – como a Terra na Via Láctea, e a Via Láctea no universo – numa margem distante, ouvindo pouco do que é revelado.

A intuição de Freud sobre o cérebro inconsciente foi precisa, mas ele viveu décadas antes do florescimento da moderna neurociência. Agora podemos espiar dentro do crânio humano em muitos níveis, de fagulhas elétricas em células isoladas a padrões de ativação que atravessam vastos territórios do cérebro. Nossa moderna tecnologia deu forma e foco a nosso retrato do cosmo interior, e nos capítulos seguintes viajaremos juntos por estes territórios inesperados.

Como é possível ter raiva de si mesmo? Quem exatamente está chateado com quem? Por que as pedras parecem subir depois que você olha uma queda-d'água? Por que o juiz da Suprema Corte William Douglas afirma que pode jogar futebol e escalar, quando todos veem que ele ficou paralítico depois de um derrame? Por que Topsy, o elefante, foi eletrocutado por Thomas Edison em 1916? Por que as pessoas adoram guardar seu dinheiro em contas de Natal que não rendem juros? Se o bêbado Mel Gibson é um antissemita e o sóbrio Mel Gibson é genuinamente arrependido, existe um verdadeiro Mel Gibson? O que *Ulisses* e o colapso das hipotecas *subprime* têm em comum? Por que as strippers ganham mais dinheiro em certas épocas do mês? Por que as pessoas cujos nomes começam com *J* têm uma probabilidade maior de se casarem com outras pessoas cujos nomes começam com *J*? Por que temos a enorme tentação de contar um segredo? Haverá padrões de casamento com maior probabilidade de traição? Por que os pacientes que tomam antiparkinsonianos comportam-se como jogadores compulsivos? Por que Charles Whitman, um caixa de banco de QI alto e ex-escoteiro, de repente decide atirar em oito pessoas da torre da Universidade do Texas, em Austin?

O que tudo isso tem a ver com as operações de bastidores do cérebro?

Como estamos prestes a ver, tudo.

2

O TESTEMUNHO DOS SENTIDOS: COMO É *REALMENTE* A EXPERIÊNCIA?

A DESCONSTRUÇÃO DA EXPERIÊNCIA

Numa tarde no final dos anos 1800, o físico e filósofo Ernst Mach olhava com atenção algumas tiras uniformemente coloridas de papel, colocadas lado a lado. Interessado nas questões de percepção, ele parou para pensar numa coisa: as tiras não pareciam lá muito certas. Havia algo de errado. Ele separou as tiras, olhou-as uma a uma e as reuniu novamente. Por fim percebeu o que estava havendo: embora cada tira isoladamente fosse de cor uniforme, quando reunidas, cada uma delas parecia ter um gradiente de tons: um pouco mais claro à esquerda e um pouco mais escuro à direita. (Para provar a si mesmo que cada tira na figura é de fato de tom uniforme, cubra todas, menos uma.)[1]

Faixas de Mach.

Agora que você está ciente desta ilusão das "faixas de Mach", poderá notá-la em outros lugares – por exemplo, no canto onde duas paredes se encontram, as diferenças de luminosidade fazem parecer que a tinta é mais clara ou mais escura bem junto ao canto. Presumivelmente, embora o fato perceptual esteja na sua frente o tempo todo, você até agora não o havia visto. Da mesma maneira, a certa altura os pintores da Renascença perceberam que as montanhas distantes pareciam ser tingidas de um pouco de azul – e depois que isso foi apregoado, começaram a pintá-las assim. Mas toda a história da arte até esse ponto deixou passar este fato, embora as informações estivessem diante deles. Por que deixamos de perceber essas coisas óbvias? Seríamos realmente observadores tão ruins de nossas próprias experiências?

Sim. Somos observadores incrivelmente ruins. E nossa introspecção é inútil nessas questões: acreditamos que estávamos vendo o mundo muito bem, até que chamam nossa atenção para o contrário. Passaremos por um processo de aprendizagem para observar nossa experiência, assim como Mach observou atentamente os tons nas tiras de papel. Como é *realmente* nossa experiência consciente, e como não é?

Para a intuição, você abre os olhos e *voilà*: ali está o mundo, com todos os seus belos vermelhos e dourados, cães e táxis, cidades movimentadas e paisagens floridas. A visão aparece espontaneamente e, com pequenas exceções, é precisa. Há poucas diferenças relevantes, pode-se ver, entre seus olhos e uma câmera de vídeo digital de alta resolução. A propósito, seus ouvidos parecem microfones compactos que registram com precisão os sons do mundo, e a ponta de seus dedos parece detectar a forma tridimensional de objetos do mundo. O que diz a intuição está mortalmente errado. Então vamos ver o que realmente está havendo.

Pense no que acontece quando você mexe o braço. Seu cérebro depende que milhares de fibras nervosas registrem os estados de contração e extensão – e no entanto você não percebe nada dessa tempestade de raios de atividade nervosa. Você simplesmente está ciente de que seu braço se mexeu e que agora está em outra posição. Sir Charles Sherrington, pioneiro da neurociência, passou algum tempo aflito com este fato em meados do século passado. Ficou assombrado com a falta de consciência sobre a vasta mecânica sob a superfície. Afinal, apesar de seu considerável conhecimento dos nervos, músculos e tendões, ele notou que, quando ia pegar uma folha de papel, "Não tenho nenhuma consciência dos músculos. (...) Executo o movimento corretamente e sem dificuldade".[2] Ele raciocinou que, se não fosse neurocientista, nem teria lhe ocorrido suspeitar da existência de nervos, músculos e tendões. Isto intrigou Sherrington e ele por fim inferiu que sua experiência de mover o braço era um "produto mental (...) derivado de elementos que não são vividos como tais e, no entanto, (...) a mente os usa na produção da percepção". Em outras palavras, a tempestade de atividade muscular e nervosa é registrada pelo cérebro, mas o que é entregue a sua consciência é algo muito diferente.

Para compreender isto, voltemos ao sistema de consciência como um jornal de circulação nacional. A tarefa de uma manchete é dar um resumo muito sucinto. Da mesma maneira, a consciência é uma forma de projetar toda a atividade de nosso sistema nervoso em uma maneira mais simples. Os bilhões de mecanismos especializados operam abaixo do radar – alguns coletando dados sensoriais, outros enviando programas motores, a maioria realizando as principais tarefas da força de trabalho neural: combinar informações, prever o que virá a seguir, tomar decisões sobre o que fazer agora. Diante desta complexidade, a consciência lhe dá um resumo que é útil para o quadro maior, útil na escala das maçãs, rios e pessoas com quem você pode acasalar.

ABRA OS OLHOS

O ato de "ver" parece tão natural que é difícil estimar a maquinaria muito sofisticada por trás do processo. Pode surpreender que cerca de um terço do cérebro humano seja dedicado à visão. O cérebro tem de realizar uma quantidade imensa de trabalho para interpretar sem qualquer ambiguidade os bilhões de fótons que entram continuamente pelos olhos. Estritamente falando, todas as cenas visuais são ambíguas: por exemplo, a imagem nesta página pode ser causada pela Torre de Pisa a uma distância de 500 metros, ou um modelo da torre ao alcance de seu braço: os dois lançam a imagem idêntica em nossos olhos. Seu cérebro tem muitos problemas para esclarecer as informações que chegam a seus olhos, levando em conta o contexto, fazendo pressupostos e usando truques que aprenderemos daqui a pouco. 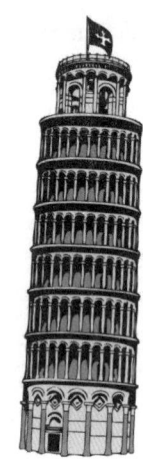 Mas nada disso acontece sem esforço, como demonstraram pacientes que recuperaram cirurgicamente a visão depois de décadas de cegueira: eles não passam a enxergar o mundo de uma hora para outra, mas devem *reaprender* a ver.³ No início, o mundo é um bombardeio ruidoso e estridente de formas e cores, e mesmo quando a ótica de seus olhos é inteiramente funcional, o cérebro deve aprender a interpretar os dados que lhe chegam.

Para os que passaram a vida inteira enxergando, a melhor maneira de entender que a visão é uma construção é perceber com que frequência nosso sistema visual se engana. As ilusões de ótica existem à margem da realidade com que evoluiu nosso sistema, e como tal servem como uma poderosa janela para o cérebro.⁴

É um tanto complicado definir rigorosamente "ilusão", no sentido de que toda visão é uma ilusão. A resolução em nossa visão periférica equivale aproximadamente a olhar por uma porta de vidro fosco, e no entanto você desfruta a ilusão de ver a periferia com clareza. Isto porque tudo para o que você aponta sua visão central parece estar em foco. Para compreender esta questão, experimente uma demonstração: peça a um amigo que segure alguns pincéis atômicos ou lápis de cor. Mantenha o olhar fixo no nariz de seu amigo, e agora tente dizer em que ordem as cores aparecem na mão dele. O resultado é surpreendente: mesmo que você consiga dizer que há algumas cores em sua periferia, não poderá determinar sua ordem com precisão. Sua visão periférica é muito pior do que você teria intuído, porque em circunstâncias normais seu cérebro alavanca os músculos do olho para apontar a visão central de alta resolução diretamente para as coisas em que está interessado. O que quer que você aponte com os olhos parece estar em foco, e portanto você supõe que todo o mundo visual assim está.*

Isto é só o começo. Pense no fato de que não estamos cientes dos *limites* de nosso campo visual. Encare um ponto na parede bem à sua frente, estenda o braço e mexa os dedos. Agora mova a mão lentamente para sua orelha. A certa altura você não consegue mais ver os dedos. Agora mova-a novamente para frente e poderá vê-los. Você está cruzando o limiar de seu campo visual. Porque você sempre pode apontar os olhos para o que está interessado, normalmente não tem a menor consciência de que existem limites para além dos quais você não tem visão. É interessante considerar que a maioria dos seres humanos passa a vida inteira sem saber que só está vendo um cone limitado de visão em qualquer dado momento.

Ao imergirmos ainda mais na visão, fica evidente que seu cérebro pode lhe fornecer percepções inteiramente convincentes se você simplesmente colocar as chaves certas nas fechaduras certas. Pense na percepção de profundidade. Seus dois olhos são fixos a certa distância, e assim recebem imagens ligeiramente diferentes do mundo. Demonstre isto pegando duas fotografias a alguns centímetros de distância depois coloque-as lado a lado. Agora envesgue para que as duas fotos se fundam em uma terceira, e surgirá uma imagem *em profundidade*. Você experimentará genuinamente a profundidade; não poderá abalar a percepção. A ideia impossível de profundidade surgindo de uma imagem plana revela a natureza mecânica e automática das computações no sistema visual: entre com as informações corretas e ele construirá um mundo suntuoso para você.

---

* Pense na questão análoga de saber se a luz de sua geladeira está sempre acesa. Você pode concluir erroneamente que está, simplesmente porque assim aparece sempre que você abre a porta.

Um dos erros mais difundidos é acreditar que nosso sistema visual proporciona uma representação fiel do que está "lá fora", da mesma maneira que uma câmera de cinema. Algumas demonstrações simples podem rapidamente corrigir esta sua concepção. Na figura a seguir, mostramos duas imagens.

Envesgue os olhos e as duas imagens se fundirão em uma imagem tridimensional.

Que diferença há entre elas? É difícil saber, não é? Numa versão dinâmica deste teste, as duas imagens são alternadas (isto é, cada uma delas é exibida por meio segundo, com um período de um décimo de segundo de vazio entre elas). E vemos que estamos cegos às chocantes mudanças na cena. Uma caixa grande pode estar presente em uma foto mas não em outra, ou num jipe, ou no motor de um avião – e a diferença continua sem ser vista. Nossa atenção lentamente ras-

Cegueira para mudanças.

teja pela cena, analisando pontos de referência interessantes, até que finalmente detecta o que está mudando.* Depois que o cérebro compreende o objeto certo, é fácil ver a mudança – mas isto só acontece após um exame exaustivo. Esta "cegueira para mudanças" esclarece a importância da atenção: para ver um objeto mudar, você deve estar atento a ele.[5]

Você não está vendo o mundo com os fartos detalhes que implicitamente acreditava ver; na realidade, não está consciente da maior parte do que chega a seus olhos. Imagine ver um filme de curta-metragem com um único ator em cena. Ele prepara uma omelete. A câmera corta para um ângulo diferente enquanto o ator cozinha. Certamente você perceberá se o ator agora for uma *pessoa* diferente, não é? Dois terços dos observadores não notaram isto.[6]

Em uma demonstração impressionante da cegueira para mudanças, pedestres aleatórios em uma praça foram parados por um pesquisador e este lhes pediu informações. A certa altura, enquanto o participante inocente estava no meio da explicação, passaram rudemente entre os dois uns trabalhadores carregando uma porta. Sem o conhecimento do participante, o pesquisador foi substituído furtivamente por um colega que se escondia atrás da porta carregada: depois que a porta passou, uma nova pessoa estava parada ali. A maioria continuou a dar informações sem perceber que a pessoa não era a mesma com quem falavam antes.[7] Em outras palavras, elas só estavam codificando pequenas quantidades das informações que chegaram aos olhos. O resto era pressuposto.

Os neurocientistas não foram os primeiros a descobrir que postar os olhos em algo não garante que seja visto. Os mágicos deduziram isto há muito tempo e aperfeiçoaram maneiras de tirar proveito deste conhecimento.[8] Orientando sua atenção, os mágicos realizam prestidigitações à

A ilusão de de "ver"

---

* Se ainda não conseguiu ver, o que muda na figura é a altura da parede atrás da estátua.

plena vista. Seus atos *deveriam* entregar o jogo – mas podem ficar tranquilos de que seus processos cerebrais só apreendem pequenas partes da cena visual, e não tudo o que chega a sua retina.

Este fato ajuda a explicar o número colossal de acidentes de trânsito em que os motoristas atropelam pedestres em plena vista, chocam-se com carros que estão à sua frente e até se colocam no caminho de trens. Em muitos casos como estes, os olhos estão no lugar certo, mas o cérebro não vê os estímulos. Ver é mais do que olhar. Isto também explica por que você provavelmente não percebe que a palavra "de" está escrita duas vezes no triângulo da figura anterior.

As lições aqui são simples, mas não são óbvias, mesmo para cientistas do cérebro. Por décadas, os pesquisadores da visão descascaram a árvore errada ao tentar entender como o cérebro visual reconstrói uma representação tridimensional e completa do mundo. Aos poucos ficou evidente que o cérebro não usa realmente um modelo em 3D – em vez disso, constrói algo como um *esboço* em 2,5D, no máximo.[9] O cérebro não precisa de um modelo completo do mundo porque ele meramente tem de calcular, às pressas, para onde olhar e quando.[10] Por exemplo, seu cérebro não precisa decodificar todos os detalhes da cafeteria onde você entrou; só precisa saber como e onde procurar, quando quer algo em particular. Seu modelo interno tem uma ideia geral de que você está numa cafeteria, que há pessoas à sua esquerda, uma parede à direita e vários objetos na mesa. Quando alguém ao seu lado pergunta "Quantos cubos de açúcar sobraram?", seus sistemas de atenção interrogam os detalhes do açucareiro, assimilando novas informações para seu modelo interno. Embora o açucareiro tenha estado em seu campo visual o tempo todo, não há detalhes verdadeiros ali para seu cérebro. Ele precisa fazer um esforço a mais para preencher os detalhes do quadro.

Da mesma maneira, sempre sabemos de uma característica sobre um estímulo enquanto simultaneamente somos capazes de reagir a outros. Digamos que eu lhe pedisse para olhar o que se segue e me dizer de que é composto: |||||||||||||. Você me diria corretamente que é composto de linhas verticais. Se eu lhe perguntasse *quantas* linhas, porém, você ficaria embatucado por um tempo. Pode ver *que* existem linhas, mas não sabe me dizer *quantas* sem um esforço considerável. Você pode saber de algumas coisas sobre uma cena sem saber de outros aspectos dela e pode se tornar consciente do que está lhe faltando quando é solicitado a tanto. Qual é a posição da língua em sua boca? Depois de ouvir a pergunta, você pode responder – mas presumivelmente não está consciente da resposta antes de lhe perguntarem. O cérebro em geral não precisa saber da maioria das coisas; apenas sabe como resgatar essas informações. Ele computa numa base *é-preciso-saber*. Você não acompanha na consciência e continuamente a posição de sua língua, porque esse conhecimento só é útil em raras circunstâncias.

Na realidade, não temos consciência de muitas coisas antes de sermos indagados sobre elas. Como ficaria seu sapato esquerdo no pé direito agora? Em que tom está o zumbido do ar-condicionado ao fundo? Como vimos na cegueira para mudanças, ficamos inconscientes da maior parte do que deve ser óbvio a nossos sentidos; só depois de organizar os recursos de atenção nos detalhes da cena é que temos consciência do que estamos perdendo. Antes de envolvermos nossa concentração, não temos consciência de que não estamos conscientes destes detalhes. Então não só nossa percepção do mundo é uma construção que não representa com exatidão o exterior, como também temos a falsa impressão de um quadro completo e detalhado quando, na verdade, só vemos o que precisamos saber e nada mais.

Em 1967, o psicólogo russo Alfred Yarbus investigou como o cérebro interroga o mundo para obter mais detalhes. Ele mediu as localizações exatas que as pessoas olhavam usando um rastreador ocular e pediu aos participantes que olhassem para a pintura de Ilia Repin, *Visita inesperada* (ver a seguir).[11] A tarefa dos participantes era simples: examinar a pintura. Ou, em uma situação diferente, supor o que as pessoas na tela estavam fazendo pouco antes da entrada da "visita inesperada". Ou responder a uma pergunta sobre o nível social das pessoas. Ou suas idades. Ou quanto tempo a visita inesperada ficou afastada.

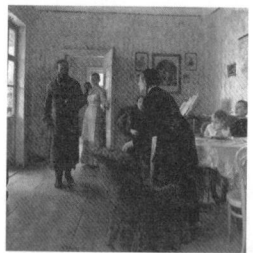

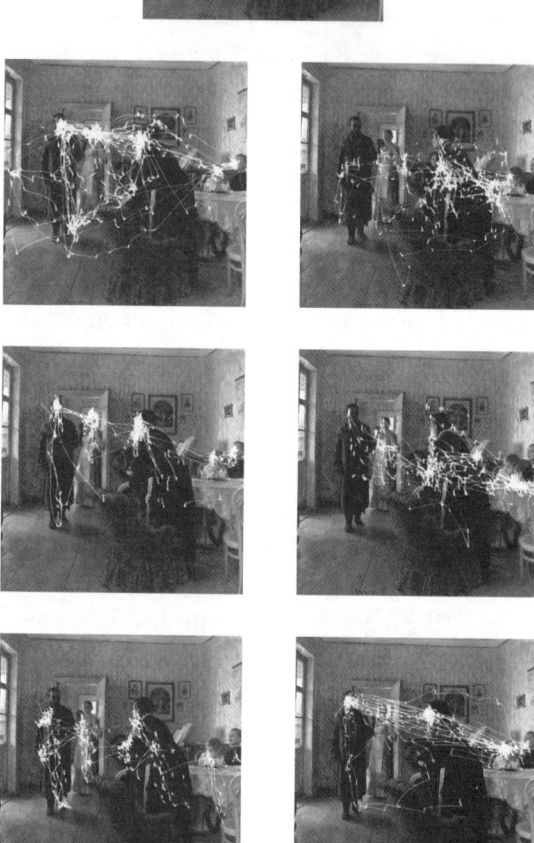

Seis registros de movimentos oculares do mesmo participante. Cada registro durou três minutos. 1, Exame livre. Antes dos registros seguintes, o participante foi solicitado a: 2, estimar a situação financeira da família; 3, dar as idades das pessoas; 4, supor o que a família estava fazendo antes da chegada da "visita inesperada"; 5, lembrar-se das roupas usadas pelas pessoas; 6, estimar quanto tempo a "visita inesperada" ficou longe da família. De Yarbus, 1967.

O resultado foi extraordinário. Dependendo do que era solicitado, os olhos moviam-se em padrões totalmente diferentes, tomando amostras do quadro de forma que dessem o máximo de informações à pergunta em questão. Quando indagados sobre as idades das pessoas, os olhos procuraram os rostos. Quando indagados sobre sua riqueza, o foco dançou pelas roupas e posses materiais.

Pense no que isto significa: o cérebro se estende para o mundo e *extrai* ativamente o tipo de informação de que precisa. O cérebro não precisa ver tudo ao mesmo tempo em *Visita inesperada* e não precisa guardar tudo internamente; só precisa saber onde procurar a informação. Enquanto interrogam o mundo, seus olhos são como agentes numa missão, otimizando a estratégia para obter informações. Embora sejam os "seus" olhos, você tem pouca ideia de quais são seus deveres. Como numa missão secreta, os olhos operam abaixo do radar, com rapidez demais para sua consciência atrapalhada acompanhá-los.

Para um bom exemplo dos limites da introspecção, considere os movimentos oculares que faz agora enquanto lê este livro. Seus olhos saltam de um ponto a outro. Para estimar a velocidade, ponderar e precisar estes movimentos oculares, observe outra pessoa enquanto ela lê. Mas não temos consciência deste exame ativo da página. Em vez disso, parece que as ideias simplesmente fluem para a cabeça a partir de um mundo estável.

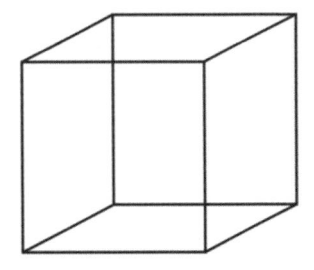

Como a visão parece ser tão espontânea, somos como peixes desafiados a compreender a água: como o peixe nunca viveu outra coisa, é quase impossível para ele ver ou conceber a água. Mas uma bolha que sobe e passa por um peixe curioso pode lhe dar uma pista fundamental. Como as bolhas, as ilusões de ótica chamam nossa atenção para o que normalmente julgamos óbvio – e assim são instrumentos fundamentais para a compreensão dos mecanismos por trás das cenas no cérebro.

Você sem duvida já viu o desenho de um cubo como o da figura nesta página. Este cubo é um exemplo de estímulo "multiestável" – isto é, uma imagem que se move de um lado a outro entre diferentes percepções. Escolha o que você percebe como a face "frontal" do cubo. Olhe fixamente a imagem por um momento e perceberá que às vezes a face frontal parece se transformar na traseira, e a orientação do cubo se altera. Se você continuar olhando, ele mudará novamente, alternando entre essas duas percepções de orientação do cubo. Aqui há uma questão surpreendente: *nada mudou na página, assim a mudança deve ter ocorrido em seu cérebro.* A visão é ativa, e não passiva. Há várias maneiras de o sistema visual interpretar o estímulo, e assim ele se move entre as possibilidades. A mesma forma dos reversos pode ser vista na ilusão face-vaso a seguir: às vezes você percebe as faces, às vezes o vaso, embora nada tenha mudado na página. Você simplesmente não consegue ver os dois ao mesmo tempo.

Há demonstrações ainda mais impressionantes deste princípio da visão ativa. A alternância perceptual acontece se você apresenta uma imagem a seu olho esquerdo (digamos, uma vaca) e uma imagem diferente ao olho direito (digamos, um avião). Você não vê os dois ao mesmo tempo, nem vê uma fusão das duas imagens – vê uma, depois outra, e a primeira novamente.[12] Seu sistema visual está arbitrando uma batalha entre as informações conflitantes e você não vê o que realmente está ali, mas apenas uma versão pontual de qual percepção leva a melhor sobre outra. Embora o mundo não tenha mudado, seu cérebro apresenta dinamicamente diferentes interpretações.

Mais do que a interpretação ativa do que esta lá fora, o cérebro em geral vai além do dever para compensar as coisas. Considere o exemplo da retina, o manto especializado de células fotorreceptoras no fundo do olho. Em 1668, o filósofo e matemático francês Edme Mariotte deu por acaso com algo muito inesperado: há um trecho considerável na retina onde não existem fotorreceptores.[13] Esse trecho desaparecido surpreendeu Mariotte porque o campo visual parece contínuo: não há hiato correspondente de visão onde faltam os fotorreceptores.

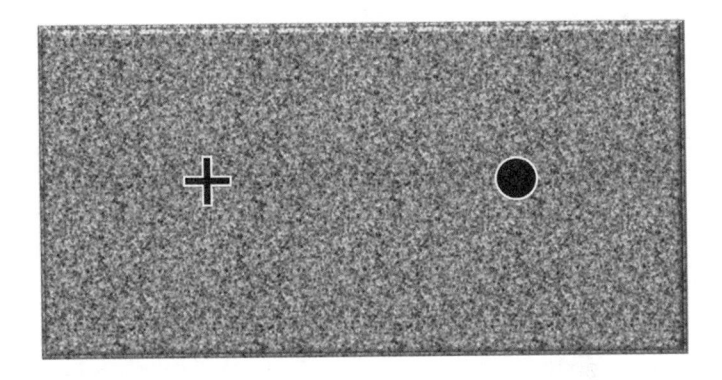

Ou haverá? À medida que mergulhou mais profundamente nesta questão, Mariotte percebeu que *há* um buraco em nossa visão – que passou a ser conhecido como o "ponto cego" de cada olho. Para demonstrar isto a si mesmo, feche o olho esquerdo e mantenha o direito fixo no sinal de mais na figura desta página.

Mova lentamente a página para perto e longe de seu rosto até que o ponto preto desapareça (provavelmente quando a página estiver a cerca de 30 centímetros de distância). Você não pode mais ver o ponto porque ele está assestado em seu ponto cego.

Não suponha que seu ponto cego é pequeno. Ele é imenso. Imagine o diâmetro da lua no céu noturno. Você pode encaixar 17 luas em seu ponto cego.

Então por que ninguém percebeu esse buraco na visão antes de Mariotte? Como mentes brilhantes como de Michelangelo, Shakespeare e Galileu viveram e morreram sem sequer detectar este fato básico da visão? Um motivo é que existem dois olhos e os pontos cegos ficam em locais diferentes, sem sobreposição; isso quer dizer que, de olhos abertos, você tem total cobertura da cena. Mais importante do que isso, porém, ninguém percebeu porque o cérebro "preenche" as informações que faltam do ponto cego. Observe o que você vê no local do ponto quando está em seu ponto cego. Quando o ponto desaparece, você não percebe um buraco de branco ou preto em seu lugar; seu cérebro *inventa* um trecho do padrão de fundo. Seu cérebro, sem informação nenhuma deste ponto em particular no espaço visual, preenche com o padrão que o cerca.

Você não está vendo o que está aí fora. Está vendo o que seu cérebro lhe diz.

Em meados dos anos 1800, o médico e físico alemão Hermann von Helmholtz (1821-1894) começou a desconfiar de que a corrente de informações que se movia dos olhos para o cérebro é pequena demais para ter importância real na rica experiência da visão. Concluiu que o cérebro deve fazer *pressupostos* sobre as informações que recebe e que estes pressupostos se baseiam em nossa experiência anterior.[14] Em outras palavras, dada uma pequena informação, seu cérebro usa as melhores conjecturas para transformá-la em algo maior.

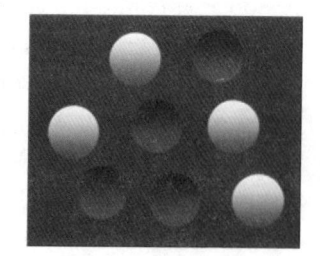

Pense nisto: com base em sua experiência, seu cérebro pressupõe que as cenas visuais são iluminadas por uma fonte de luz situada acima.[15] Assim, um círculo achatado com sombra, mais claro no alto e mais escuro no fundo, será visto como convexo; outro com sombras na direção oposta será percebido como côncavo. Girando a figura 90 graus, a ilusão será eliminada, deixando claro que há apenas círculos planos e sombreados – mas, quando a figura é virada novamente, não se pode deixar de ter uma ilusão de profundidade.

Como resultado das noções do cérebro sobre as fontes de luz, ele faz pressupostos inconscientes também sobre as sombras: se um quadrado lança uma sombra e a sombra de repente se move, você acreditará que o quadrado alterou sua profundidade.[16]

Dê uma olhada na figura que se segue: o quadrado não se moveu; o quadrado escuro que representa sua sombra apenas foi deslocado para um local um tanto diferente. Isto *pode* ter acontecido porque a fonte de luz do alto de repente mudou de posição – mas, devido a sua experiência com o sol em movimento lento e a iluminação elétrica fixa, sua percepção automaticamente dá preferência à explicação mais provável: o objeto se moveu na sua direção.

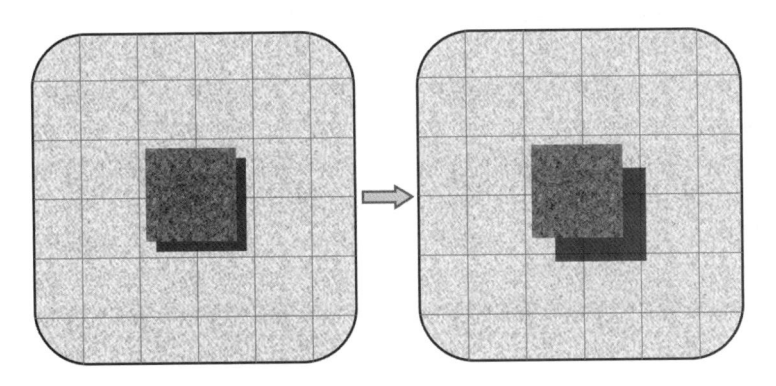

Helmholtz chamou este conceito de visão de "inferência inconsciente", onde *inferência* se refere à ideia de que o cérebro conjectura o que pode estar lá, e *inconsciente* nos lembra que não temos consciência do processo. Não temos acesso à maquinaria veloz e automática que obtém e estima a estatística do mundo. Somos apenas os beneficiários montados no alto da maquinaria, desfrutando do jogo de luz e sombras.

COMO AS PEDRAS PODEM SE DESLOCAR PARA CIMA SEM MUDAR DE POSIÇÃO?

Quando começamos a observar mais atentamente essa maquinaria, encontramos um sistema complexo de células e circuitos especializados na parte de seu cérebro chamada córtex visual. Há uma divisão de trabalho entre esses circuitos: alguns são especializados na cor, outros, no movimento; outros ainda nas bordas, e outros, em vários atributos diferentes. Esses circuitos são densamente interligados e chegam a conclusões coletivamente. Quando necessário, fornecem uma manchete para o que podemos chamar de *Jornal da Consciência*. A manchete relata apenas que um ônibus está indo ou que alguém abriu um sorriso sedutor – mas não cita as variadas fontes. Às vezes é tentador pensar que ver é fácil *apesar* da maquinaria neural complicada subjacente à visão. Ao contrário, é fácil *por causa* desta maquinaria neural complicada.

Quando olhamos a maquinaria mais de perto, descobrimos que a visão pode ser desconstruída em partes. Olhe uma queda-d'água por alguns minutos; depois de alternar o olhar, os objetos estacionários, como as pedras próximas, por um breve momento darão a impressão de se deslocarem para cima.[17] Estranhamente, não há mudanças em sua posição com o tempo, embora seu movimento seja claro. Aqui a atividade equilibrada de seus detectores de movimento (em geral, os neurônios que sinalizam para cima estão em equilíbrio numa relação simétrica com os neurônios que sinalizam para baixo) permite que você veja o que é impossível no mundo: o movimento sem mudança de posição. Esta ilusão – conhecida como pós-efeito do movimento ou ilusão da queda-d'água – desfrutou de uma ampla história de estudos, remontando a Aristóteles. A ilusão ilustra que a visão é o produto de diferentes módulos: neste caso, algumas partes do sistema visual insistem (incorretamente) em que as pedras estão se movendo, enquanto outras insistem em que as pedras, na realidade, não estão mudando de posição. Como argumentou o filósofo Daniel Dennett, o introspectivo ingênuo em geral confia na metáfora ruim da tela de televisão,[18] onde mover-se enquanto se está parado não pode acontecer. Mas o mundo visual do cérebro não é nada parecido com uma tela de TV e o movimento sem mudança de posição é uma conclusão a que às vezes se chega.

Há muitas ilusões de movimento sem mudança de posição. A figura a seguir demonstra que as imagens estáticas podem dar a impressão de deslocamento se excitarem detectores de movimento do jeito certo. Estas ilusões existem porque o sombreamento exato das imagens estimula os detectores de movimento no sistema visual – e a atividade destes receptores é *equivalente* à percepção de movimento. Se seus detectores de movimento declaram que algo está se movendo ali, o você consciente acredita sem questionar. E não só acredita como *experimenta* assim.

O movimento pode ser visto quando não há mudança de posição. (a) Figuras de alto contraste como estas estimulam os detectores de movimento, dando a impressão de movimento constante em torno dos aros. (b) Da mesma maneira, as rodas em zigue-zague aqui parecem girar lentamente.

Um exemplo impressionante deste princípio vem de uma mulher que, em 1978, sofreu intoxicação por monóxido de carbono.[19] Felizmente, ela sobreviveu; infelizmente, sofreu danos cerebrais irreversíveis em partes de seu sistema visual – especificamente, as regiões envolvidas na representação do movimento. Como o resto de seu sistema visual estava intacto, ela podia ver objetos estacionários sem problema algum. Podia dizer que havia uma bola ali e um telefone acolá. Mas não conseguia mais ver o movimento. Se estivesse parada numa calçada tentando atravessar a rua, via o caminhão vermelho ali, depois aqui e por fim acolá, após passar por ela – mas o caminhão não tinha sentido de *movimento*. Se ela tentasse servir água de uma jarra, veria uma jarra inclinada, depois uma coluna cintilante de água pendurada na jarra, por fim uma poça de água em volta do copo que transbordou – mas não conseguia ver o líquido se mexer. Sua vida era uma série de instantâneos. Como no efeito da queda-d'água, seu problema com a cegueira para movimento nos diz que a posição e o movimento podem ser separados no cérebro. O movimento é "pintado" em nossa visão do mundo, assim como é erroneamente pintado nas imagens anteriormente.

Um físico considera o movimento a mudança na posição com o tempo. Mas o cérebro tem sua própria lógica e é por isso que pensar em movimento como um físico e não como neurocientista levará a previsões erradas sobre como as pessoas operam. Pense nos *outfielders* de beisebol pegando bolas rebatidas. Como decidem aonde correr para interceptar a bola? Provavelmente seu cérebro representa onde a bola está de momento a momento: agora está lá, agora um pouco mais perto, agora mais perto ainda. Não é assim? Não.

Então talvez o cérebro do *outfielder* calcule a velocidade da bola, certo? Errado.

Aceleração? Errado.

O cientista e fã de beisebol Mike McBeath quis compreender as computações neurais ocultas por trás do ato de apanhar as bolas.[20] Ele descobriu que os *outfielders* usam um programa inconsciente que lhes diz não onde terminar, mas simplesmente como continuar correndo. Eles se movem de tal maneira que a trajetória parabólica da bola sempre progride em linha reta a partir de sua perspectiva. Se a trajetória da bola parece estar se desviando de uma linha reta, eles modificam sua trajetória de corrida.

Este programa simples faz a estranha previsão de que os *outfielders* não vão correr diretamente para o ponto de descida da bola, mas correrão numa curva peculiar para chegar lá. E é exatamente o que fazem os jogadores, como verificou McBeath e colaboradores em tomadas de vídeo aéreas.[21] E como esta estratégia de corrida não dá informações sobre onde será o ponto de interseção, só como continuar se movendo para lá, o programa explica por que os *outfielders* se chocam com alambrados enquanto perseguem bolas inalcançáveis.

Assim vemos que o sistema não precisa representar explicitamente a posição, a velocidade ou a aceleração para o jogador conseguir pegar a bola ou interceptá-la. Provavelmente, um físico não teria previsto isto. E isto nos faz entender que a introspecção tem pouco discernimento significativo sobre o que está acontecendo nos bastidores. Ótimos *outfielders*, como Ryan Braun e Matt Kemp, não sabem que estão operando esses programas; eles simplesmente desfrutam das consequências e pegam os pagamentos resultantes.

APRENDENDO A VER

Quando Mike May tinha três anos, uma explosão química o deixou inteiramente cego. Isso não o impediu de se tornar o melhor esquiador alpino cego do mundo, bem como um homem de negócios e pai de família. E depois, 43 anos após a explosão que lhe subtraiu a visão, ele soube de um novo desenvolvimento cirúrgico que podia restaurá-la. Embora ele tivesse sucesso na vida como cego, decidiu se submeter à cirurgia.

Depois da operação, removeram as ataduras em torno dos olhos. Acompanhado por um fotógrafo, Mike se sentou em uma cadeira enquanto os dois filhos eram levados a ele. Aquele era um grande momento. Seria a primeira vez que olharia em seus rostos com os olhos limpos. Na foto resultante, Mike tinha um sorriso satisfeito mas estranho, enquanto os filhos estavam radiantes com ele.

A cena deveria ser comovente, mas não era. Havia um problema. Os olhos de Mike agora funcionavam perfeitamente, mas ele olhava com um completo pasmo os objetos que tinha diante de si. Seu cérebro não sabia o que fazer com a enxurrada de informações. Ele não estava vivendo os rostos dos filhos; vivia apenas sensações incompreensíveis de bordas, cores e luzes. Embora seus olhos estivessem funcionando, ele não tinha *visão*.[22]

E isto porque o cérebro precisava *aprender* a ver. As estranhas tempestades elétricas dentro do crânio negro como breu transformaram-se em resumos conscientes depois de um longo percurso imaginando os objetos do mundo harmonizados com os sentidos. Considere a experiência de andar por um corredor. Mike sabia, de uma vida inteira de caminhadas por corredores, que as paredes permanecem paralelas, ao alcance do braço, durante todo o trajeto. Assim, quando sua visão foi restaurada, o conceito de linhas perspectivas convergentes estava além de sua capacidade de compreensão. Não fazia sentido para seu cérebro.

Da mesma maneira, quando eu era criança, conheci uma cega e fiquei admirado com a intimidade com que ela conhecia a disposição de seus aposentos e móveis. Perguntei-lhe se ela conseguiria desenhar a planta do lugar com uma precisão maior à da maioria das pessoas que enxergam. Sua resposta me surpreendeu: ela disse que *não* seria capaz de desenhar a planta, pois não compreendia como as pessoas que enxergavam convertiam três dimensões (o espaço) em duas dimensões (uma folha de papel). A ideia simplesmente não fazia sentido para ela.[23]

A visão não *existe* simplesmente quando uma pessoa confronta o mundo com olhos limpos. Uma interpretação de sinais eletroquímicos em fluxo pelos nervos óticos precisa ser treinada. O cérebro de Mike não entendia como seus próprios movimentos alteravam as consequências sensoriais. Por exemplo, quando ele move a cabeça para a esquerda, a cena muda para a direita. O cérebro das pessoas que enxergam passou a esperar essas coisas e sabe ignorá-las. Mas o cérebro de Mike ficou desnorteado com estas estranhas relações. E isto ilustra uma questão fundamental: a experiência consciente da visão só ocorre quando há uma previsão exata das consequências sensoriais,[24] um ponto a que voltaremos daqui a pouco. Assim, embora a visão *pareça* uma versão de algo que objetivamente está lá fora, não chega de graça. Precisa ser aprendida.

Depois de se locomover por várias semanas, olhando as coisas, chutando cadeiras, examinado os talheres, afagando o rosto da mulher, Mike passou a ter a experiência de visão que temos. Ele agora experimenta a visão da mesma forma que nós. Só que a aprecia mais.

A história de Mike mostra que o cérebro pode receber uma torrente de informações e aprender a encontrar sentido nelas. Mas isso implicaria as previsões bizarras de que se pode *substituir* um sentido por outro? Em outras palavras, se você pegar um fluxo de dados de uma câmera de vídeo e convertê-lo em um input para um sentido diferente – paladar ou tato, digamos –; acabará vendo o mundo desta maneira? Incrivelmente, a resposta é sim, e as consequências são profundas, como estamos prestes a ver.

VENDO COM O CÉREBRO

Na década de 1960, o neurocientista Paul Bach-y-Rita, da Universidade de Wisconsin, começou a ruminar o problema de como dar visão aos cegos.[25] Pouco tempo antes, seu pai tivera uma recuperação milagrosa de um derrame e Paul se viu encantado com o potencial da reconfiguração dinâmica do cérebro.

Uma questão tomou forma em sua mente: poderia o cérebro substituir um sentido por outro? Bach-y-Rita decidiu experimentar, apresentando um "display" tátil a cegos.[26] Eis a ideia: prenda uma câmera de vídeo à testa de alguém e converta as informações de vídeo que chegam em uma gama de vibradores mínimos presos a suas costas. Imagine colocar este dispositivo e andar vendado por uma sala. No início você sentiria um padrão estranho de vibrações na base das costas. Embora as vibrações mudassem numa relação estrita com seus movimentos, seria muito difícil deduzir o que estava acontecendo. Quando você batesse o calcanhar na mesa de centro, pensaria: "Isto não é nada parecido com a visão."

Não será mesmo? Quando cegos colocaram esses óculos de substituição visual-tátil e andaram por uma semana, adquiriram uma boa competência na condução por um novo ambiente. Podiam traduzir as sensações nas costas em conhecimento do jeito certo de se mover. Mas esta não é a parte impressionante. O impressionante é que eles realmente começaram a perceber o input tátil – a *ver* com ele. Depois de bastante prática, o input tátil tornou-se mais do que um quebra-cabeça cognitivo que precisava de tradução; tornou-se uma sensação direta.[27]

Se parece estranho que os sinais nervosos provenientes das costas possam representar a visão, lembre que seu sentido da visão é transmitido por milhões de sinais nervosos que por acaso viajam por diferentes cabos. Seu cérebro é encerrado em absoluta escuridão na caverna do crânio. Ele não *vê* nada. Só sabe destes pequenos sinais, e nada mais. E, no entanto, você percebe o mundo em todos os tons de luminosidade e cor. Seu cérebro está no escuro, mas sua mente constrói luz.

Para o cérebro, não importa de onde vêm os pulsos – dos olhos, dos ouvidos, ou de outro lugar inteiramente diferente. Desde que estejam consistentemente correlacionados com seus próprios movimentos enquanto você empurra, bate e chuta coisas, seu cérebro pode construir a percepção direta que chamamos de visão.[28]

Outros substitutos sensoriais também estão sob pesquisa ativa.[29] Pense em Eric Weihenmayer, um alpinista radical, que escala perigosamente faces rochosas quase verticais impelindo o corpo para o alto e prendendo precariamente pés e mãos em saliências rasas. Para aumentar sua façanha, ele é cego. Nasceu com uma rara doença ocular chamada retinosquise, que o deixou cego aos 13 anos. Mas ele não permitiu que isto destruísse seu sonho de ser alpinista e, em 2001, ele se tornou o primeiro (e até agora o único) cego a subir o monte Everest. Hoje ele escala com uma grade de mais de 600 eletrodos mínimos na boca, chamada de BrainPort.[30] Este dispositivo lhe permite *ver com a língua* durante a escalada. Embora a língua normalmente seja um órgão do paladar, sua umidade em ambiente químico a torna uma excelente interface cérebro-máquina quando uma grade de eletrodos formigantes é colocada em sua superfície.[31] A grade traduz um input de vídeo em padrões de pulsos elétricos, permitindo que a língua possa discernir propriedades em geral atribuídas à visão, como distância, forma, direção de movimento e tamanho. O aparelho nos lembra que vemos não com os olhos, mas com o cérebro. A técnica foi desenvolvida para ajudar cegos como Eric, porém aplicações mais recentes que enviam ondas de sonar ou infravermelho à grade da língua permitem que mergulhadores vejam na água turva e soldados tenham uma visão em 360 graus no escuro.[32]

Eric conta que, embora tenha percebido a estimulação na língua pela primeira vez como bordas e formas indefiníveis, rapidamente aprendeu a reconhecer o estímulo em um nível mais profundo. Agora ele pode pegar uma xícara de café ou brincar de bola com sua filha.[33]

Se lhe parece estranho ver com a língua, pense na experiência de um cego aprendendo a ler Braille. No início são apenas calombos; por fim esses calombos passam a ter significado. E se você tiver dificuldade para imaginar a transição do quebra-cabeça cognitivo para a percepção direta, pense na maneira como lê as letras desta página. Seus olhos esvoaçam sem esforço algum pelas formas adornadas sem nenhuma consciência de que você as está traduzindo: o significado das palavras simplesmente lhe ocorre. Você percebe a linguagem, não os detalhes inferiores dos grafemas. Para entender o que quero dizer, experimente ler o que se segue:

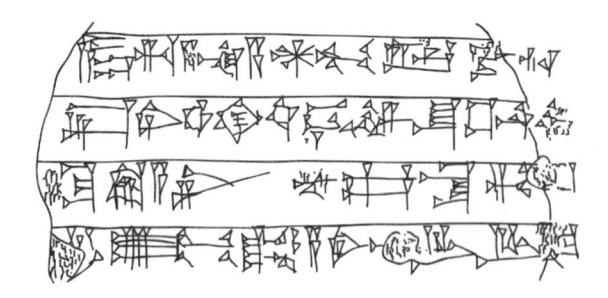

Se você fosse sumeriano antigo, o significado seria prontamente evidente – fluiria da tabuleta diretamente, sem nenhuma consciência das formas que o medeiam. E o significado da frase seguinte é imediatamente evidente se você for de Jinghong, na China (mas não de outras regiões chinesas):

ဗွီ ၆၄ၣထာ၃၄ ဂဂပ၆ ၆ထ ဘိုင် ၃ၣၓဂၐ ထ၆၄၆ထာ ၄၄၄ e ၆ထ d.

A frase seguinte é muito engraçada se você for leitor da linguagem do nordeste iraniano de Baluchi:

توامیں انسان بنی صورتء شرپداریں ءُ آجونیں دروشمءَ ودی بنت اِیں. اشانی تہا زانت، سرپدی ءُ شعور است بیت. اے وت ما وتا براتی منیل ءُ یکجائیءَ بہ ودیں انت.

Ao leitor da escrita cuneiforme, do novo tai lue ou do baluchi, o resto desta página parece tão estranho e difícil de interpretar como a escrita deles é para você. Mas estas letras não exigem esforço seu, porque você já transformou a tarefa da tradução cognitiva em percepção direta.

O mesmo acontece com os sinais elétricos que chegam ao cérebro: no início não têm significado; com o tempo, seu significado floresce. Da mesma maneira que você imediatamente "vê" o significado destas palavras, seu cérebro "vê" uma enxurrada de sinais elétricos e químicos como, digamos, um cavalo galopando entre pinheiros cobertos de neve. Para o cérebro de Mike May, as letras neurais que chegam ainda precisam de tradução. Os sinais visuais gerados por um cavalo são explosões de atividade que não podem ser interpretadas, dando pouca indicação, se der alguma, do que está lá fora; os sinais em sua retina são como letras do baluchi que exigem esforço para ser traduzidas uma por uma. Para o cérebro de Eric Weihenmayer, sua língua está enviando mensagens em novo tai lue – mas, com bastante prática, seu cérebro aprende a entender a linguagem. A essa altura, sua compreensão do mundo visual é tão evidente como as palavras de sua língua materna.

Aqui está uma consequência incrível da plasticidade do cérebro: no futuro, seremos capazes de conectar novos tipos de fluxos de dados diretamente no cérebro, como a visão infravermelha ou ultravioleta, ou até informações climáticas ou do mercado de ações.[34] No início o cérebro lutará para absorver os dados, mas por fim aprenderá a falar a linguagem. Seremos capazes de dar nova funcionalidade e rodar o Cérebro 2.0.

Isto não é ficção científica; o trabalho já começou. Recentemente, os pesquisadores Gerald Jacobs e Jeremy Nathans pegaram o gene de um fotopigmento humano – uma proteína na retina que absorve luz de determinado comprimento de onda – e o inseriram em camundongos cegos para cores.[35] O que adveio daí? A visão em cores. Estes camundongos agora podem distinguir diferentes cores. Imagine dar a eles a tarefa em que possam ter uma recompensa apertando um botão azul, mas não são recompensados quando apertam um botão vermelho. Você altera aleatoriamente as posições dos botões a cada ensaio. Os camundongos modificados aprendem a escolher o botão azul, enquanto para os normais os botões são indistinguíveis – e portanto eles escolhem aleatoriamente. O cérebro dos novos camundongos deduziu como ouvir o novo dialeto que seus olhos estão falando.

Do laboratório natural da evolução surge um fenômeno relacionado em seres humanos. Pelo menos 15% das mulheres possuem uma mutação genética que lhes dá um tipo extra (o quarto) de fotorreceptor de cor – e isto lhes permite discriminar entre cores que parecem idênticas à maioria de nós, que temos apenas os três tipos de fotorreceptores para cor.[36] Dois tons que parecem idênticos à maioria das pessoas serão claramente distinguíveis para essas mulheres. (Ninguém ainda determinou que porcentagem das discussões de moda foi causada por esta mutação.)

Assim, conectar novos fluxos de dados ao cérebro não é um conceito teórico; já existe de variadas formas. Pode ser surpreendente a facilidade com que as novas entradas se tornam viáveis – mas, como Bach-y-Rita resumiu com simplicidade suas décadas de pesquisa, "Dê ao cérebro as informações e ele deduzirá".

Se alguma coisa aqui mudou sua visão de como você percebe a realidade, segure-se, porque vai ficar ainda mais estranho. Em seguida vamos descobrir por que a visão tem muito pouca relação com seus olhos.

ATIVIDADE DE DENTRO

O que se ensina tradicionalmente sobre a percepção é que os dados do sensório são vertidos no cérebro, sobem pela hierarquia sensorial e fazem com que sejam vistos, ouvidos, cheirados, provados ou sentidos – "percebidos". Mas um exame mais atento dos dados sugere que isto está incorreto. O cérebro é com razão considerado um sistema principalmente fechado que dirige sua própria atividade gerada internamente.[37] Já temos muitos exemplos deste tipo de atividade: respiração, digestão e locomoção são controladas por geradores de atividade autônomos em seu tronco encefálico e na medula espinhal. Durante os sonhos, o cérebro é isolado de seu input normal, assim a ativação interna é a única fonte de estímulo cortical. No estado de vigília, a atividade interna é a base da imaginação e das alucinações.

O aspecto mais surpreendente deste sistema é que os dados internos não são *gerados* por dados sensoriais externos, mas apenas *modulados* por eles. Em 1911, o montanhista e neurofisiologista escocês Thomas Graham Brown mostrou que o programa para mover os músculos para a locomoção é embutido na maquinaria da medula espinhal.[38] Ele seccionou os nervos sensoriais das pernas de um gato e demonstrou que o gato podia andar perfeitamente numa esteira. Isto indicou que o programa para a locomoção era internamente gerado na medula espinhal e que o *feedback* sensorial das pernas só era usado para *modular* o programa – quando, digamos, o gato subia numa superfície escorregadia e precisava ficar de pé.

O maior segredo do cérebro é que não só a medula espinhal, mas todo o sistema nervoso central trabalha desta maneira: a atividade gerada internamente é modulada por input sensorial. Segundo esta perspectiva, a diferença entre estar desperto e dormindo é apenas a de que as informações que chegam dos olhos *ancoram* a percepção. A visão em sono (o sonho) é percepção que não é ligada a nada no mundo real; a percepção na vigília parece o sonhar com um pouco mais de compromisso com o que está diante de você. Outros exemplos de percepção não ancorada são vistos em prisioneiros confinados em solitárias escuras, ou em pessoas em câmaras de privação sensorial. As duas situações levam rapidamente a alucinações.

Dez por cento das pessoas com doenças oculares e perda visual terão alucinações visuais. No estranho distúrbio conhecido como síndrome de Charles Bonnet, as pessoas que perdem a visão começarão a ver coisas – como flores, pássaros, outras pessoas, prédios – que elas sabem que não são reais. Bonnet, filósofo suíço que viveu nos anos 1700, descreveu o fenômeno pela primeira vez quando percebeu que seu avô, que perdera a visão por catarata, tentava interagir com objetos e animais que não estavam fisicamente presentes.

Embora apareça na literatura há séculos, a síndrome foi mal diagnosticada por dois motivos. O primeiro é que muitos médicos não sabem dela e atribuem seus sintomas à demência. O segundo é que as pessoas que têm alucinações ficam frustradas porque sabem que sua cena visual é pelo menos parcialmente uma impostura de seu cérebro. Segundo vários levantamentos, a maioria delas nunca falará de suas alucinações ao médico por medo de ter o diagnóstico de doença mental.

No que diz respeito aos clínicos, o que mais importa é se o paciente pode verificar a realidade e saber que está alucinando; se assim for, a visão é rotulada de *pseudoalucinação*. É claro que às vezes é muito complicado saber se você está alucinando. Você pode alucinar uma caneta de prata em sua mesa agora e nunca suspeitar de que não seja real – porque sua presença é plausível. É fácil situar uma alucinação quando ela é estranha. Até onde se sabe, nós alucinamos o tempo todo.

Como vimos, o que chamamos de percepção normal não difere realmente das alucinações, a não ser por esta última não estar ancorada por input externo. As alucinações são simplesmente visão desatada.

Em conjunto, esses estranhos fatos nos dão uma maneira surpreendente de olhar o cérebro, como veremos agora.

As primeiras ideias sobre a função cerebral foram baseadas em uma analogia de computador: o cérebro era um dispositivo de entrada-saída que transferia informação sensorial por diferentes fases de processamento até chegar ao ponto final.

Mas esse modelo de linha de montagem começou a atrair suspeitas quando se descobriu que as conexões cerebrais não vão simplesmente de A a B e daí a C: há circuitos de *feedback* de C para B, de C para A e de B para A. Por todo o cérebro há tanto alimentação como retroalimentação – uma característica dos circuitos cerebrais, tecnicamente chamada de recorrência e coloquialmente de volteio.[39] Todo o sistema parece muito mais um mercado do que uma linha de montagem. Ao observador atento, estas características dos circuitos neurais levantam imediatamente a possibilidade de que a percepção visual não é um desfile de informações mastigadas que começa nos olhos e termina em algum ponto final misterioso no fundo do cérebro.

Na realidade, as conexões alojadas de *feedback* são tão extensas que o sistema pode até operar ao inverso. Isto é, ao contrário da ideia de que as áreas sensoriais primárias apenas processam input em interpretações cada vez mais complexas para a área superior do cérebro, as áreas superiores também estão respondendo às interiores. Por exemplo: feche os olhos e imagine uma formiga andando por uma toalha vermelha e branca até um vidro de geleia roxa. As partes inferiores de seu sistema visual se iluminam com a atividade. Embora não esteja realmente vendo a formiga, você a vê em seu olho mental. As áreas superiores estão dirigindo as inferiores. Assim, embora os olhos alimentem essas áreas cerebrais inferiores, graças à interconexão dos sistemas essas áreas se saem muito bem sozinhas no escuro.

E fica ainda mais estranho. Graças a essa viva dinâmica de mercado, os diferentes sentidos influenciam-se mutuamente, mudando a história do que se pensa estar lá fora. O que passa pelos olhos não é apenas assunto do sistema visual – o resto do cérebro também se envolve. Na ilusão do ventriloquismo, o som vem de um local (a boca do ventríloquo), mas seus olhos veem uma boca em movimento em local diferente (a do boneco). Seu cérebro conclui que o som vem diretamente da boca do boneco. Os ventríloquos não "lançam" a voz. Seu cérebro faz todo o trabalho por eles.

Tome como outro exemplo o efeito McGurk: quando o som de uma sílaba (*ba*) é sincronizado com um vídeo de movimentos labiais de uma sílaba diferente (*ga*), produz a forte ilusão de que você está ouvindo uma terceira sílaba (*da*). Isto resulta da densa interconectividade e volteios no cérebro, permitindo que a voz e as dicas de movimento labial se combinem em uma fase de processamento anterior.[40]

A visão costuma predominar sobre a audição, mas um exemplo em contrário é o efeito ilusório de clarão: quando um ponto luminoso é acompanhado de dois sinais sonoros, parece piscar duas vezes.[41] Isto tem relação com outro fenômeno chamado "condução auditiva", em que a taxa aparente de uma luz oscilante tem condução mais rápida ou mais lenta por um sinal sonoro simultâneo apresentado a uma taxa diferente.[42] Ilusões simples como estas servem como fortes pistas do circuito neural, dizendo-nos que os sistemas auditivo e visual são densamente interligados, tentando relacionar uma história unificada de eventos no mundo. O modelo de linha de montagem da visão dos livros didáticos que introduzem o assunto não só é enganador como está patentemente errado.

Assim, que vantagem há em um cérebro com volteios? Primeiro, ele permite que um organismo transcenda o comportamento estímulo-resposta e confere a capacidade de fazer previsões antes do input sensorial real. Pense em tentar pegar uma bola rebatida no beisebol. Se você fosse meramente um dispositivo de linha de montagem, não poderia fazer isso: haveria um retardo de centenas de milissegundos do tempo em que a luz atinge sua retina até que você pudesse executar um comando motor. Sua mão sempre se estenderia para um lugar onde a bola *estava*. Conseguimos pegar bolas de beisebol apenas porque temos modelos internos e profundamente programados da física.[43] Estes modelos internos geram expectativas sobre quando e onde a bola vai cair, dados os efeitos da aceleração gravitacional.[44] Os parâmetros de modelos internos preditivos são treinados pela exposição de uma vida inteira na experiência normal e terrena. Assim, nosso cérebro não trabalha unicamente a partir da mais recente informação sensorial, mas desenvolve previsões sobre onde a bola está prestes a aparecer.

Este é um exemplo específico do conceito mais amplo de modelos internos do mundo. O cérebro simula internamente o que acontecerá se você realizar alguma ação sob condições específicas. Os modelos internos não só têm importância nos atos motores (como pegar ou esquivar-se), mas também fundamental a *percepção* consciente. Já na década de 1940, os pensadores começaram a brincar com a ideia de que a percepção funciona não desenvolvendo informações captadas, mas combinando *expectativas* para as informações sensoriais recebidas.[45]

Embora pareça estranho, este sistema foi inspirado pela observação de que nossas expectativas influenciam o que vemos. Não acredita nisso? Experimente discernir o que está na figura a seguir. Se seu cérebro não tiver expectativa anterior sobre o que significam as manchas, você vê simplesmente manchas. Deve haver uma combinação entre suas expectativas e os dados que chegam para que você "veja" alguma coisa.

Um dos primeiros exemplos deste sistema veio do neurocientista Donald MacKay, que, em 1956, propôs que o córtex visual é fundamentalmente uma máquina cujo trabalho é gerar um modelo do mundo.[46] Ele sugeriu que o córtex visual primário constrói um modelo interno que lhe permite prever os dados enviados retina acima (ver o Apêndice para um guia anatômico). O córtex envia suas previsões ao tálamo, que reporta a *diferença* entre o que chega pelos olhos e o que já foi previsto. O tálamo envia de volta ao córtex apenas esta diferença de informações – isto é, a parte que não foi prevista. Esta informação imprevista ajusta o modelo interno de modo que no futuro a divergência seja menor. Desta forma, o cérebro refina seu modelo do mundo prestando atenção a seus erros. MacKay observou que este modelo é coerente com o fato anatômico de que existem dez vezes mais fibras se projetando do córtex visual primário ao tálamo visual do que no sentido contrário – o que se esperaria se expectativas detalhadas estivessem sendo enviadas do córtex para o tálamo e as informações enviadas representassem apenas um pequeno sinal carregando a diferença.

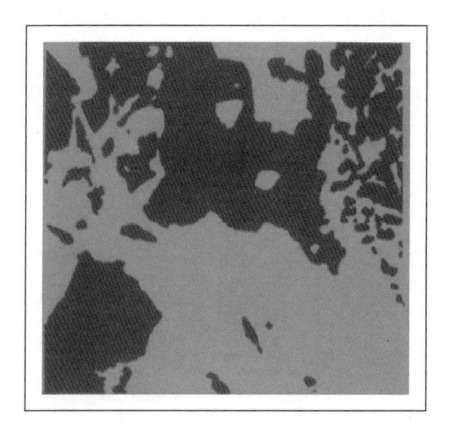

Uma demonstração do papel da expectativa na percepção. Estas manchas em geral não têm significado inicial ao espectador; só depois que o espectador vê uma pista é que a imagem faz sentido. (Não se preocupe se ainda lhe parecerem manchas; haverá uma pista mais adiante neste capítulo.) De Ahissar e Hochstein, 2004.

O que tudo isso nos diz é que a percepção reflete a comparação ativa de inputs sensoriais com previsões internas. E isso nos dá uma maneira de entender um conceito maior: a consciência de seu ambiente só ocorre quando os inputs sensoriais *violam* as expectativas. Quando o mundo é previsto, não há necessidade da consciência porque o cérebro está fazendo bem o seu trabalho. Por exemplo, quando você aprende a andar de bicicleta, é preciso muita concentração consciente; depois de algum tempo, quando suas previsões sensoriomotoras foram aperfeiçoadas, o ciclismo torna-se inconsciente. Não quero dizer que você não esteja consciente de que está andando de bicicleta, mas você *está de fato* inconsciente de como segura o guidom, aplica pressão nos pedais e equilibra o tronco. Pela longa experiência, seu cérebro sabe exatamente o que esperar enquanto você faz seus movimentos. Assim, você não está consciente nem dos movimentos, nem das sensações, a não ser que alguma coisa mude – como um vento forte ou um pneu furado. Quando novas situações levam à violação de suas expectativas normais, a consciência entra em cena e seu modelo interno é adaptado.

A previsibilidade que você desenvolve entre seus atos e as sensações resultantes é o motivo para você não poder fazer cócegas em si mesmo. Outras pessoas podem lhe fazer cócegas, porque as manobras não são previsíveis para você. E se você realmente gostar, há maneiras de eliminar a previsibilidade de seus próprios atos para que você possa fazer cócegas em si mesmo. Imagine controlar a posição de uma pena ligada a um controle com dispositivo de retardo: quando você move o controle, passa-se pelo menos um segundo antes que a pena se mova. Isto elimina a previsibilidade e lhe garante a capacidade de fazer cócegas em si mesmo. É interessante observar que os esquizofrênicos podem fazer cócegas em si mesmos devido a um problema com seu senso de tempo, que não permite que os atos motores e as sensações resultantes estejam na sequência correta.[47]

Reconhecer que o cérebro é um sistema de volteios com sua própria dinâmica interna nos permite compreender distúrbios que nos pareceriam bizarros. Considere a síndrome de Anton, um distúrbio em que um derrame leva à cegueira – e o paciente *nega* a perda de visão.[48] Um grupo de médicos se postará ao leito e dirá: "Sra. Johnson, quantos de nós estamos em volta da cama?", e ela responderá com confiança: "Quatro", embora na realidade eles sejam sete. Um médico dirá: "Sra. Johnson, quantos dedos estou mostrando?" Ela dirá: "Três", quando, na verdade, ele mostra nove. Quando ele pergunta: "De que cor é minha camisa?", ela lhe dirá que é branca, quando ela é azul. Os que sofrem de síndrome de Anton não estão *fingindo* que não são cegos; eles verdadeiramente acreditam que não o são. Suas respostas verbais, embora inexatas, não são mentiras. Eles estão vivendo o que consideram ser a visão, mas tudo é gerado internamente. Em geral um paciente de síndrome de Anton não procurará um médico depois do derrame, porque não sabe que está cego. Só depois de esbarrar em muitos móveis e paredes é que ele começa a crer que tem alguma coisa errada. Embora pareçam estranhas, as respostas da paciente podem ser compreendidas como seu modelo interno: as informações externas não estão chegando aos lugares certos devido ao derrame, e assim a realidade da paciente simplesmente é aquela gerada pelo cérebro, com pouca ligação com o mundo real. Neste sentido, o que ela vive não é diferente dos sonhos, das viagens por drogas ou das alucinações.

O QUANTO VOCÊ VIVE NO PASSADO?

Não apenas a visão e a audição são construções do cérebro. A percepção de tempo também é uma construção.

Quando você estala os dedos, seus olhos e ouvidos registram informações sobre o estalo, processadas pelo resto do cérebro. Mas os sinais se movem muito lentamente no cérebro, milhões de vezes mais devagar do que os elétrons que carregam sinais em um fio de cobre, e assim o processamento neural de um estalo leva tempo. No momento em que você o percebe, o estalo já veio e foi. Seu mundo perceptual sempre fica para trás do mundo real. Em outras palavras, sua percepção do mundo é como um programa de TV "ao vivo" (como o *Saturday Night Live*), que não é *verdadeiramente* ao vivo. Esses programas vão ao ar com um atraso de alguns segundos, para o caso de alguém usar linguagem inadequada, ferir-se ou perder uma peça de roupa. E o mesmo acontece com sua vida consciente: ela coleta muita informação antes que vá ao ar ao vivo.[49]

Ainda mais estranho é que as informações visuais e auditivas sejam processadas em velocidades diferentes no cérebro, mas a visão de seus dedos e o som do estalo parecem ser simultâneos. Além disso, sua decisão de estalar *agora* e a ação em si parecem simultâneas com o momento do estalo. Como é importante para os animais ter o senso correto de tempo, seu cérebro faz um bom trabalho de edição para colocar os sinais juntos de uma maneira útil.

O resultado é que o tempo é uma construção mental e não um barômetro preciso do que está acontecendo "lá fora". Há uma maneira de provar a si mesmo que algo estranho ocorre com o tempo: olhe em seus olhos no espelho e mova o ponto focal de um lado a outro para que esteja olhando seu olho direito, depois o olho esquerdo, e de volta ao direito. Seus olhos levam dezenas de milissegundos para passar de uma posição a outra, mas – e aqui está o mistério – você nunca os vê se mexerem. O que acontece com os hiatos no tempo enquanto seus olhos estão em movimento? Por que seu cérebro não se importa com as pequenas ausências de input visual?

E a duração de um acontecimento também pode ser facilmente distorcida. Você pode ter percebido isto ao olhar um relógio na parede: o ponteiro dos segundos parece ter ficado paralisado por um tempo um tanto longo antes de começar a bater em seu ritmo normal. Em laboratório, manipulações simples revelam a maleabilidade da duração. Por exemplo, imagine que eu mostre um quadrado em seu monitor por meio segundo. Se eu agora mostrar um segundo quadrado que seja maior, você pensará que o segundo durou mais. Mesmo que eu mostre um quadrado que seja mais brilhante. Ou que se mexa. Todos parecerão ter uma duração maior do que o quadrado original.[50]

Em outro exemplo do caráter estranho do tempo, pense em como você sabe quando realiza uma ação e quando sentiu as consequências. Se você fosse engenheiro, suporia racionalmente que algo que você faz no tempo 1 resultaria em *feedback* sensorial no tempo 2. Assim, você ficaria surpreso ao descobrir que, em laboratório, podemos lhe dar a impressão de que 2 acontece antes de 1. Imagine que você possa acender um clarão apertando um botão. Agora imagine que injetamos um leve atraso – digamos, um décimo de segundo – entre a pressão no botão e o clarão consequente. Depois que você apertou o botão várias vezes, seu cérebro se adapta a este atraso, e assim os dois eventos parecem um pouco mais próximos no tempo. Uma vez que você tenha se adaptado ao atraso, nós o surpreendemos mostrando o clarão imediatamente depois de você apertar o botão. Nesta condição, você acreditará que o clarão aconteceu antes de seu ato: você vive uma reversão ilusória de ação e sensação. A ilusão presumivelmente reflete uma recalibração do senso de tempo sensoriomotor, resultado de uma expectativa anterior de que as consequências sensoriais devem seguir os atos motores sem atrasos. A melhor maneira de calibrar as expectativas de senso de tempo para os sinais que chegam é interagir com o mundo: sempre que uma pessoa chuta ou bate em alguma coisa, o cérebro pode fazer o pressuposto de que o som, a visão e o tato devem ser simultâneos. Se um dos sinais chega com atraso, o cérebro adapta suas expectativas para fazer parecer que os dois eventos aconteceram mais próximos no tempo.

    Interpretar o tempo de sinais sensoriais e motores não é apenas tarefa espinhosa do cérebro; é fundamental para resolver o problema da causalidade. Fundamentalmente, a causalidade requer uma avaliação da ordem temporal: meu ato motor precedeu ou seguiu o input sensorial? A única maneira de este problema ser resolvido com exatidão num cérebro multissensorial é manter bem calibrado o tempo esperado dos sinais, para que o "antes" e o "depois" sejam determinados com precisão, mesmo diante de vias sensoriais diversas em diferentes velocidades.

    A percepção do tempo é uma área ativa de pesquisa em meu laboratório e nos de outros, mas a questão dominante que quero ressaltar aqui é que nosso senso de tempo – quanto tempo se passou, o que aconteceu e quando – é construído em nosso cérebro. E este senso é facilmente manipulado, como podemos manipular a visão.

Assim, a primeira lição sobre confiar em nossos sentidos é: não confie. Só porque você *acredita* que algo seja verdade, só porque *sabe* que é verdade, não significa que *seja* de fato verdade. A máxima mais importante para os pilotos de caça é: "Confie em seus instrumentos." Isto porque os sentidos lhe contarão as mentiras mais vergonhosas, e se você confiar nelas — e não nos mostradores da cabine — sofrerá um acidente. Assim, da próxima vez que alguém disser "Em quem vai acreditar, em mim ou em seus olhos mentirosos?", pense com cuidado na questão.

Afinal, estamos cientes de muito pouco do que está "lá fora". O cérebro faz pressupostos para poupar tempo e recursos e tenta ver o mundo apenas na medida em que ele precisa. E quando percebemos que não somos conscientes de muitas coisas até que nos perguntamos sobre elas, damos o primeiro passo na jornada da escavação pessoal. Veremos que o que percebemos no mundo é gerado por partes do cérebro às quais não temos acesso.

Estes princípios de maquinaria inacessível e farta ilusão não se aplicam apenas às percepções básicas da visão e do tempo. Também se aplicam a níveis mais altos — ao que pensamos, sentimos e acreditamos —, como veremos no capítulo seguinte.

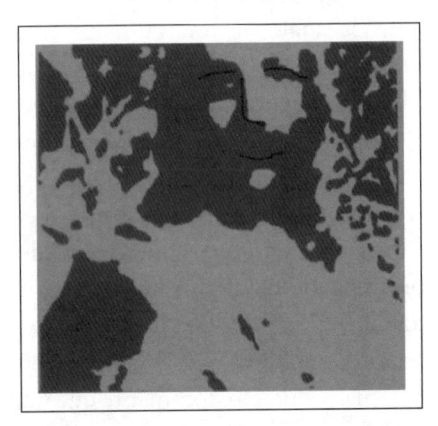

Uma pista permite que a imagem adquira significado como uma figura barbada. Os padrões de claro que chegam aos seus olhos em geral são insuficientes na ausência de expectativas.

3

A MENTE: O HIATO

"Não posso apreender tudo o que sou."
— Santo Agostinho

A TROCA DE PISTAS

Há um abismo imenso entre o que seu cérebro sabe e o que sua mente é capaz de acessar. Considere o ato simples de trocar de pista ao dirigir um carro. Experimente o seguinte: feche os olhos, segure um volante imaginário e passe pelos movimentos de uma troca de pistas. Imagine que está dirigindo na pista da esquerda e gostaria de passar para a da direita. Antes de continuar a ler, baixe o livro e tente. Eu lhe darei nota 10 se fizer isso corretamente.

É uma tarefa muito fácil, não é? Estou deduzindo que você segurou o volante reto, depois o girou um pouco para a direita por um momento, depois o endireitou. Sem problema nenhum.

Como quase todo mundo, você entendeu tudo errado.[1] O movimento de girar o volante um pouco para a direita, depois endireitá-lo, tiraria você da rua: você só pilotou um trajeto da pista da esquerda para a calçada. O movimento correto para trocar de pista é girar o volante para a direita, voltar ao centro e continuar a girar o volante *só um pouco para a esquerda*, e então endireitá-lo. Não acredita? Verifique por si mesmo quando sair com o carro. É uma tarefa motora simples que você não tem dificuldade de realizar quando dirige cotidianamente. Mas, quando obrigado a acessá-la conscientemente, você se confunde.

A troca de pistas é um exemplo entre milhares. Você não tem consciência da grande maioria das atividades contínuas de seu cérebro, nem gostaria de ter – isto interferiria nos processos cerebrais bem lubrificados. A melhor maneira de se confundir quando toca piano é se concentrar nos dedos; a melhor maneira de perder o fôlego é pensar em sua respiração; a melhor maneira de errar a bola no golfe é analisar seu *swing*. Esta sabedoria é evidente até para as crianças, e a achamos imortalizada em poemas como "A Centopeia Confusa":

> Uma centopeia vivia bem feliz,
> Até que um sapo, para se divertir,
> Disse: "Mas que perna vem depois de qual?"
> Pôs sua mente em distração tal,
> Que num fosso ela caiu afinal
> Sem saber como fugir.

A capacidade de se lembrar de atos motores como a troca de pistas é chamada memória procedural, e é um tipo de *memória implícita* – o que significa que seu cérebro guarda o conhecimento de uma coisa que sua mente não pode acessar explicitamente.[2] Andar de bicicleta, amarrar os sapatos, digitar num teclado ou manobrar o carro numa vaga enquanto fala ao celular são exemplos disto. Você executa estes atos com facilidade, mas sem saber dos detalhes de como faz. Você seria totalmente incapaz de descrever a coreografia perfeitamente cronometrada com a qual seus músculos se contraem e relaxam enquanto você passa por outras pessoas numa lanchonete segurando uma bandeja, mas não tem problemas para fazer isso. Este é o hiato entre o que seu cérebro pode fazer e o que você pode apreender conscientemente.

O conceito de memória implícita tem uma longa tradição, embora pouco conhecida. No início do século XVII, René Descartes já começara a suspeitar de que, embora a experiência com o mundo seja armazenada na memória, nem toda memória é acessível. O conceito foi reavivado no final do século XIX pelo psicólogo Hermann

Ebbinghaus, que escreveu que "a maioria destas experiências continua oculta da consciência, mas produz um efeito significativo que certifica sua experiência anterior".[3]

Embora a consciência seja útil, ela o é em pequenas quantidade e para tarefas específicas. É fácil entender por que você não gostaria de estar consciente das complexidades de seu movimento muscular, mas isto pode ser menos intuitivo quando aplicado a suas percepções, pensamentos e crenças, que são também produtos da atividade de bilhões de células nervosas. Vamos nos voltar a elas agora.

O MISTÉRIO DOS SEXADORES DE AVES E LOCALIZADORES DE AVIÕES

Os melhores especialistas em sexagem de aves do mundo são do Japão. Quando nascem pintos, as grandes granjas comerciais em geral os dividem em machos e fêmeas, e a prática de distinguir os dois gêneros é conhecida como sexagem. A sexagem é necessária porque os dois gêneros recebem diferentes programas de alimentação: um para as fêmeas, que um dia produzirão ovos, outro para os machos, que em geral são destinados ao abate devido a sua inutilidade no comércio de produção de ovos; só alguns machos são poupados e cevados para o abate. Assim, a tarefa do sexador é pegar cada pinto e determinar rapidamente seu sexo a fim de escolher o recipiente correto onde colocá-lo. O problema é que a tarefa é notoriamente difícil: machos e fêmeas são idênticos.

Bem, quase idênticos. Os japoneses inventaram um método de sexagem conhecido como sexagem por cloaca, pelo qual os sexadores especializados podem determinar rapidamente o sexo de pintos de um dia de vida. A partir dos anos 1930, os criadores de aves de todo o mundo viajaram à Escola de Sexagem de Frangos Zen-Nippon, no Japão, para aprender a técnica.

O mistério era que ninguém conseguia explicar exatamente como era feito.[4] De certo modo se baseava em dicas visuais muito sutis, mas os sexadores profissionais não sabiam dizer quais eram. Olhavam o traseiro do pinto (onde fica a cloaca) e simplesmente pareciam *saber* o recipiente correto onde colocá-lo.

E era assim que os profissionais ensinavam aos alunos de sexagem. O professor ficava ao lado do aprendiz e olhava. Os alunos pegavam um pinto, examinavam seu traseiro e o colocavam num recipiente ou em outro. O professor dava *feedback*: *sim* ou *não*. Depois de semanas a fio desta atividade, o cérebro dos alunos era treinado no nível da maestria – embora inconscientemente.

Enquanto isso, uma história semelhante se desenrolava a oceanos de distância. Durante a Segunda Guerra Mundial, sob constante ameaça de bombardeios, os britânicos tinham uma forte necessidade de distinguir rapidamente e com precisão os aviões que se aproximavam. Que aviões eram britânicos voltando para casa e quais eram alemães vindo bombardear? Vários entusiastas da aviação se provaram excelentes "localizadores", e assim os militares empregaram avidamente seus serviços. Esses localizadores eram tão valiosos que o governo rapidamente tentou arregimentar outros – mas eles eram raros e era difícil achá-los. O governo portanto deu aos localizadores a tarefa de treinar outros. Foi uma tentativa amarga. Os localizadores tentaram explicar suas estratégias, mas sem sucesso. Ninguém entendeu, nem mesmo os próprios localizadores. Como os sexadores de frangos, os localizadores tinham pouca ideia do que faziam – simplesmente viam a resposta certa.

Com pouca engenhosidade, os britânicos finalmente descobriram como treinar com sucesso novos localizadores por *feedback* de tentativa e erro. Um novato arriscava um palpite e o especialista dizia *sim* ou *não*. Por fim os novatos tornavam-se, como seus mentores, receptáculos da misteriosa e inefável *expertise*.[5]

Pode haver um grande hiato entre o conhecimento e a consciência. Quando examinamos habilidades que não são acessíveis à introspecção, a primeira surpresa é que a memória implícita pode ser separada da memória explícita: você pode sofrer danos em uma sem prejudicar a outra. Pense em pacientes com amnésia anterógrada, que não conseguem se lembrar conscientemente de novas experiências em sua vida. Se você passar uma tarde tentando lhes ensinar o videogame Tetris, eles lhe dirão no dia seguinte que não se lembram da experiência, que nunca viram esse videogame e, mais provavelmente, também não sabem quem você é. Mas, se você observar o *desempenho* deles no jogo no dia seguinte, vai descobrir que, eles melhoraram exatamente tanto quanto os não amnésicos.[6] Implicitamente, seu cérebro aprendeu o jogo – o conhecimento simplesmente não está acessível a sua consciência. (É interessante observar que, se você despertar um paciente de amnésia durante a noite depois de ele ter jogado Tetris, ele contará que estava sonhando com blocos coloridos em queda, mas sem saber por quê.)

É claro que não são só os sexadores, localizadores e amnésicos que desfrutam do aprendizado inconsciente: essencialmente, tudo em sua interação com o mundo baseia-se neste processo.[7] Você pode ter dificuldades para colocar em palavras as características do andar de seu pai, ou a forma de seu nariz, ou como ele ri – mas quando vê alguém que anda, parece-se e ri como ele, reconhece de imediato.

COMO SABER SE VOCÊ É RACISTA

Em geral não sabemos o que está sepultado nas cavernas de nosso inconsciente. Um exemplo disto aparece, em sua forma mais feia, como o racismo.

Pense nesta situação: um empresário branco se recusa a contratar um candidato negro e o caso vai aos tribunais. O empregador insiste em que não é racista; o candidato insiste no contrário. O juiz está num impasse: como alguém pode saber que inclinações espreitam no inconsciente humano, modulando suas decisões, mesmo que não se saiba disso conscientemente? Nem sempre as pessoas dizem o que têm em mente; em parte, porque elas nem sempre *conhecem* sua mente. Como satirizou E. M. Forster: "Como saberei o que penso antes de ouvir o que digo?"

Mas, se alguém não está disposto a *dizer* uma coisa, haveria maneiras de sondar o que há no cérebro inconsciente? Existiriam formas de bisbilhotar as crenças subterrâneas pela observação do comportamento da pessoa?

Imagine que você está sentado diante de dois botões e lhe pedem para apertar o botão direito sempre que uma palavra positiva aparecer na tela (*alegria, amor, felicidade* e assim por diante), e o botão esquerdo quando vir uma palavra negativa (*terrível, desagradável, fracasso*). Tudo muito simples. Agora a tarefa muda um pouco: aperte o botão direito sempre que vir uma foto de uma pessoa obesa, e o esquerdo quando vir uma foto de um magro. Novamente muito fácil.

Mas na tarefa seguinte as coisas são combinadas: você deve apertar o botão direito quando vê ou uma palavra positiva, *ou* um obeso, e o botão esquerdo sempre que vê uma palavra negativa *ou* uma pessoa magra. Em outro grupo de ensaios você faz o mesmo, mas com os pares trocados – então agora aperta o botão direito para uma palavra negativa *ou* uma pessoa magra.

O resultado pode ser perturbador. O tempo de reação dos participantes é menor quando os pares têm uma forte associação inconsciente.[8] Por exemplo, se o obeso tiver uma associação negativa no inconsciente do participante, este reage mais rápido a uma foto de um obeso quando a resposta está ligada ao mesmo botão da palavra negativa. Durante experimentos em que os conceitos opostos eram ligados (magro com ruim), os participantes levaram um tempo maior para responder, presumivelmente porque o pareamento é mais complicado. Este experimento tem sido modificado para medir atitudes implícitas com relação a raça, religião, homossexualidade, cor da pele, idade, deficiências físicas e candidatos presidenciais.[9]

Outro método de provocar um viés implícito simplesmente mede a maneira como o participante move o cursor de um computador.[10] Imagine que você comece com seu cursor posicionado na parte inferior da tela e nos cantos superiores tenha botões rotulados de "gosto" e "não gosto". Depois aparece uma palavra no meio (digamos, o nome de uma religião), e você é instruído a mover o mouse com a maior rapidez possível para responder se gosta ou não das pessoas deste credo. O que você não percebe é que a *trajetória* exata do movimento de seu mouse está sendo registrada – cada posição, a cada momento. Analisando o caminho de seu mouse, os pesquisadores podem detectar se seu sistema motor começou a se mover para um botão antes que outros sistemas cognitivos entrassem em marcha e o impelissem a outra resposta. Assim, por exemplo, mesmo que você tenha respondido "gosto" para uma determinada religião, pode ser que sua trajetória tenha vagado um pouco para o botão "não gosto" antes de voltar à resposta mais aceitável socialmente.

Mesmo as pessoas que têm certeza de suas atitudes com relação a diferentes raças, gêneros e religiões podem se surpreender – e se aterrorizar – com o que espreita em seu cérebro. E como outras formas de associação implícita, estas inclinações são impenetráveis à introspecção consciente.*

COMO EU TE AMO? VAMOS CONTAR OS *Js*

Consideremos o que acontece quando duas pessoas se apaixonam. O bom senso nos diz que seu ardor cresce a partir de várias sementes, inclusive circunstâncias da vida, senso de compreensão, atração sexual e admiração mútua. Certamente a maquinaria dissimulada do inconsciente não está implicada em quem você escolhe como parceiro. Será?

Imagine que você encontra seu amigo Joel e ele lhe diz que achou o amor de sua vida, uma mulher de nome Jenny. Que engraçado,

---

* Atualmente é uma questão em aberto se os tribunais de justiça permitirão que testes semelhantes sejam admitidos como prova – por exemplo, para sondar se um empregador (ou agressor, ou assassino) mostra sinais de racismo. No momento, talvez fosse melhor se os testes continuassem fora dos tribunais, pois, embora as decisões humanas complicadas sejam influenciadas por associações inacessíveis, é difícil saber o quanto essas tendências influenciam nosso comportamento último. Por exemplo, alguém pode vencer seu viés racista por mecanismos de tomada de decisão mais socializados. Também acontece de a pessoa ser um racista virulento, mas não ser este o motivo para o crime.

você pensa, porque seu amigo Alex casou-se com Amy, e Donny é louco por Daisy. Haveria alguma coisa acontecendo com esses pares de letras? Semelhante atrai semelhante? Isto é loucura, você conclui: as decisões importantes – com quem passar a vida, por exemplo – não podem ser influenciadas por algo tão volúvel como a primeira letra de um nome. Talvez todas essas alianças aliterativas sejam apenas fortuitas.

Mas elas não acontecem por acaso. Em 2004, o psicólogo John Jones e colaboradores examinaram 15 mil certidões de casamento do condado de Walker, na Geórgia, e no de Liberty, na Flórida. Descobriram que as pessoas se casavam com mais frequência com outras de mesmas iniciais no prenome do que se esperaria por obra do acaso.[11]

Mas por quê? Não se trata das letras, exatamente – trata-se do fato de que essas parcerias de algum modo lembram o cônjuge de si mesmo. As pessoas tendem a amar o reflexo de si nos outros. Os psicólogos interpretam isto como um amor-próprio inconsciente, ou talvez um nível de conforto com as coisas que são familiares, e denominam isto *egotismo implícito*.

O egotismo implícito não fala apenas dos parceiros na vida – também influencia os produtos que você prefere e compra. Em um estudo, os participantes ficaram diante de duas marcas (fictícias) de chá para provar. Uma das marcas de chá partilhava as três primeiras letras de seu nome com o nome do participante; isto é, Tommy poderia estar provando chás de nome Tomeva e Lauler. Os participantes provavam os chás, estalavam os lábios, pensavam com atenção e quase sempre decidiam pelo chá cujo nome combinava com as três primeiras letras de seu próprio nome. Não surpreende que uma participante chamada Laura escolhesse o chá chamado Lauler. Eles não estavam explicitamente *conscientes* da ligação com as letras; simplesmente acreditavam que o gosto do chá era melhor. Por acaso as duas xícaras de chá foram servidas do mesmo bule.

O poder do egotismo implícito vai além de seu nome para outras características arbitrárias de si, como a data de seu nascimento. Num estudo universitário, os alunos receberam um ensaio para ler sobre o monge russo Rasputin. Para metade dos alunos, o aniversário de Rasputin era mencionado no ensaio – e com o macete de que "por acaso" fosse o mesmo do leitor. Com a outra metade dos alunos, foi usado um aniversário diferente; a não ser por isso, os ensaios eram idênticos. No final da leitura, os alunos tiveram de responder a várias perguntas cobrindo o que pensavam de Rasputin como pessoa. Os que acreditavam partilhar o aniversário com Rasputin lhe deram avaliações mais generosas.[12] Simplesmente gostaram mais dele, sem ter nenhum acesso consciente aos motivos.

O poder magnético do amor-próprio inconsciente vai além do que ou quem você prefere. É inacreditável, mas pode influenciar sutilmente onde você mora e o que faz. O psicólogo Brett Pelham e colaboradores examinaram registros públicos e descobriram que as pessoas com aniversários em 2 de fevereiro (02/02) tendem desproporcionalmente a se mudar para cidades com uma referência ao número dois em seu nome, como Twin Lakes, no Wisconsin. As pessoas nascidas em 3/03 têm maior representação estatística em lugares como Three Forks, em Montana, assim como os nascidos em 6/06 em lugares como Six Mile, na Carolina do Sul, e assim por diante para todos os aniversários e cidades que os autores puderam encontrar. Pense em como isso é admirável: as associações com números em datas arbitrárias de nascimento podem ser influentes o bastante para ter poder sobre suas opções residenciais, embora ligeiramente. De novo, é inconsciente.

O egotismo implícito também pode influenciar o que você escolhe fazer de sua vida. Ao analisar diretórios de associações profissionais, Pelham e colegas descobriram que as pessoas de nome Denise ou Dennis têm uma probabilidade desproporcionalmente maior de se tornarem dentistas, enquanto pessoas de nome Laura ou Lawrence tendem mais a se tornarem *lawyers* (advogados), e aqueles com nomes como George ou Georgina a se tornarem geólogos. Também descobriram que os donos de construtoras de telhados (*roofing*) tendem a ter a inicial *R* em vez de *H*, enquanto é mais provável que donos de lojas de ferragens (*hardware*) tenham nomes iniciados por *H* em vez de R.¹³ Um estudo diferente explorou livremente bancos de dados profissionais online e descobriu que os médicos têm desproporcionalmente sobrenomes que incluem *doc*, *dok*, ou *med*, enquanto é mais provável que advogados (*lawyers* ou *attorneys*) tenham *law*, *lau*, ou *att* em seus sobrenomes.¹⁴

Embora isso pareça loucura, todas essas descobertas passaram pelo percentual de significância estatística. Os efeitos não são grandes, mas são verificáves. Somos influenciados por forças a que temos pouco acesso, nas quais jamais acreditaríamos se a estatística não as deixasse às claras.

FAZENDO CÓCEGAS NO CÉREBRO
SOB A SUPERFÍCIE DA CONSCIÊNCIA

Seu cérebro pode ser sutilmente manipulado de formas que mudam seu comportamento futuro. Imagine que eu lhe peça para ler algumas páginas de texto. Mais tarde, peço-lhe que preencha as lacunas de algumas expressões parciais, como *sex___ fr___*. É mais provável que você escolha expressões que viu recentemente – digamos *sexagem de frangos* em vez de *sexo frágil* – quer você tenha ou não memória explícita de ter visto recentemente essas palavras.¹⁵ Da mesma forma, se eu lhe pedir para preencher as lacunas de uma palavra, como *s_bl_m_na*, você terá maior capacidade de fazê-lo se viu antes a palavra numa lista, quer se lembre ou não de tê-la visto.¹⁶ Uma parte de seu cérebro foi tocada e alterada pelas palavras na lista. Este efeito é chamado *priming* ou imprimadura: seu cérebro foi impresso.¹⁷

O *priming* ressalta a questão de que os sistemas de memória implícita são fundamentalmente separados dos sistemas de memória explícita: mesmo quando o segundo perdeu as informações, o primeiro tem sua guarda. O caráter separado dos sistemas é de novo ilustrado por pacientes com amnésia anterógrada resultante de lesão cerebral. Pacientes gravemente amnésicos podem sofrer *priming*, preenchendo palavras parciais embora não tenham lembrança consciente de ter visto qualquer texto antes.[18] Além das cócegas temporárias no cérebro, os efeitos da exposição anterior podem ser de longa duração. Se você já viu uma imagem do rosto de uma mulher, a julgará mais atraente ao vê-la posteriormente. Isto é verdade mesmo quando você não tem lembrança de já tê-la visto.[19] É conhecido como *efeito da mera exposição* e ilustra o fato inquietante de que sua memória implícita influencia sua interpretação do mundo – de que coisas você gosta, não gosta e assim por diante.

Não lhe surpreenderá saber que o efeito da mera exposição faz parte da magia por trás das marcas de produto, criação de celebridades e campanha política: com a exposição repetida a um produto ou rosto, você passa a preferi-lo mais. O efeito da mera exposição explica por que as pessoas nos refletores públicos nem sempre se deixam perturbar tanto pela imprensa negativa, como se espera. Como as personalidades famosas costumam brincar, "publicidade ruim é nenhuma publicidade", ou "não ligo para o que os jornais dizem de mim, desde que grafem meu nome corretamente".[20]

Outra manifestação real da memória implícita é conhecida como *efeito de ilusão da verdade*: é mais provável que você acredite que uma declaração é verdadeira se já a ouviu – seja ou não realmente verdadeira. Em um estudo, os participantes classificaram a veracidade de frases plausíveis a cada duas semanas. Sem que fosse divulgado, os experimentos traziam algumas frases repetidas (tanto verdadeiras como falsas) pelas sessões de teste. E revelaram um resultado claro: se os participantes tinham ouvido uma frase em semanas anteriores, era mais provável que agora a classificassem como verdadeira, mesmo que tenham jurado nunca a ter ouvido.[21] É o que acontece quando o pesquisador *diz* aos participantes que as frases que estão prestes a ouvir são falsas: apesar disto, a mera exposição a uma ideia é suficiente para incitar a credibilidade num contato posterior.[22] O efeito de ilusão da verdade destaca o possível risco para as pessoas que são repetidamente expostas aos mesmos editos religiosos ou slogans políticos.

Um simples pareamento de conceitos pode ser suficiente para induzir uma associação inconsciente e, por fim, o senso de que há algo de familiar e verdadeiro no pareamento. Esta é a base de toda publicidade que vimos combinar um produto com pessoas atraentes, animadas e sexualmente carregadas. Também é a base de um filme feito pela equipe de propaganda de George W. Bush durante sua campanha de 2000 contra Al Gore. No comercial de TV de 2,5 milhões de dólares de Bush, um quadro com a palavra RATS (ratos) pisca na tela em conjunto com "The Gore Prescription Plan" (Plano de Prescrição de Gore). No momento seguinte, fica claro que a palavra, na verdade, é o final da palavra BUREAUCRATS, mas o efeito que os publicitários procuravam era evidente – e, esperavam eles, memorável.

O PRESSENTIMENTO

Imagine que você distribua seus dedos por dez botões e cada botão corresponda a uma luz colorida. Sua tarefa é simples: a cada vez que uma luz piscar, você aperta o botão correspondente com a maior rapidez possível. Se a sequência de luzes for aleatória, seu tempo de reação não deverá ser muito rápido; porém, os pesquisadores descobriram que, se houver um padrão oculto nas luzes, seu tempo de reação por fim será menor, indicando que você pegou a sequência e pode fazer algumas previsões sobre que luz piscará em seguida. Se uma luz inesperada se acende, seu tempo de reação será de novo maior. A surpresa é que esta aceleração funciona mesmo quando você não está inteiramente consciente da sequência; a mente consciente não precisa estar envolvida para que ocorra este tipo de aprendizado.[23] Sua capacidade de nomear o que vai acontecer em seguida é limitada ou inexistente. E ainda assim você consegue ter um *pressentimento*.

Às vezes essas coisas podem chegar à consciência, mas nem sempre – e quando acontece, o fazem lentamente. Em 1997, o neurocientista Antoine Bechara e colaboradores dispuseram quatro baralhos diante de participantes e pediram que escolhessem uma carta de cada vez. Cada carta revelava um ganho ou perda de dinheiro. Com o tempo, os participantes começaram a perceber que cada baralho tinha um caráter: dois deles eram "bons", o que significava que os participantes ganhariam dinheiro, enquanto outros dois eram "ruins", indicando que eles terminariam com uma perda líquida.

Enquanto ponderavam de que baralho pegar a carta, os participantes eram interrompidos em vários pontos pelos pesquisadores, que lhes pediam sua opinião: que baralhos eram bons? Quais eram ruins? Desta maneira, os pesquisadores descobriram que, em geral, eram necessárias 25 extrações dos baralhos para que os participantes pudessem dizer quais achavam ser bons e ruins. Não é tremendamente interessante, é? Bom, ainda não.

Os pesquisadores também mediram a reação de condutividade da pele dos participantes, que reflete a atividade do sistema nervoso autônomo (de luta ou fuga). E aqui perceberam algo espantoso: o sistema nervoso autônomo apreendia a estatística do baralho bem antes que a consciência do participante o fizesse. Isto é, quando os participantes estendiam a mão para os baralhos ruins, havia um pico de atividade antecipatória – essencialmente, um sinal de alerta.[24] Este pico era detectável por volta da décima terceira carta. Assim, *uma parte* do cérebro dos participantes compreendia o retorno esperado dos baralhos bem antes que a mente consciente tivesse acesso a esta informação. E a informação era transmitida na forma de um "pressentimento": os participantes começavam a escolher os baralhos bons mesmo antes de poder dizer conscientemente o porquê. Isto quer dizer que não era necessário o conhecimento consciente da situação para tomar decisões vantajosas.

Melhor ainda, essas pessoas *precisavam* do pressentimento: sem ele, sua decisão nunca seria muito boa. Damasio e colaboradores empregaram a tarefa de escolha de cartas usando pacientes com danos numa parte frontal do cérebro chamada córtex pré-frontal ventromedial, uma área envolvida na tomada de decisões. A equipe descobriu que esses pacientes eram incapazes de formar o sinal de alerta antecipatório da reação galvânica cutânea. O cérebro dos pacientes simplesmente não compreendia a estatística e não os advertia. O que nos admira, mesmo depois de estes pacientes perceberem conscientemente que baralhos eram ruins, eles *ainda* continuavam a tomar as decisões erradas. Em outras palavras, o pressentimento era essencial para a tomada de decisão vantajosa.

Isto levou Damasio a propor que as sensações produzidas por estados físicos do corpo guiam o comportamento e a tomada de decisão.[25] Os estados corporais tornam-se ligados a resultados de acontecimentos no mundo. Quando algo de ruim acontece, o cérebro aciona todo o corpo (batimento cardíaco, contração dos intestinos, fraqueza muscular e assim por diante) para registrar essa sensação, e tal sensação torna-se associada com o evento. Quando o evento é objeto de reflexão, o cérebro essencialmente passa uma simulação, revivendo as sensações físicas do acontecimento. Essas sensações então servem para dirigir, ou pelo menos influenciar, a tomada de decisão subsequente. Se as sensações de determinado evento são ruins, elas dissuadem da ação; se são boas, a encorajam.

Nesta perspectiva, os estados físicos do corpo proporcionam os pressentimentos que podem guiar o comportamento. Esses pressentimentos se mostram corretos com uma frequência maior do que permitiria o acaso, principalmente porque seu cérebro inconsciente está entendendo as coisas primeiro, e sua consciência fica para trás.

Na verdade os sistemas conscientes podem falir inteiramente, sem efeito algum sobre os sistemas inconscientes. As pessoas com um problema chamado prosopagnosia não conseguem distinguir entre rostos conhecidos e desconhecidos. Dependem inteiramente de dicas, como o contorno do couro cabeludo, o andar e a voz para reconhecer as pessoas. A reflexão sobre este problema levou os pesquisadores Daniel Tranel e Antonio Damasio a um experimento um tanto engenhoso: embora os prosopagnósicos não consigam reconhecer conscientemente os rostos, teriam eles uma resposta de condutividade da pele a rostos que eram conhecidos? De fato tinham. Embora o prosopagnósico verdadeiramente insista em ser incapaz de reconhecer rostos, *uma parte* do cérebro pode distinguir (e o faz) rostos familiares de desconhecidos.

Se você nem sempre pode obter uma resposta direta do cérebro inconsciente, como pode acessar seu conhecimento? Às vezes o truque é meramente sondar o que lhes dizem suas entranhas. Assim, da próxima vez que uma amiga se lamentar por não conseguir decidir entre duas opções, conte-lhe a maneira mais fácil de resolver o problema: jogue uma moeda. Ela deve especificar que opção pertence a cara ou coroa, depois lançar a moeda. A parte importante é avaliar sua sensação depois que a moeda cai. Se ela sentir um alívio sutil ao saber o que a moeda lhe "diz", esta é a decisão correta para ela. Se, em vez disso, concluir que é ridículo tomar uma decisão com base num cara ou coroa, isso sugerirá que ela deve escolher a outra opção.

Até agora estivemos vendo o vasto e sofisticado conhecimento que vive sob a superfície da consciência. Vimos que você não tem acesso aos detalhes de como seu cérebro faz as coisas, de ler cartas a trocar de pistas. Assim, que papel tem a mente consciente, se tiver algum, em todo o seu know-how? Um papel grande – porque grande parte do conhecimento guardado nas profundezas do cérebro inconsciente ganha vida na forma de planos conscientes. Vamos nos voltar a isto agora.

O ROBÔ QUE GANHOU WIMBLEDON

Imagine que você ascendeu à mais alta classificação do torneio mundial de tênis e agora está numa quadra de grama diante do maior robô de tênis do planeta. Este robô tem componentes incrivelmente miniaturizados e peças de autorreparo, e funciona segundo princípios de energia tão otimizados que pode consumir 300 gramas de hidrocarbonetos e saltar por toda a quadra como um cabrito montês. Parece um adversário formidável, não? Bem-vindo a Wimbledon – você está jogando contra um ser humano.

Os competidores de Wimbledon são máquinas rápidas e eficientes que jogam tênis extraordinariamente bem. Podem acompanhar uma bola que viaja a 145 quilômetros por hora, avançar para ela rapidamente e orientar-se a uma pequena superfície para interceptar sua trajetória. E esses tenistas profissionais não fazem quase nada disso conscientemente. Exatamente como você lê as letras numa página ou troca de pista, eles dependem inteiramente de sua maquinaria inconsciente. São, para todos os fins práticos, robôs. Quando Ilie Nastase perdeu o título de Wimbledon em 1976, ele disse com tristeza de seu adversário vencedor, Björn Borg: "Ele é um robô que veio do espaço."

Mas esses robôs são *treinados pela* mente consciente. Um aspirante a tenista não precisa saber nada da construção de robótica (isso ficou a cargo da evolução). O desafio é *programar* o robô. Neste caso, o desafio é programar a maquinaria para dedicar seus recursos computacionais flexíveis e rebater com precisão uma bola amarela e felpuda por sobre uma rede baixa.

E é aqui que entra a consciência. As partes conscientes do cérebro treinam outras partes da maquinaria neural, estabelecendo os objetivos e alocando recursos. "Segure a raquete mais baixo quando der impulso", diz o treinador, e a jovem jogadora resmunga consigo mesma. Ela pratica o impulso vezes sem conta, milhares de vezes, sempre com o objetivo de bater a bola diretamente para o outro quadrante. Enquanto ela repete o serviço indefinidamente, o sistema robótico faz ajustes mínimos por uma rede de inumeráveis conexões sinápticas. Seu treinador lhe dá o *feedback* que ela precisa ouvir e entender conscientemente. E ela incorpora sem parar as instruções ("Endireite o pulso. Prepare o impulso") no treinamento do robô até que os movimentos se tornam tão arraigados que não são mais acessíveis.

A consciência é o planejador de longo prazo, o CEO da empresa, enquanto a maior parte das operações do dia a dia é tocada por aquelas partes do cérebro às quais ela tem acesso. Imagine um CEO que herdou uma empresa lucrativa gigantesca: ele tem alguma influência, mas também está entrando numa situação que já evoluiu por muito tempo antes de ele chegar lá. Seu trabalho é definir uma visão e fazer planos de longo prazo para a corporação, desde que a tecnologia da empresa possa apoiar sua política. É o que faz a consciência: estabelece os objetivos, e o resto do sistema aprende a cumpri-los. Você pode não ser um tenista profissional, mas passou por este processo se um dia aprendeu a andar de bicicleta. Na primeira vez, você titubeou, caiu e tentou desesperadamente compreender o movimento. Sua mente consciente estava muito envolvida. Por fim, depois que um adulto guiou a bicicleta com você, você se tornou capaz de pedalar sozinho. Depois de algum tempo, a habilidade passou a ser como um reflexo. Tornou-se automatizada. Como ler e falar sua língua. Ou amarrar os sapatos, ou reconhecer o andar de seu pai. Os detalhes não são mais conscientes e não são mais acessíveis.

Uma das características mais impressionantes do cérebro – e especialmente do cérebro humano – é a flexibilidade para aprender quase qualquer tarefa que lhe apareça. Dê a um aprendiz o desejo de impressionar seu mestre em uma tarefa de sexagem de aves e seu cérebro dedicará imensos recursos na distinção entre machos e fêmeas. Dê a um entusiasta da aviação desempregado uma oportunidade de ser um herói nacional, e seu cérebro aprenderá a distinguir aviões inimigos de aviadores locais. Esta flexibilidade de aprendizado é responsável por grande parte do que consideramos a inteligência humana. Enquanto muitos animais são adequadamente chamados de inteligentes, o homem se distingue por ser de inteligência *flexível*, modelando seus circuitos neurais para cumprir as tarefas que têm. É por este motivo que podemos colonizar qualquer região do planeta, aprender a língua de onde nascemos e dominar habilidades tão diversas como tocar violino, praticar salto em altura e operar cabines de espaçonaves.

O MANTRA DO CÉREBRO RÁPIDO E EFICIENTE: GRAVE O TRABALHO NO CIRCUITO

Quando se depara com uma tarefa que precisa de solução, o cérebro refaz seus circuitos até que possa realizar a tarefa com a máxima eficiência.²⁶ A tarefa se torna gravada na maquinaria. Esta tática inteligente realiza duas coisas de importância capital para a sobrevivência. A primeira é a *velocidade*. A automatização permite a tomada de decisão rápida. Só quando o sistema lento da consciência é colocado no final da fila é que os programas rápidos podem fazer seu trabalho. Devo girar a mão para frente ou para trás para a bola de tênis que se aproxima? Com um projétil de 150 quilômetros por hora a caminho, ninguém quer se bater cognitivamente pelas diferentes alternativas.

Um conceito errôneo comum é o de que os atletas profissionais podem ver a quadra em "câmera lenta", sugerido pela decisão rápida e tranquila que tomam. Mas a automatização simplesmente permite que os atletas prevejam eventos relevantes e decidam com proficiência o que fazer. Pense na primeira vez que você experimentou um novo esporte. Jogadores mais experientes o derrotaram com os movimentos mais elementares porque você labutava com uma enxurrada de informações novas – pernas, braços e corpos aos saltos. Com a experiência, você aprendeu que os giros e fintas eram importantes. Com o tempo e a automatização, você alcançou velocidade na decisão e na ação.

O segundo motivo para gravar as tarefas no circuito é a *eficiência em energia*. Ao otimizar sua maquinaria, o cérebro minimiza a energia necessária para resolver os problemas. Como somos criaturas móveis que gastam bateria, poupar energia é da mais elevada importância.²⁷ No livro *Your Brain Is (Almost) Perfect*, o neurocientista Read Montague destaca a eficiência e a energia impressionantes do cérebro, comparando o uso de energia do campeão de xadrez Garry Kasparov, de cerca de 20 watts, com o consumo de seu concorrente computadorizado Deep Blue, na casa dos milhares de watts. Montague observa que Kasparov jogou à temperatura normal do corpo, enquanto o Deep Blue queimava ao toque e exigia um grande jogo de ventarolas para dissipar o calor. O cérebro humano opera com eficiência superlativa.

O consumo do cérebro de Kasparov é baixo porque o enxadrista passou a vida toda gravando estratégias de xadrez em algoritmos de rotina econômicos. Ao começar a jogar xadrez quando criança, teve de conquistar sozinho estratégias cognitivas sobre o que fazer em seguida – mas estas eram muito ineficientes, como os movimentos de um jogador de tênis que pensa demais e questiona suas decisões. À medida que melhorava, Kasparov não tinha mais de labutar conscientemente pelo desenrolar de um jogo: podia perceber o tabuleiro de xadrez rapidamente, com eficiência e com menos interferência consciente.

Em um estudo sobre a eficiência, os pesquisadores usaram o imageamento do cérebro enquanto as pessoas aprendiam a jogar o videogame Tetris. O cérebro dos participantes eram altamente ativos, queimando energia a uma escala imensa, enquanto as redes neurais procuravam estruturas subjacentes e estratégias para o jogo. Quando os participantes se tornaram especialistas no jogo, depois de mais ou menos uma semana, o cérebro consumia muito pouca energia enquanto jogava. Não é que o jogador tenha melhorado apesar de o cérebro ficar mais tranquilo; o jogador melhorou *porque* o cérebro estava mais tranquilo. Nestes jogadores, as habilidades para o Tetris eram gravadas no circuito do sistema, de tal modo que agora eram programas especializados e eficientes para lidar com ele.

Como analogia, imagine uma sociedade de guerreiros que de repente vê que não tem mais batalhas a travar. Seus soldados decidem se voltar para a agricultura. No início usam as espadas de combate para cavar pequenos buracos para as sementes – uma abordagem funcional, mas imensamente ineficaz. Depois de um tempo, trocam as espadas por arados. Otimizam a maquinaria para cumprir as exigências da tarefa. Como o cérebro, eles modificaram o que têm para se voltarem para a tarefa a ser realizada.

Este truque de gravar tarefas no circuito é fundamental para a operação do cérebro: ele altera o circuito impresso de sua maquinaria para se amoldar a sua missão. Isto permite que uma tarefa difícil, que só pode ser realizada de um jeito canhestro, seja cumprida com rapidez e eficiência. Na lógica do cérebro, se você não tiver a ferramenta certa para o trabalho, *crie*.

Até agora aprendemos que a consciência tende a interferir na maioria da tarefas (lembre-se da infeliz centopeia no fosso) – mas ela *pode* ser útil quando estabelecemos objetivos e treinamos o robô. A seleção evolutiva presumivelmente refinou a quantidade exata de acesso à mente consciente: se muito pouco, a empresa não tem rumo; se demasiado, o sistema se atola resolvendo problemas de uma maneira lenta, atrapalhada e ineficaz em energia.

Quando atletas cometem erros, os treinadores costumam gritar: "*Pense!*" A ironia é que o objetivo de um atleta profissional é não pensar. O objetivo é investir milhares de horas em treinamento para que, no calor da batalha, as manobras certas venham automaticamente, sem interferência nenhuma do consciente. As habilidades precisam ser metidas no circuito dos jogadores. Qsuando os atletas "entram na zona", sua maquinaria inconsciente bem treinada cuida das coisas, com rapidez e eficiência. Imagine um jogador de basquete parado na boca do garrafão. A torcida grita e bate pés para distraí-lo. Se ele estiver operando a maquinaria consciente, certamente vai errar. Só dependendo da maquinaria robótica supertreinada é que se pode esperar cravar a bola na cesta.[28]

Agora você pode aproveitar o conhecimento adquirido neste capítulo para sempre vencer no tênis. Quando estiver perdendo, pergunte simplesmente a seu adversário como ele saca tão bem. Depois que ele refletir sobre a mecânica do serviço e tentar explicar, estará perdido.

Aprendemos que quanto mais as coisas são automatizadas, menos acesso consciente temos. Mas só estamos começando. No capítulo seguinte veremos como a informação pode ficar enterrada ainda mais fundo.

4

OS PENSAMENTOS QUE PODEMOS TER

"O homem é uma fábrica que produz pensamentos,
como uma roseira produz rosas e uma macieira, maçãs."

– Antoine Fabre D'Olivet,
L'Histoire philosophique du genre humain

Pense por um instante na pessoa mais bonita que você conhece. Seria impossível para os olhos fitarem esta pessoa e não ficarem inebriados de atração. Mas tudo depende do programa evolutivo a que esses olhos estejam ligados. Se os olhos pertencerem a um sapo, esta pessoa pode ficar diante dele o dia todo – até nua – e não atrairá atenção, talvez só alguma desconfiança. E a falta de interesse é mútua: o ser humano sente-se atraído por humanos, e sapos por sapos.

Nada parece mais natural do que o desejo, mas a primeira coisa a perceber é que somos equipados só para o desejo adequado à espécie. Isto ressalta uma questão simples, mas crucial: os circuitos do cérebro são projetados para gerar comportamento adequado a nossa sobrevivência. Maçãs, ovos e batatas têm um gosto bom para nós não porque o formato de suas moléculas seja inerentemente maravilhoso, mas porque são pequenos pacotes perfeitos de açúcares e proteínas: cédulas de energia que você pode guardar no banco. Como esses alimentos são úteis, somos equipados para achá-los saborosos. Como a matéria fecal contém micróbios prejudiciais, desenvolvemos uma aversão arraigada a comê-la. Observe que os bebês coalas – conhecidos como joeys – comem a matéria fecal da mãe para obter as bactérias certas para seu sistema digestivo. Essas bactérias são necessárias para os joeys sobreviverem à folhagem do eucalipto, que sem elas seria venenosa. Se eu tivesse de adivinhar, diria que a matéria fecal tem um gosto tão delicioso ao joey como a maçã a você. Nada é inerentemente gostoso ou repulsivo – depende de suas necessidades. O paladar saboroso é simplesmente um indicador de utilidade.

Muitas pessoas já estão familiarizadas com esses conceitos de atração do paladar, mas em geral é difícil estimar até que ponto vai esse anseio evolutivo. Não é simplesmente que você seja atraído a seres humanos mais do que a sapos ou que goste de maçãs mais do que de matéria fecal – os mesmos princípios de orientação arraigada do pensamento são válidos para todas as crenças profundas que você tenha sobre lógica, economia, ética, emoções, beleza, interações sociais, amor e o resto de sua vasta paisagem mental. Nossos objetivos evolutivos dirigem e estruturam nossos pensamentos. Pense bem nisso por um momento. Significa que há certos pensamentos que *podemos* ter e categorias inteiras de pensamentos que não podemos. Comecemos por todos os pensamentos que você nem mesmo percebe que estão ausentes.

O *UMWELT*: UMA EXTRAPOLAÇÃO DA VIDA

"Incrível a hospedaria,
mas limitado o hóspede."

– Emily Dickinson

Em 1670, Blaise Pascal observou com assombro que "o homem é igualmente incapaz de ver o nada do qual emerge e o infinito em que é engolfado".[1] Pascal reconheceu que passamos a vida extrapolando entre as escalas inimaginavelmente pequenas dos átomos que nos compõem e as escalas infinitamente grandes das galáxias.

Mas Pascal não sabia de metade da história. Deixe os átomos e galáxias para lá – nem podemos ver a maior parte da ação em nossa *própria* escala espacial. Considere o que chamamos de luz visível. Temos receptores especializados no fundo dos olhos que são otimizados para capturar a radiação eletromagnética emitida pelos objetos. Quando esses receptores pegam alguma radiação, lançam uma salva de sinais para o cérebro. Mas não percebemos *todo* o espectro eletromagnético, apenas uma parte dele. A parte do espectro luminoso que nos é visível representa menos de dez trilionésimos dela. O resto do espectro – carregando programas de TV, sinais de rádio, micro-ondas, raios X, raios gama, conversas ao celular e assim por diante – flui por nós sem que estejamos conscientes.[2] O noticiário da CNN está passando por seu corpo agora e você está inteiramente cego a isto, porque não tem receptores especializados para essa parte do espectro. As abelhas, por sua vez, incluem em sua realidade informações carregadas em cumprimentos de onda ultravioleta, e as cascavéis incluem infravermelho em sua visão do mundo. Aparelhos hospitalares veem o espectro do raio X, e máquinas no painel de seu carro podem ver o espectro da frequência de rádio. Mas você não pode sentir nada disso. Embora seja a mesma "matéria" – radiação eletromagnética –, você não é equipado com os sensores corretos. Por mais que tente, não vai captar sinais do resto do espectro.

O que você é capaz de experimentar é inteiramente limitado por sua biologia. Isto difere da concepção comum de que nossos olhos, ouvidos e dedos recebem passivamente um mundo físico objetivo fora de nós mesmos. À medida que a ciência avança com aparelhos que podem ver o que não vemos, vem ficando claro que nosso cérebro prova apenas uma pequena parte do mundo físico que nos cerca. Em 1909, o biólogo estoniano de origem alemã Jakob von Uexkull começou a perceber que diferentes animais do mesmo ecossistema captam diferentes sinais do ambiente.[3] No mundo cego e surdo do carrapato, os sinais importantes são a temperatura e o odor do ácido butírico. Para os peixes ituí-cavalo, são os campos elétricos. Para o morcego com ecolocalização, as ondas de ar comprimido. Assim, von Uexkull introduziu um novo conceito: a parte de você capaz de ver é conhecida como *umwelt* (o ambiente, o mundo que o cerca), e a realidade maior (se existir) é conhecida como *umgebung*.

Cada organismo tem seu próprio *umwelt*, que representa presumivelmente toda a realidade objetiva do "lá fora". Por que pareriamos para pensar que há mais além do que podemos sentir? No filme *O show de Truman*, o epônimo Truman vive num mundo completamente construído em volta dele (em geral às pressas) por um intrépido produtor de TV. A certa altura, um entrevistador pergunta ao produtor: "Por que acha que Truman nunca descobrirá a verdadeira natureza do mundo dele?" O produtor responde: "Aceitamos a realidade do mundo que nos é apresentada." Ele acertou em cheio. Aceitamos o *umwelt* e paramos por aí.

Pergunte-se como seria ter cegueira desde o nascimento. Pense realmente nisso por um momento. Se você achar que "seria algo como a escuridão", ou "algo como um buraco escuro onde deveria estar a visão", está enganado. Para entender por quê, imagine que você é um cão farejador, como o bloodhound. Seu nariz comprido abriga 200 milhões de receptores para o cheiro. Do lado de fora, o focinho úmido atrai e captura moléculas de odor. As fendas nos cantos de cada narina inflam para deixar que flua mais ar enquanto fareja. Até as orelhas caídas se arrastam no chão e agitam moléculas de odor. Seu mundo é todo olfato. Numa tarde, enquanto você está seguindo seu dono, você para de repente, com uma revelação. Como será ter o nariz desprezível e pobre de um ser humano? O que os humanos podem detectar quando captam uma farejada tão rala de ar? Eles sofrem de uma escuridão? Um buraco de cheiro onde deveria estar o olfato?

Como você é humano, sabe que a resposta é não. Não existe buraco, nem escuridão, nem falta sensação onde o olfato está ausente. Você aceita sua realidade como lhe aparece. Como não tem as capacidades de olfato de um bloodhound, nem mesmo lhe ocorre que essas coisas podem ser diferentes. O mesmo é válido para as pessoas com cegueira para cores: até que aprendam que os outros veem tons que elas não enxergam, a ideia nem passa por sua tela de radar.

Se você não tem cegueira para cores, pode muito bem achar difícil imaginar-se cego para cores. Mas lembre-se do que aprendemos antes: algumas pessoas veem *mais* cores do que você. Uma fração das mulheres não tem apenas três, mas quatro tipos de fotorreceptores para cores – e assim podem distinguir cores que a maioria da humanidade jamais diferenciará.[4] Se você não é membro dessa pequena população feminina, acaba de descobrir uma coisa sobre sua própria pobreza de que não tinha consciência. Você pode não ter pensado em si mesmo como cego para cores, mas, para essas senhoras supersensíveis aos tons, você é. No final das contas, isso não estraga seu dia; só o faz se admirar de como outra pessoa pode ver o mundo de uma forma tão estranha.

Pode-se dizer o mesmo para os congenitamente cegos. Não está lhes faltando nada; eles não veem escuridão onde falta a visão. A visão nunca fez parte de sua realidade, antes de tudo, e eles sentem tanta falta dela como você dos odores a mais do bloodhound, ou das cores extras das mulheres tetracromáticas.

Há uma grande diferença entre os *umwelts* dos humanos e aqueles de carrapatos e bloodhounds, mas pode haver um pouco de variabilidade entre os seres humanos. A maioria das pessoas, durante uma escapada noturna do pensamento cotidiano, faz aos amigos a seguinte pergunta: como sei que o que eu experimento como vermelho e o que você experimenta como vermelho são a mesma coisa? É uma boa pergunta, porque, se concordamos em rotular uma característica de "vermelha", não importa se a amostra experimentada por você é o que eu percebo internamente como amarelo canário. Eu chamo de vermelho, você chama de vermelho, e podemos conduzir adequadamente uma rodada de pôquer.

Mas o problema é bem mais profundo. O que eu chamo de visão e o que você chama de visão podem ser bem diferentes – a minha pode ser invertida em relação à sua, e nunca vamos saber. E isso não importa, desde que concordemos nos nomes que damos às coisas, como as apontamos e para onde nos dirigimos no mundo.

Esse tipo de questão costumava viver no reino da especulação filosófica, mas agora foi promovido ao domínio do experimento científico. Afinal, em toda a população, há pequenas diferenças na função cerebral, e às vezes isto se traduz diretamente em diferentes maneiras de viver o mundo. E cada indivíduo acredita que a sua maneira é a *realidade*. Para entender isto, imagine um mundo de terças-feiras magenta, sabores que tenham formas e sinfonias em verde ondulado. Uma em cem pessoas, normal em todos os outros aspectos, vive o mundo desta maneira, devido a um problema chamado sinestesia (que significa "sensação conjunta").[5] Nos sinestésicos a estimulação de um sentido incita uma experiência sensorial anômala: podem-se ouvir cores, sentir o gosto de formas, ou experimentar sistematicamente outras misturas sensoriais. Por exemplo, uma voz ou música pode não ser apenas ouvida, mas também vista, provada com o paladar ou sentida com o tato. A sinestesia é uma fusão de diferentes percepções sensoriais: a sensação de lixa pode evocar uma forma em F, o gosto de frango pode ser acompanhado de uma sensação de alfinetes na ponta dos dedos, ou um sinfonia pode ser vivida em azuis e dourados. Os sinestésicos estão tão acostumados com os efeitos, que se surpreendem ao descobrir que os outros não partilham de suas experiências. Estas experiências sinestésicas não são anormais, no sentido patológico; são simplesmente incomuns no sentido estatístico.

A sinestesia tem muitas variantes, e ter um tipo confere uma alta probabilidade de ser portador de um segundo ou terceiro gênero. Viver os dias da semana em cores é a manifestação mais comum da sinestesia, seguida pelas letras e números coloridos. Outras variedades comuns incluem palavras com sabor, ouvir cores, linhas numéricas percebidas como formas tridimensionais, e letras e numerais vividos como se tivessem gênero e personalidades.[6]

As percepções sinestésicas são involuntárias, automáticas e coerentes com o tempo. As percepções em geral são básicas, o que quer dizer que sente-se algo como uma simples cor, forma ou textura, em vez de algo pictórico ou específico (por exemplo, os sinestésicos não dizem: "Esta música me faz experimentar um vaso de flores numa mesa de restaurante.").

Por que algumas pessoas veem o mundo desta forma? A sinestesia é o resultado de uma linha cruzada maior entre áreas sensoriais do cérebro. Pense nisso como países vizinhos com fronteiras porosas no mapa do cérebro. E esta linha cruzada resulta de alterações genéticas mínimas que são transmitidas ao longo das linhagens familiares. Pense nisso: alterações microscópicas nos circuitos do cérebro podem levar a diferentes realidades.[7] A mera existência da sinestesia demonstra a possibilidade de vários tipos de cérebro – e um só tipo mental. Vamos examinar mais de perto uma forma particular de sinestesia, como exemplo. Para a maioria de nós, fevereiro e quarta-feira não têm nenhum lugar determinado no espaço. Mas alguns sinestésicos experimentam localizações precisas em relação a seus corpos para números, unidades de tempo e outros conceitos que envolvem sequências ou ordinalidade. Eles podem apontar o local onde está o número 32, onde dezembro flutua, ou onde fica o ano de 1966.[8] Estas sequências objetificadas tridimensionais são comumente chamadas de formas numéricas, embora o fenômeno seja chamado mais precisamente de sinestesia de sequência espacial.[9] Os tipos mais comuns de sinestesia de sequência espacial envolvem dias da semana, meses do ano, contagem de números inteiros ou anos agrupados por décadas. Além desses tipos comuns, os pesquisadores encontraram configurações espaciais para tamanhos de sapatos e roupas, estatísticas de beisebol, eras históricas, salários, canais de TV, temperatura, entre outros. Algumas pessoas têm uma forma para apenas uma sequência; outras têm formas para mais de uma dezena. Como todos os sinestésicos, elas expressam admiração por nem todos visualizarem as sequências desta maneira. Se você não é sinestésico, esta é a idiossincrasia: é difícil para os sinestésicos entenderem como as pessoas lidam com a vida *sem* uma visualização do tempo. Sua realidade é tão estranha a eles como a deles é a você. Eles aceitam a realidade que lhes é apresentada, como você aceita a sua.[10]

Os não sinestésicos imaginam que sentir cores, texturas e configurações espaciais a mais de algum modo seria um fardo perceptivo: "Não os deixa loucos ter de lidar com todas essas informações a mais?", perguntam algumas pessoas. Mas a situação não é diferente de uma pessoa cega para cores dizendo a outra que tem visão normal: "Coitadinho. Para onde quer que olhe, sempre vendo cores. Não o deixa louco ver tudo em *cores*?" A resposta é que as cores não nos deixam loucos, porque ver em cores é normal para a maioria das pessoas e constitui o que aceitamos como realidade. Da mesma forma, os sinestésicos não enlouquecem com as dimensões a mais. Eles jamais conheceram a realidade de outra maneira. A maioria dos sinestésicos passa a vida toda sem saber que os outros veem o mundo de uma forma diferente da deles.

A sinestesia, em suas dezenas de variedades, ressalta as incríveis diferenças na visão subjetiva e individual do mundo, lembrando-nos de que cada cérebro determina singularmente o que percebe, ou é capaz de perceber. Este fato nos leva de volta ao ponto principal deste livro – isto é, a realidade é muito mais subjetiva do que se supõe normalmente.[11] Em vez de a realidade ser passivamente registrada pelo cérebro, ela é ativamente construída por ele.

Analogamente à sua percepção do mundo, sua vida mental é construída de forma a abranger um determinado território e o resto lhe é restringido. Existem pensamentos que você não pode ter. Você não pode compreender o sextilhão de estrelas de nosso universo, nem imaginar um cubo quadridimensional, nem sentir atração por um sapo. Se estes exemplos parecem óbvios (*é claro que não posso!*), pense neles em analogia a ver em infravermelho, ou captar ondas de rádio, ou detectar ácido butírico, como fazem os carrapatos. Seu "*umwelt* de pensamento" é uma fração mínima do "*umgebung* do pensamento". Vamos explorar este território.

A função deste computador úmido, o cérebro, é gerar comportamento adequado às circunstâncias ambientais. A evolução esculpiu cuidadosamente seus olhos, órgãos internos, órgãos sexuais e assim por diante, e também o caráter de seus pensamentos e crenças. Não só evoluímos defesas imunes especializadas contra germes, mas também desenvolvemos maquinaria neural para resolver problemas especializados que nossos ancestrais caçadores-coletores enfrentaram em mais de 99% da história evolutiva de nossa espécie. O campo da *psicologia da evolução* explora por que pensamos de algumas maneiras e não de outras.

Enquanto os neurocientistas estudam as partes que compõem nosso cérebro, o psicólogo da evolução estuda o programa que resolve problemas sociais. Deste modo, a estrutura física do cérebro incorpora um conjunto de programas, e os programas estão ali porque resolveram um determinado problema no passado. Novas características de projeto são acrescentadas ou descartadas das espécies com base em suas consequências.

Charles Darwin anteviu esta disciplina na parte final de *Origem das espécies*: "No futuro distante, vejo campos abertos para pesquisas muito mais importantes. A psicologia se baseará em um novo fundamento, da necessidade de aquisição de poder mental e capacidade por gradação." Em outras palavras, nossa psique evolui, como os olhos, os polegares e as asas.

Pense nos bebês. Os bebês ao nascer não são tábulas rasas. Eles herdam muito equipamento para solução de problemas e chegam a muitos problemas com soluções já à mão.[12] Esta ideia foi especulada pela primeira vez por Darwin (também na *Origem das espécies*), e mais explorada por William James em *Princípios de psicologia*. O conceito foi depois ignorado na maior parte do século XX. Mas por acaso estava correto. Os bebês, apesar de indefesos, aparecem no mundo com programas neurais especializados para raciocinar sobre objetos, causalidade física, números, o mundo biológico, as crenças e motivações de outros indivíduos e interações sociais. Por exemplo, o cérebro de um recém-nascido *espera* rostos: mesmo quando têm menos de dez minutos de idade, os bebês se voltarão para padrões semelhantes a faces, mas não a versões embaralhadas do mesmo padrão.[13] Aos dois meses e meio, um bebê expressará surpresa se um objeto sólido parecer passar por outro objeto, ou se um objeto parecer sumir, como que por mágica, de trás de uma tela. Os bebês mostram diferenças no modo como tratam objetos animados e inanimados, fazendo o pressuposto de que os brinquedos animados têm estados internos (intenções) que eles não podem ver. Também fazem pressupostos sobre as intenções do adultos. Se um adulto tenta demonstrar como fazer uma coisa, um bebê o imitará. Mas, se o adulto parecer se atrapalhar na demonstração (talvez pontuado com um "Epa!"), o bebê não tentará imitar o que viu, mas o que acredita que o adulto pretendia.[14] Em outras palavras, quando os bebês têm idade suficiente para ser testados, já estão fazendo pressupostos sobre o funcionamento do mundo.

Assim, apesar de as crianças aprenderem por imitação do que as cerca – macaqueando os pais, animais de estimação e a TV –, elas não são tábulas rasas. Pense no balbuciar. As crianças surdas balbuciam da mesma maneira que aquelas com audição, e as crianças de diferentes países parecem similares embora estejam expostas a línguas radicalmente diferentes. Assim, o balbuciar inicial é herdado como característica predeterminada do homem.

Outro exemplo da pré-programação é o chamado sistema de leitura da mente – isto é, o conjunto de mecanismos pelos quais usamos a direção e o movimento dos olhos dos outros para inferir o que eles querem, sabem e acreditam. Por exemplo, se alguém olha abruptamente por sobre seu ombro esquerdo, você imediatamente suporá que há algo interessante acontecendo atrás de você. Nosso sistema de leitura de olhares está completo já na primeira infância. Em problemas como o autismo, este sistema pode ser deficiente. Por outro lado, ele pode ser poupado, mesmo quando outros sistemas são prejudicados, como num distúrbio chamado síndrome de Williams, em que a leitura de olhares é ótima, mas a cognição social é muito deficiente de outras maneiras.

O programa inato pode driblar a explosão de possibilidades com que topa um cérebro tábula rasa. Um sistema que começa com uma tábula rasa seria incapaz de aprender todas as regras complexas do mundo com apenas as poucas informações recebidas pelos bebês.[15] Teria de experimentar de tudo e fracassaria. Sabemos disto, se não por outra razão, pela longa história do fracasso das redes neurais artificiais que começam sem conhecimento algum e tentam aprender as regras do mundo.

Nossa pré-programação é profundamente envolvida na troca social – a forma como o homem interage com os outros. A interação social tem sido fundamental para nossa espécie há milhões de anos, e assim os programas sociais entraram fundo no circuito neural. Como colocaram os psicólogos Leda Cosmides e John Tooby, "O batimento cardíaco é universal porque o órgão que o gera é o mesmo em toda parte. Esta é uma explicação parcimoniosa também para a universalidade da troca social". Em outras palavras, o cérebro, como o coração, não requer determinada cultura para expressar comportamento social – este programa vem embutido no equipamento.

Vamos nos voltar para um exemplo específico: seu cérebro tem problemas com determinados tipos de cálculo para cuja resolução ele não evoluiu, mas tem muita facilidade com cálculos que envolvem questões sociais. Digamos que eu lhe mostre as quatro cartas a seguir e afirme o seguinte: se uma carta tem um número par numa face, terá o nome de uma cor primária no verso. Quais duas cartas você precisa virar para saber se estou lhe dizendo a verdade?

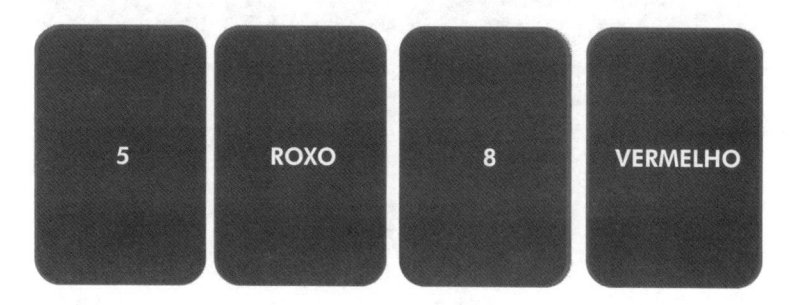

| 5 | ROXO | 8 | VERMELHO |

Não se preocupe se este problema lhe causa dificuldades: ele é mesmo difícil. A resposta é que você precisa virar apenas a carta de número 8 e a carta do Roxo. Se você virar a carta 5 e encontrar Vermelho do outro lado, isso não lhe dirá nada sobre a veracidade da regra, porque eu fiz uma declaração apenas sobre as cartas pares. Da mesma maneira, se virar a carta Vermelha e encontrar um número ímpar no verso, também não se coadunaria com a regra lógica que lhe dei, porque eu não especifiquei o que haveria no verso dos números ímpares.

Se seu cérebro fosse equipado para as regras da lógica condicional, você não teria problemas com esta tarefa. Mas menos de um quarto das pessoas a entendem de pronto, e assim ocorre mesmo que elas tenham tido educação formal em lógica.[16] O fato de que o problema é considerado difícil indica que nosso cérebro não está preparado para este problema lógico geral, presumivelmente porque nos saímos bem como espécie sem a necessidade de resolver esse tipo de quebra-cabeças lógico.

Mas é aqui que a história dá uma guinada. Se o mesmíssimo problema de lógica é apresentado de uma maneira que estamos equipados para compreender – isto é, se pertencer ao vocabulário de coisas com que se importa um cérebro social humano –, ele é resolvido facilmente.[17] Suponha que a nova regra seja esta: se você é menor de 18 anos, não pode ingerir bebidas alcoólicas. Agora cada carta, como aparecem a seguir, tem a idade de uma pessoa de um lado e a bebida que estão segurando no verso.

| TEQUILA | 33 | SPRITE | 16 |

Que cartas você precisa virar para saber se a regra é infringida? Aqui, a maioria dos participantes entende corretamente (as cartas 16 e Tequila). Observe que os dois quebra-cabeças são formalmente equivalentes. Então por que você acha o primeiro difícil e o segundo mais fácil? Cosmides e Tooby afirmam que o aumento no desempenho do segundo caso representa uma especialização neural. O cérebro se importa tanto com a interação social que evoluiu programas especiais dedicados a ela: funções primitivas para lidar com questões de direitos e deveres. Em outras palavras, sua psicologia evoluiu para resolver problemas sociais, como detectar os traidores – mas não para ser inteligente e lógico de modo geral.

O MANTRA DO CÉREBRO EM EVOLUÇÃO: GRAVE PROGRAMAS REALMENTE BONS ATÉ O DNA

Em geral, somos menos conscientes do que nossa mente faz melhor.
– Marvin Minsky, *A sociedade da mente*

Os instintos são comportamentos complexos e inatos que não precisam ser aprendidos. Eles se revelam de forma mais ou menos independente da experiência. Pense no nascimento de um cavalo: ele cai do útero materno, endireita-se sobre suas pernas finas e inseguras, cambaleia um pouco e, por fim, começa a andar e correr, seguindo o resto do rebanho em questão de minutos ou horas. O potro não está aprendendo a usar as pernas depois de anos de tentativa e erro, como faz um bebê humano. A ação motora complexa é instintiva.

Graças aos circuitos neurais especializados que vêm com equipamento padrão no cérebro, os sapos são loucos de desejo por outros sapos, e não conseguem imaginar o que significaria um humano sensual – e vice-versa. Os programas de instinto, gravados por pressões evolutivas, mantêm nosso comportamento num curso tranquilo e orientam nossa cognição com pulso firme.

Por tradição, os instintos são considerados contrários ao raciocínio e ao aprendizado. Se você for como a maioria das pessoas, considerará que seu cachorro age amplamente por instinto, enquanto o homem parece operar com algo mais do que instinto – algo mais parecido com a *razão*. O grande psicólogo do século XIX William James foi o primeiro a desconfiar dessa história. Sugeriu que o comportamento humano pode ser mais flexivelmente inteligente do que o de outros animais porque possuímos *mais* instintos do que eles, e não menos. Esses instintos são ferramentas em nossa caixa, e, quanto mais você os têm, mais adaptáveis podem ser.

Tendemos a ser cegos à existência desses instintos precisamente porque eles funcionam tão bem, processando informações sem esforço e automaticamente. Como o programa inconsciente dos sexadores de aves, localizadores de aviões ou tenistas, os programas são gravados tão profundamente no circuito que não temos mais acesso a eles. Coletivamente, esses instintos formam o que pensamos como a natureza humana.[18]

Os instintos diferem de nossos comportamentos automatizados (digitar, andar de bicicleta, dar o saque numa bola de tênis) no sentido de que não precisamos aprendê-los na vida. Nós os herdamos. Nossos comportamentos inatos representam ideias tão úteis que se tornaram codificadas na linguagem criptografada e mínima do DNA. Isto foi realizado pela seleção natural durante milhões de anos: os que tinham instintos que favoreceram a sobrevivência e a reprodução tenderam a se multiplicar.

A questão fundamental aqui é que o circuito especializado e otimizado de instintos confere todos os benefícios da velocidade e da eficiência em energia, mas ao custo de se distanciar cada vez mais do acesso consciente. Assim, temos tão pouco acesso a nossos programas cognitivos inatos como temos a nosso saque no tênis. Esta situação leva ao que Cosmides e Tooby chamam de "cegueira para os instintos": não podemos ver os instintos que são os motores de nosso comportamento.[19] Estes programas nos são inacessíveis *não* porque não sejam importantes, mas porque são *críticos*. Meter-se conscientemente neles não os melhoraria em nada.

William James percebeu a natureza oculta dos instintos e sugeriu que trazemos os instintos à luz por um exercício mental simples: procure fazer o "natural parecer estranho" perguntando "o porquê de qualquer ato humano instintivo":

> Por que sorrimos, quando estamos satisfeitos, e não fazemos uma careta? Por que somos incapazes de falar a uma mul-

tidão como falamos com um único amigo? Por que determinada donzela nos vira a cabeça? O homem comum pode dizer, *é claro* que sorrimos, *é claro* que nosso coração palpita à vista de uma multidão, *é claro* que amamos a donzela, aquela linda alma vestida naquela forma perfeita, tão palpável e flagrantemente feita por toda a eternidade para ser amada! E assim, provavelmente, cada animal se sente sobre coisas específicas que tende a fazer em presença de determinados objetos. (...) Para o leão é a leoa que é feita para ser amada; para o urso, a ursa. Para a galinha choca, provavelmente pareceria monstruoso haver uma criatura no mundo a quem uma ninhada de ovos não fosse o objeto de fascínio completo, precioso e não-se-cansa-de-se-sentar-nele que é para ela.

Assim, podemos estar certos de que embora alguns instintos animais nos pareçam misteriosos, nossos instintos não serão menos misteriosos a eles.[20]

Nossos instintos mais arraigados ficaram de fora dos refletores da pesquisa porque os psicólogos procuraram compreender unicamente os atos humanos (como a cognição superior) ou como coisas dão errado (como nos distúrbios mentais). Mas os atos mais automáticos e espontâneos – aqueles que exigem o circuito neural mais especializado e complexo – estavam diante de todos nós o tempo todo: a atração sexual, o medo do escuro, a capacidade de empatia, de argumentar, ter ciúme, buscar a justiça, encontrar soluções, evitar o incesto, reconhecer expressões faciais. As vastas redes de neurônios que sustentam esses atos são tão bem sintonizadas como a introspecção era inútil para os sexadores de aves terem acesso aos programas gravados no circuito. Nossa avaliação consciente de uma atividade como fácil ou natural pode nos levar a subestimar muito a complexidade dos circuitos que as tornam possíveis. As coisas fáceis são complicadas: a maior parte do que consideramos óbvio é complexo do ponto de vista neural.

Como exemplo, considere o que aconteceu no campo da inteligência artificial. Na década de 1960, teve progressos rápidos em programas que podiam lidar com o conhecimento factual, como "um cavalo é um tipo de mamífero". Mas depois o campo reduziu sua velocidade, praticamente estagnando. Mostrou-se muito mais complicado resolver problemas "simples", como andar por uma calçada sem cair pelo meio-fio, lembrar-se de onde fica a lanchonete, equilibrar um corpo alto em dois pés mínimos, reconhecer um amigo ou entender uma piada. As coisas que fazemos com tanta rapidez, eficiência e inconsciência são tão difíceis de modelar que permanecem como problemas sem solução.

Quanto mais óbvia e espontânea uma coisa parece, mais precisamos suspeitar de que é assim graças ao imenso circuito que vive por trás dela. Como vimos no Capítulo 2, o ato de ver é fácil e rápido precisamente por ser escorado por uma maquinaria complicada e dedicada. Quanto mais uma coisa *parece* natural e espontânea, menos ela é.[21] Nossos circuitos para o desejo sexual não são impelidos por um sapo sem roupa porque não podemos acasalar com sapos e eles têm pouco a ver com nosso futuro genético. Por outro lado, como vimos no primeiro capítulo, nós *nos importamos* um pouco com a dilatação dos olhos de uma mulher, porque isto transmite informações importantes sobre o interesse sexual. Vivemos dentro do *umwelt* de nossos instintos, e em geral temos muito pouca percepção deles, como o peixe tem da água.

A BELEZA: TÃO PALPÁVEL E FLAGRANTEMENTE FEITA POR TODA A ETERNIDADE PARA SER AMADA

Por que as pessoas se sentem atraídas por jovens e não pelos mais velhos? Os homens realmente preferem as louras? Por que uma pessoa vista brevemente parece mais atraente do que outra a quem demos uma boa olhada? A essa altura, você não deve se surpreender se descobrir que nosso senso de beleza é gravado fundo (e de forma inacessível) no cérebro – tudo com o propósito de realizar algo biologicamente útil.

Vamos voltar a pensar na pessoa mais bonita que você conhece. Bem-proporcionada, amada sem fazer esforço, magnética. Nosso cérebro é primorosamente afiado para captar essa aparência. Simplesmente devido a pequenos detalhes de simetria e estrutura, essa pessoa desfruta de um destino de popularidade maior, promoções mais rápidas e uma carreira de maior sucesso.

A essa altura não causará admiração descobrir que nosso senso de atração não é algo etéreo – bem estudado somente pela pena dos poetas –, mas resulta de sinais específicos conectados, como uma chave numa fechadura, no programa neural dedicado.

O que as pessoas escolhem como características bonitas reflete principalmente sinais de fertilidade provocados por mudanças hormonais. Até a puberdade, a forma do rosto e do corpo de meninos e meninas é semelhante. O aumento do estrogênio nas meninas púberes lhes confere lábios mais grossos, enquanto a testosterona nos meninos produz um queixo mais proeminente, um nariz maior e uma mandíbula mais cheia. O estrogênio leva ao crescimento dos seios e das nádegas, enquanto a testosterona estimula o crescimento dos músculos e de ombros largos. Assim, para uma mulher, lábios grossos, nádegas cheias e uma cintura estreita transmitem uma mensagem clara: *estou repleta de estrogênio e sou fértil*. Para um homem, é o queixo cheio, a barba por fazer e o peito largo. É o que estamos programados para achar bonito. A forma reflete a função.

Nossos programas são tão arraigados que há poucas variações na população. Os pesquisadores (e os fornecedores de pornografia) conseguiram discernir um leque surpreendentemente estreito para as proporções femininas que os homens acham mais atraentes: a proporção perfeita entre cintura e quadris em geral reside entre 0,67 e 0,8. As proporções cintura para quadril das modelos das páginas centrais da *Playboy* continuaram em cerca de 0,7 com o tempo, embora seu peso médio tenha diminuído.[22] As mulheres com uma proporção nesta faixa não são apenas consideradas mais atraentes pelos homens, como também presume-se que sejam mais saudáveis, bem-humoradas e inteligentes.[23] À medida que as mulheres envelhecem, suas características mudam de maneira a se afastar destas proporções. Cintura mais grossa, lábios mais finos, seios arriados e assim por diante, tudo isso transmite o sinal de que elas passaram do auge da fertilidade. Até um adolescente sem instrução em biologia será menos atraído por uma mulher mais velha do que por uma mais nova. Seus circuitos têm uma missão clara (reprodução); sua mente consciente recebe apenas a manchete que ele precisa saber ("Ela é atraente, vá atrás dela!") e mais nada.

E os programas neurais ocultos detectam mais do que a fertilidade. Nem todas as mulheres férteis são igualmente saudáveis, e portanto nem todas parecem igualmente atraentes. O neurocientista Vilayanur Ramachandran especula que o dito de os homens preferirem as louras pode ter uma semente biológica de verdade: as mulheres mais claras mostram mais facilmente sinais de doenças, enquanto a tez mais escura das mais morenas pode disfarçar melhor suas imperfeições. As informações de mais saúde sempre permitem uma decisão melhor e, portanto, são preferíveis.[24]

Os homens costumam ser mais impelidos pelo visual do que as mulheres, mas as mulheres são sujeitas às mesmas forças internas; são seduzidas pelas características atraentes que anunciam a maturidade da masculinidade. Uma peculiaridade interessante é que as preferências das mulheres podem mudar, dependendo da época do mês: as mulheres preferem homens que pareçam másculos quando estão ovulando, mas quando não ovulam preferem feições mais suaves – o que presumivelmente anuncia o comportamento mais social e amoroso.[25]

Embora os programas de sedução e busca operem em grande parte sob a maquinaria da consciência, o resultado fica evidente a todos. É por isso que milhares de cidadãos de países ricos pagam por *lifts* faciais, abdominoplastias, implantes, lipoaspiração e botox. Eles tentam manter as chaves que destrancam os programas no cérebro de outras pessoas.

Não surpreende que quase não tenhamos acesso direto aos mecanismos de nossas atrações. As informações visuais conectam-se com antigos módulos neurais que impelem nosso comportamento. Lembre-se do experimento no primeiro capítulo: quando os homens classificaram a beleza de rostos femininos, acharam mais atraentes as mulheres de olhos dilatados, porque os olhos dilatados indicam interesse sexual. Mas os homens não tinham acesso consciente ao processo de tomada de decisão.

Num estudo em meu laboratório, os participantes viram breves lampejos de fotos de homens e mulheres e classificaram seu grau de atração.[26] Na última rodada, deviam classificar as mesmas fotos que tinham visto, mas desta vez com o tempo que quisessem levar para examinar as fotos. O resultado: as pessoas vistas brevemente eram mais bonitas. Em outras palavras, se você tem um vislumbre de uma mulher que dobra uma esquina ou passa de carro rapidamente, seu sistema perceptual lhe dirá que ela é mais bonita do que você julgaria de outra maneira. Os homens mostram esse efeito de juízo errôneo com mais intensidade do que as mulheres, presumivelmente porque a avaliação da atração pelos homens é mais visual. Este "efeito do vislumbre" está de acordo com a experiência cotidiana, em que um homem tem um breve vislumbre de uma mulher e acredita que deixou passar uma beleza rara; depois, quando corre pela esquina, descobre que estava enganado. O efeito é claro, mas o motivo por trás dele, não. Por que o sistema visual, com informações pequenas e tão fugazes, sempre erra para o lado de acreditar que a mulher é mais bonita? Na ausência de informações claras, por que seu sistema perceptual não calcula simplesmente pelo meio e julga a mulher na média, ou abaixo da média?

A resposta gira em torno das exigências da reprodução. Se você acredita que é bonita uma pessoa que viu brevemente, é necessária apenas uma segunda olhada para corrigir o erro – não custa muito. Por outro lado, se você confunde um parceiro atraente com outro não atraente, pode dizer *sayonara* a um futuro genético potencialmente cor-de-rosa. Assim, compete a um sistema de percepção contar a história de pescador de que uma pessoa vista brevemente é atraente. Como nos outros exemplos, só o que seu cérebro consciente sabe é que você acabou de passar por uma beleza incrível dirigindo na outra pista do tráfego; você não tem acesso à maquinaria neural, nem às pressões evolutivas que fabricaram esta crença para você.

Os conceitos aprendidos com a experiência também podem tirar proveito desses mecanismos inatos de atração. Num estudo recente, os pesquisadores testaram se ser marcado inconscientemente para o conceito de álcool despertaria (também inconscientemente) os conceitos associados com o álcool, como o sexo e o desejo sexual.[27] Os homens viram palavras como *cerveja* ou *cereja* – mas as palavras apareciam rapidamente demais para ser percebidas conscientemente. Os homens depois classificaram o grau de atração de fotos de mulheres. Depois de serem marcados inconscientemente com as palavras relacionada com álcool (como *cerveja*), os participantes classificavam as fotos como mais atraentes. E os homens que acreditavam mais fortemente que o álcool aumenta o desejo sexual mostraram o efeito mais acentuado.

A atração não é um conceito fixo, mas se adapta segundo as exigências da situação – considere, por exemplo, o conceito de estar no cio. Quase todas as fêmeas de mamíferos dão sinais claros de que estão no cio. A traseira das fêmeas de babuínos adquire um rosa vivo, um convite inconfundível e irresistível a um macho de sorte. As mulheres, por outro lado, são únicas no sentido de que participam do acasalamento o ano todo. Não divulgam nenhum sinal especial para anunciar quando estão férteis.[28]

Será que não? Acontece que uma mulher é considerada mais bonita no auge da fertilidade de seu ciclo menstrual – cerca de dez dias antes do fluxo.[29] Isto é verdadeiro quer ela seja julgada por homens ou mulheres, e não é uma questão de como a mulher age: é percebido até por aqueles que veem suas fotografias. Assim, sua boa aparência transmite seu nível de fertilidade. Os sinais são mais sutis do que o traseiro da fêmea de babuíno, mas só precisam ser claros o bastante para incitar a maquinaria dedicada e inconsciente dos homens no ambiente. Se conseguem chegar a esses circuitos, a missão está concluída. Os sinais também chegam aos circuitos de outras mulheres: as mulheres são muito sensíveis ao efeito do ciclo de outras mulheres, talvez porque isso lhes permite avaliar suas concorrentes quando lutam por parceiros. Ainda não está claro quais são as dicas para a fertilidade – podem incluir alguma propriedade da pele (uma vez que o tom fica mais claro durante a ovulação) ou o fato de que as orelhas e os seios de uma mulher ficam mais simétricos nos dias que antecedem a ovulação.[30] Qualquer que seja a constelação de dicas, nosso cérebro está equipado para entender, mesmo enquanto a mente consciente não tem acesso. A mente apenas sente o tranco forte e inexplicável de desejo.

Os efeitos da ovulação e da beleza não são avaliados apenas em laboratório – são mensuráveis em situações da vida real. Um estudo recente de cientistas do Novo México computou as dicas dadas por strippers de boates locais e as correlacionou com os ciclos menstruais das dançarinas.[31] Durante o pico de fertilidade, as dançarinas ganhavam uma média de US$68 por hora. Quando estavam menstruando, ganhavam apenas cerca de US$35. Nesse meio-tempo, uma média de US$52. Embora essas mulheres presumivelmente estivessem agindo em alta capacidade de sedução o mês inteiro, a alteração na fertilidade era transmitida a clientes esperançosos por meio de mudanças no odor do corpo, na pele, proporção cintura-quadris e provavelmente sua própria confiança. É interessante observar que as strippers que faziam uso de anticoncepcionais não mostraram nenhum pico claro de desempenho e ganharam apenas uma média mensal de US$37 por hora (em oposição à média de US$53 por hora de strippers que não tomavam contraceptivos). Presumivelmente, elas ganhavam menos porque a pílula leva a alterações hormonais (e dicas) indicativas de gravidez inicial, e as dançarinas eram portanto menos interessantes aos Casanovas das boates masculinas.

O que esta pesquisa nos diz? Diz-nos que as strippers preocupadas com as finanças deveriam evitar a contracepção e trabalhar em turnos dobrados durante a ovulação. Mais importante, faz-nos compreender a questão de que a beleza da donzela (ou do homem) é préordenada neuralmente. Não temos acesso consciente aos programas e só os trazemos à tona com estudos minuciosos. Observe que o cérebro é muito bom na detecção das sutis dicas envolvidas. Voltando à pessoa mais bonita que você conhece, imagine que você mediu a distância entre os olhos dela, assim como o tamanho do nariz, a espessura dos lábios, o formato do queixo e assim por diante. Se você comparar essas medições com as de uma pessoa não tão atraente, descobrirá que as diferenças são sutis. Para um alienígena ou um cão pastor-alemão, as duas humanas seriam indistinguíveis, assim como você não consegue distinguir entre ETs e cães pastores atraentes e não atraentes. Mas as pequenas diferenças em sua própria espécie têm forte efeito em seu cérebro. Como exemplo, algumas pessoas acham que ver uma mulher de short curto é inebriante e um homem de short curto é repulsivo, embora as duas cenas não sejam diferentes da perspectiva geométrica. Nossa capacidade de fazer distinções sutis é extraordinariamente refinada; nosso cérebro é equipado para realizar as tarefas distintas de seleção e busca de parceiro. Tudo isso opera sob a superfície da consciência – nós simplesmente desfrutamos das sensações agradáveis que borbulham dela.

A avaliação da beleza não é construída apenas por nosso sistema visual, é influenciada também pelo cheiro. O odor carrega muitas informações, inclusive sobre a idade do possível parceiro, o sexo, a fertilidade, identidade, emoções e saúde. As informações são carregadas por uma flotilha de moléculas à deriva. Em muitas espécies animais, estes compostos impelem quase inteiramente o comportamento; no ser humano, as informações em geral voam abaixo do radar da percepção consciente, mas ainda assim influenciam nosso comportamento.

Imagine que damos a uma fêmea de camundongo um grupo de machos para acasalar. Sua decisão, longe de ser aleatória, será baseada na interação entre a sua genética e a genética de seus pretendentes. Mas como a fêmea tem acesso a esse tipo de informação oculta? Todos os mamíferos têm um conjunto de genes conhecidos como complexo de histocompatibilidade principal, ou MHC (de *major histocompatibility complex*); estes genes são protagonistas de nosso sistema imunológico. Tendo essa oportunidade, a fêmea de camundongo escolherá um parceiro com genes MHC *diferentes*. Misturar o pool genético é quase sempre uma boa ideia em biologia: mantém no mínimo os defeitos genéticos e leva a uma interação mais saudável de genes conhecida como vigor híbrido. Assim, é útil encontrar parceiros geneticamente distantes. Mas como o camundongo, que é em grande parte cego, consegue isto? Com o nariz. Um órgão dentro do nariz capta feromônios, substâncias flutuantes que carregam sinais pelo ar – sinais sobre coisas como alarme, rastros de comida, disposição sexual e, neste caso, semelhança ou diferença genética.

Sentiria e reagiria o ser humano a feromônios como os camundongos? Ninguém tem certeza, mas trabalhos recentes revelaram receptores no revestimento interno do nariz humano, semelhantes aos usados na sinalização por feromônios nos camundongos.[32] Não está claro se nossos receptores são funcionais, mas a pesquisa de comportamento é sugestiva.[33] Em um estudo da Universidade de Berna, os pesquisadores mediram e quantificaram os MHCs de um grupo de alunos, homens e mulheres.[34] Os homens receberam camisetas de algodão para vestir, de modo que a transpiração diária ensopasse o tecido. Mais tarde, de volta ao laboratório, as mulheres encostaram o nariz nas axilas destas camisetas e escolheram o odor corporal de sua preferência. O resultado? Exatamente como os camundongos, elas prefeririam os homens com MHCs mais dessemelhantes. Ao que parece, nosso nariz também influencia nossas decisões, e novamente a missão reprodutiva voa abaixo do radar da consciência.

Além da reprodução, os feromônios humanos podem carregar sinais invisíveis em outras situações. Por exemplo, os recém-nascidos movem-se preferencialmente para almofadas que tenham sido esfregadas no seio da mãe e não para almofadas limpas, talvez com base na dica dos feromônios.[35] E a extensão do ciclo menstrual das mulheres pode mudar depois que elas cheiram o suor da axila de outra mulher.[36]

Embora os feromônios claramente carreguem sinais, não se sabe até que ponto influenciam o comportamento humano. Nossa cognição é tão multifacetada que essas dicas foram reduzidas a participantes menores. Quaisquer que sejam seus papéis, os feromônios servem para nos lembrar de que o cérebro evolui continuamente: essas moléculas desmascaram a presença de programas de herança ultrapassados.

INFIDELIDADE NOS GENES?

Considere a ligação que você tem com sua mãe, e a boa sorte da ligação dela com você – em especial quando você precisava dela quando era uma criança indefesa. É fácil imaginar esse tipo de vínculo como uma ocorrência natural. Mas precisamos meramente arranhar a superfície para descobrir que a ligação social depende de um sistema sofisticado de sinalização química. Não acontece espontaneamente; acontece de propósito. Quando filhotes de camundongo são geneticamente manipulados para a ausência de um tipo específico de receptor no sistema opioide (que está envolvido na supressão da dor e na recompensa), eles param de se importar com a separação de suas mães.[37] Gritam menos. Não estamos dizendo com isso que eles sejam incapazes de se importar com as coisas em geral – na realidade, eles são mais ativos do que os camundongos normais com um macho ameaçador ou a temperaturas baixas. É simplesmente porque eles não parecem criar vínculo com as mães. Quando podem decidir entre o cheiro da mãe e o de um camundongo desconhecido, a probabilidade é a mesma de escolherem um ou outro. O mesmo acontece quando são apresentados ao ninho da mãe e ao de uma estranha. Em outras palavras, os filhotes devem operar os programas genéticos corretos para se importar corretamente com suas mães. Esse tipo de problema pode estar por trás de distúrbios que envolvem dificuldades de ligação, como o autismo.

Relacionada com a questão do vínculo com os pais está a da fidelidade ao parceiro. O bom senso nos diria que a monogamia é uma decisão baseada em caráter moral, não é? Mas isso, antes de mais nada, leva à questão do que constituiria "caráter". Poderia também ser guiado por mecanismos abaixo do radar da consciência? Pense nos arganazes. Essas pequenas criaturas cavam túneis rasos na terra e permanecem ativas o ano todo. Mas, ao contrário de outros ratos silvestres e mamíferos de modo geral, os arganazes permanecem monógamos. Formam pares para a vida toda em que nidificam juntos, aconchegam-se, cuidam-se e criam os filhotes como equipe. Por que eles mostram este comportamento de ligação de compromisso enquanto seus primos próximos são mais devassos? A resposta está nos hormônios.

Quando um arganaz macho acasala repetidamente com uma fêmea, é liberado no cérebro um hormônio chamado vasopressina. A vasopressina se liga a receptores numa parte do cérebro chamada de núcleo accumbens, e o vínculo medeia uma sensação agradável que se torna associada com a fêmea em questão. Isto o prende à monogamia, que é conhecida como ligação do par. Se você bloquear este hormônio, a ligação do par desaparecerá. Incrivelmente, quando os pesquisadores aumentam os níveis de vasopressina com técnicas genéticas, podem mudar espécies polígamas para de comportamento monógamo.[38]

Será que a vasopressina tem importância nos relacionamentos humanos? Em 2008, uma equipe de pesquisa do Instituto Karolinska, na Suécia, examinou o gene para o receptor de vasopressina em 552 homens em longos relacionamentos heterossexuais.[39] Os pesquisadores descobriram que uma seção do gene chamada RS3 334 pode ter números variáveis: um homem pode não carregar cópias desta seção, uma cópia, ou duas delas. Quanto mais cópias, mais fraco o efeito que a vasopressina da corrente sanguínea teria no cérebro. O resultado foi de uma simplicidade surpreendente. O número de cópias correlacionava-se com o comportamento de ligação do par nos homens. Homens com mais cópias de RS3 334 tiveram pior classificação nas medições de ligação do par – inclusive medições da força de seus relacionamentos, problemas conjugais percebidos e qualidade conjugal percebida pela esposa. Aqueles com duas cópias tinham uma probabilidade maior de não se casar e, se fossem casados, era mais provável que tivessem problemas conjugais.

Não queremos dizer com isto que as decisões e o ambiente não importam – porque importam. Mas *queremos* dizer que chegamos ao mundo com disposições diferentes. Alguns homens podem ser geneticamente inclinados a ter e manter uma só parceira, enquanto outros, não. Num futuro próximo, jovens mulheres atualizadas com a literatura científica poderão exigir testes genéticos de seus namorados para avaliar a probabilidade de eles serem maridos fiéis.

Recentemente, psicólogos da evolução voltaram sua atenção para o amor e o divórcio. Logo perceberam que, quando as pessoas se apaixonam, há um período de até três anos, durante os quais o ciúme e a paixão chegam ao auge. Os sinais internos do corpo e do cérebro são literalmente uma droga do amor. E então começam a declinar. Desta perspectiva, estamos programados para perder o interesse por um parceiro sexual depois de passado o tempo necessário para criar um filho – isto é, em média, cerca de quatro anos.[40] A psicóloga Helen Fisher sugere que estamos programados da mesma maneira que as raposas, que formam pares por uma estação de acasalamento, ficam por tempo suficiente para criar a ninhada e depois se separam. Ao pesquisar o divórcio em quase sessenta países, Fisher descobriu que o pico de divórcios é de cerca de quatro anos num casamento, coerente com sua hipótese.[41] Em sua opinião, a droga do amor gerada internamente é um mecanismo eficiente para que homens e mulheres se unam por tempo bastante para aumentar a probabilidade de sobrevivência de sua prole. Para fins de sobrevivência, ter dois genitores é melhor do que um, e o modo de proporcionar esta segurança é convencê-los a ficar juntos.

No mesmo espírito, os olhos grandes e rostos redondos de bebês nos parecem bonitinhos não porque possuam uma "fofura" natural, mas devido à importância evolutiva de os adultos cuidarem dos bebês. Aquelas linhagens genéticas que não acham seus bebês fofos não existem mais, porque sua prole não foi adequadamente cuidada. Mas sobreviventes como nós, cujo *umwelt* mental nos impede de *não* achar os bebês fofos, criou bebês com sucesso para compor a geração seguinte.

Vimos neste capítulo que nossos instintos mais profundos, bem como os pensamentos que temos e até *podemos* ter, estão gravados na maquinaria num nível muito baixo. "Isto é uma ótima notícia", você pode pensar. "Meu cérebro está fazendo tudo o que deve para sobreviver e eu nem preciso pensar nisso!" É verdade, é uma ótima notícia. A parte inesperada da notícia é que o *você* consciente é o menor participante no cérebro. É parecido com um jovem monarca que herda o trono e leva o crédito pela glória do país – sem sequer estar consciente dos milhões de trabalhadores que mantêm a nação viável.

Vamos precisar de alguma coragem para começar a considerar as limitações de nossa paisagem mental. Voltando ao filme *O show de Truman*, a certa altura uma mulher anônima sugere num telefonema ao produtor que o pobre Truman, sem saber que está na TV diante de uma audiência de milhões de pessoas, é menos um ator do que um prisioneiro. O produtor responde calmamente:

> E pode me dizer, espectadora, que você não é uma atriz no palco da vida – interpretando o papel que lhe deram? Ele pode sair quando quiser. Se ele tivesse a mais vaga ambição, se estivesse inteiramente decidido a descobrir a verdade, não haveria meios de impedi-lo. Acho que o que realmente a perturba, espectadora, é que Truman definitivamente prefere o conforto de sua "cela", como você chama.

Começamos a explorar o palco onde estamos e descobrimos que há mais do que nosso *umwelt*. A busca é lenta e gradual, mas engendra um pasmo profundo com o tamanho do estúdio de produção.

Agora estamos prontos para passar a um nível mais profundo no cérebro, revelando outra camada de segredos a que nos referimos tranquilamente como *você*, como se fosse uma entidade única.

5

O CÉREBRO É UMA EQUIPE DE RIVAIS

> "Eu me contradigo?
> Pois bem, eu me contradigo
> (Sou vasto, contenho multidões)."
>
> – Walt Whitman, *Song of Myself*

Em 28 de julho de 2006, o ator Mel Gibson foi parado por dirigir a quase o dobro do limite de velocidade na Pacific Coast Highway, em Malibu, na Califórnia. O policial, James Mee, fez o teste do bafômetro, revelando que o nível alcoólico do sangue de Gibson era de 0,12%, muito acima do limite permitido pela lei. No banco ao lado de Gibson havia uma garrafa aberta de tequila. O policial comunicou a Gibson que ele estava preso e lhe pediu para entrar na viatura. O que distinguiu esta prisão de outras por embriaguez em Hollywood foram as surpreendentes e despropositadas observações inflamadas de Gibson. Ele engrolou: "Judeus filhos da puta... Os judeus são responsáveis por todas as guerras do mundo." Depois perguntou ao policial: "Você é judeu?" Mee era de fato judeu. Gibson se recusou a entrar na viatura e teve de ser algemado.

Menos de 19 horas depois, o site de celebridades TMZ.com obteve o boletim de ocorrência manuscrito da prisão e o publicou imediatamente. Em 29 de julho, depois de forte reação da mídia, Gibson emitiu uma nota de desculpas:

> Depois de ingerir álcool na noite de quinta-feira, fiz várias coisas que são muito erradas e das quais me envergonho. (...) Agi como uma pessoa completamente descontrolada quan-

O CÉREBRO É UMA EQUIPE DE RIVAIS 113

do fui preso e disse coisas em que não acredito e que são desprezíveis. Estou profundamente envergonhado de tudo o que disse e peço desculpas a todos a quem ofendi. (...) Eu desonrei a mim mesmo e a minha família com meu comportamento e por isso peço sinceras desculpas. Tenho combatido a doença do alcoolismo por toda a minha vida adulta e me arrependo profundamente de minha horrível recaída. Peço desculpas por qualquer comportamento impróprio em meu estado de embriaguez e já tomei as medidas necessárias para garantir a recuperação de minha saúde.

Abraham Foxman, diretor da Liga Antidifamação, expressou ultraje por não haver nenhuma referência aos palavrões antissemitas no pedido de desculpas. Em resposta, Gibson divulgou uma nota maior de arrependimento, especificamente voltada para a comunidade judaica:

Não há desculpas, nem deve haver nenhuma tolerância para com qualquer um que pense ou expresse qualquer observação antissemita. Quero me desculpar especificamente com todos da comunidade judaica pelas palavras cáusticas e nocivas que eu disse a um policial na noite em que fui preso por dirigir embriagado. (...) Os dogmas do que professo acreditar requerem que eu exerça a caridade e a tolerância como modo de vida. Todo ser humano é filho de Deus, e se é meu desejo honrar a meu Deus, tenho de honrar a Seus filhos. Mas, por favor, saibam que do fundo do coração eu não sou antissemita. Não sou preconceituoso. Qualquer tipo de ódio contraria minha fé.

Gibson se ofereceu para um encontro pessoal com os líderes da comunidade judaica para "discernir o caminho correto para a cura". Parecia genuinamente arrependido e Abraham Foxman aceitou seu pedido de desculpas em nome da Liga Antidifamação.

As verdadeiras cores de Gibson são de um antissemita? Ou suas verdadeiras cores são aquelas que ele exibiu depois, em suas desculpas eloquentes e aparentemente sinceras?

Em um artigo do *Washington Post* intitulado "Mel Gibson: não foi apenas papo de tequila", Eugene Robinson escreveu: "Bem, eu lamento por sua recaída, mas não engulo a ideia de que um pouco de tequila, ou mesmo muita tequila, possa transformar uma pessoa sem preconceitos em um antissemita furioso – ou um racista, ou homofóbico, ou qualquer tipo de intolerante, a propósito. O álcool elimina as inibições, permitindo que todo tipo de opinião escape sem nenhuma censura. Mas não se pode culpar o álcool por formar e alimentar essas opiniões."

Dando apoio a esta perspectiva, Mike Yarvitz, produtor de TV de *Scarborough Country*, ingeriu álcool no programa até elevar o nível no sangue a 0,12%, o mesmo de Gibson naquela noite. Yarvitz contou "não ter sentimentos antissemitas" depois de beber.

Robinson e Yarvitz, como muitos outros, desconfiam de que o álcool tenha afrouxado as inibições de Gibson e revelado sua verdadeira natureza. E a natureza de sua desconfiança tem uma longa história: o poeta grego Alceu de Mitilene cunhou a expressão popular *En oino álétheia* (no vinho está a verdade), reproduzida pelo romano Plínio, o Velho, como *In vino veritas*. O Talmude babilônio contém uma passagem no mesmo espírito: "Onde entra o vinho, escapa um segredo." Mais tarde aconselha: "Em três coisas o homem se revela: em sua taça de vinho, em seu bolso e em sua ira." O historiador romano Tácito afirmava que os povos germânicos sempre bebiam álcool nas assembleias para evitar que alguém mentisse.

Mas nem todos concordam com a hipótese de que o álcool revelou o verdadeiro Mel Gibson. O redator do *National Review*, John Derbyshire, argumentou: "O sujeito estava bêbado, pelo amor de Deus. Todos dizemos e fazemos burrices quando estamos bêbados. Se fôssemos julgados por nossas aventuras e farras de bêbado, deveríamos ser inteiramente excluídos da sociedade educada, e você também, a não ser que seja uma espécie de santo." O militante conservador judeu David Horowitz comentou na Fox News: "As pessoas merecem compaixão quando têm esse tipo de problema. Creio que seria muito descortês as pessoas negarem isto a ele." O psicólogo especializado em vícios G. Alan Marlatt escreveu no *USA Today*: "O álcool não é um soro da verdade. (...) Pode ou não indicar os verdadeiros sentimentos."

Na realidade, Gibson havia passado a tarde anterior à prisão na casa de um amigo, o produtor judeu de cinema Dean Devlin. Devlin declarou: "Tenho estado com Mel quando ele tem suas recaídas, e ele se torna uma pessoa completamente diferente. É apavorante." Ele também disse: "Se Mel é antissemita, então ele passa muito tempo conosco [Devlin e a mulher, que também é judia], o que não faz sentido."

Então, quais são as "verdadeiras" cores de Gibson? Aquelas em que ele rosna comentários antissemitas? Ou aquelas em que ele sente remorsos e vergonha e afirma publicamente: "Estou pedindo a ajuda da comunidade judaica"?

Muitas pessoas preferem uma visão da natureza humana que inclua um lado falso e outro verdadeiro – em outras palavras, o ser humano tem um único e genuíno desígnio e o resto é decorativo, evasão ou acobertamento. Isto é racional, mas é incompleto. Um estudo do cérebro requer uma visão mais nuançada da natureza humana. Como veremos neste capítulo, somos feitos de muitas subpopulações neurais; como disse Whitman, "contemos multidões". Embora os detratores de Gibson venham a insistir em que ele é verdadeiramente um antissemita e seus defensores insistam em que não é, os dois lados podem estar defendendo uma história incompleta em apoio a suas próprias tendenciosidades. Há algum motivo para acreditar que não seja possível ter ao mesmo tempo partes racistas e não racistas no cérebro?

SOU VASTO, CONTENHO MULTIDÕES

Na década de 1960, os pioneiros da inteligência artificial trabalharam até a madrugada para construir programas robóticos simples que pudessem manipular pequenos blocos de madeira: encontrá-los, pegá-los e empilhá-los segundo determinados padrões. Este era um daqueles problemas simples na aparência, mas que se mostram excepcionalmente difíceis. Afinal, encontrar um bloco de madeira requer calcular que pixels de câmera correspondem ao bloco. O reconhecimento do formato deve ser realizado independentemente do ângulo e da distância do bloco. Pegá-lo requer orientação visual de pinças que devem se fechar no tempo correto, na direção correta e com a força correta. O empilhamento exige uma análise dos demais blocos e o ajuste a esses detalhes. E todos esses programas precisam estar coordenados para que aconteçam nos tempos certos e na sequência correta. Como vimos em capítulos anteriores, tarefas que parecem simples podem exigir uma grande complexidade computacional.

Enfrentando este problema difícil de robótica há algumas décadas, o cientista da computação Marvin Minsky e colegas introduziram uma ideia progressista: talvez o robô pudesse resolver o problema distribuindo o trabalho entre subagentes especializados – pequenos programas de computador que lidariam com uma pequena parte do problema. Um programa de computador pode ser encarregado da tarefa *encontrar*. Outro pode resolver o problema do *pegar*, e um terceiro pode assumir a de *empilhar bloco*. Esses subagentes maquinais podem ser ligados numa hierarquia, como uma empresa, e podem se subordinar a outros agentes e a seus chefes. Devido à hierarquia, *empilhar blocos* não pode começar sua tarefa antes que *encontrar* e *pegar* tenham terminado a deles.

Esta ideia de subagentes não resolve inteiramente o problema – mas ajuda muito. Mais importante, coloca em foco um novo conceito sobre o funcionamento de cérebros biológicos. Minsky sugeriu que a mente humana pode ser composta de conjuntos de enormes números de subagentes conectados, semelhantes a maquinaria, que são em si irracionais.[1] A principal ideia é a de que um grande número de trabalhadores pequenos e especializados pode criar algo como uma sociedade, com todas as suas ricas propriedades que nenhum subagente possui sozinho. Minsky escreveu: "Cada agente mental pode sozinho fazer apenas uma coisa simples que não requer a mente nem nenhum pensamento. Mas, quando juntamos esses agentes em sociedades – de determinadas maneiras muito específicas –, chegamos à inteligência." Neste contexto, é melhor ter milhares de pequenas mentes do que apenas uma grande.

Para entender esta abordagem, considere como funcionam as fábricas: cada pessoa em uma linha de montagem é especializada em um único aspecto da produção. Ninguém sabe fazer tudo; e não equivaleria à produção eficiente, se soubessem. Também é assim que operam os ministros de governo: cada burocrata tem uma tarefa ou algumas tarefas específicas, e o governo realiza sua capacidade de distribuir o trabalho de forma adequada. Em escalas maiores, as civilizações operam da mesma maneira: alcançam o nível seguinte de sofisticação quando aprendem a dividir o trabalho, enviando alguns especialistas à agricultura, outros à arte, outros à guerra e assim por diante.[2] A divisão de trabalho permite a especialização e um nível mais profundo de expertise.

A ideia de dividir os problemas em sub-rotinas inflamou o jovem campo da inteligência artificial. Em vez de tentar desenvolver um único programa de computador ou robô versátil, os cientistas da computação queriam equipar o sistema com redes "especialistas locais" menores que sabem fazer uma só tarefa, e a fazem bem.[3] Em tal rede, o sistema maior precisa apenas trocar o especialista no controle em dado momento. O desafio de aprendizagem agora envolve não tanto como realizar cada pequena tarefa, mas como distribuir quem faz o que e quando.[4]

Como sugere Minsky em seu livro *A sociedade da mente*, talvez o cérebro humano só faça isto. Fazendo eco ao conceito dos instintos de William James, Minsky observa que, se o cérebro trabalha desta maneira – como conjuntos de subagentes –, não temos nenhum motivo para ter consciência dos processos especializados:

> Milhares e talvez milhões de pequenos processos devem estar envolvidos em como percebemos, imaginamos, planejamos, prevemos e prevenimos – e, no entanto, tudo isto ocorre tão automaticamente que consideramos "bom senso comum".

(...) De início pode parecer inacreditável que nossa mente use tal maquinaria intrincada e nem tenha consciência dela.⁵

Quando os cientistas começaram a investigar o cérebro de animais, esta ideia da sociedade-da-mente permitiu novas maneiras de ver as coisas. No início dos anos 1970, pesquisadores perceberam que o sapo, por exemplo, tem pelo menos dois mecanismos separados para detectar o movimento: um sistema dirige o estalo da língua do sapo a objetos pequenos e velozes, como moscas, enquanto um segundo sistema comanda as pernas para saltar em resposta a objetos grandes e demorados.⁶ Presume-se que nenhum dos dois sistemas seja consciente – são programas simples e automatizados gravados em seu circuito.

O sistema da sociedade-da-mente foi um importante avanço. Mas, apesar da empolgação inicial, um conjunto de especialistas com divisão de trabalho nunca se mostrou suficiente para gerar as propriedades do cérebro humano. Ainda é verdade que nossos robôs mais espertos são menos inteligentes do que uma criança de três anos.

Mas o que deu errado? Sugiro que um fator crítico estivesse ausente dos modelos de divisão de trabalho, e nos voltaremos a ele agora.

A DEMOCRACIA DA MENTE

O fator ausente da teoria de Minsky foi a *competição* entre especialistas, em que todos acreditam saber o jeito certo de resolver o problema. Como num bom drama, o cérebro humano opera em conflito.

Numa linha de montagem ou num ministério de governo, cada trabalhador é um especialista em uma pequena tarefa. Já os partidos numa democracia sustentam opiniões diferentes *sobre as mesmas questões* – e a parte importante do processo é a batalha para guiar o barco do Estado. Os cérebros são como democracias representativas.⁷ São formados de especialistas múltiplos e sobrepostos que ponderam e competem sobre diferentes decisões. Como supôs corretamente Walt Whitman, somos grandes e abrigamos multidões. E essas multidões estão presas a uma batalha crônica.

Há um diálogo contínuo entre as diferentes facções de seu cérebro; cada um compete para controlar o canal único a seu comportamento. Consequentemente, você pode realizar proezas estranhas de discutir consigo mesmo, xingando-se e convencendo-se a fazer alguma coisa – proezas que os computadores modernos simplesmente não realizam. Quando a anfitriã de uma festa oferece bolo de chocolate, você se vê nas garras de um dilema: algumas partes de seu cérebro evoluíram para desejar a rica fonte de energia do açúcar, outras se importam com as consequências negativas, como a saúde de seu coração ou o volume com que terá de lidar seu amado. Parte de você quer o bolo e parte procura criar forças para resistir a ele. O voto definitivo do parlamento determina que parte controla sua ação – isto é, se você estende ou ergue a mão. No fim, você ou come o bolo de chocolate, ou não o come, mas não pode fazer as duas coisas ao mesmo tempo.

Devido a essas multidões interiores, as criaturas biológicas podem ser conflituadas. O termo *conflituada* não pode ser aplicado sensatamente a uma entidade que tem um único programa. Seu carro não pode ser conflituado sobre que caminho pegar: ele tem um volante comandado por um só motorista e segue direções sem reclamar. O cérebro, por outro lado, pode ser de duas mentes, e em geral de muitas outras. Não sabemos se nos voltamos para o bolo ou nos afastamos dele, porque há vários pequenos pares de mãos no volante de nosso comportamento.

Pense neste simples experimento com um rato de laboratório: se você colocar comida *e* um choque elétrico no final de um corredor, o rato se vê empacado a certa distância do fim. Começa a se aproximar, mas se retira; começa a ser retirar, mas encontra coragem para se aproximar novamente. Ele oscila, conflituado.[8] Se você equipar o rato com um pequeno arnês para medir a força com que ele avança para a comida e, separadamente, a força com que se afasta só do choque elétrico, descobrirá que o rato fica num impasse no ponto em que as duas forças são iguais e se anulam. O puxão equivale ao empurrão. O rato perplexo tem dois pares de patas em seu volante, cada um pressionando para direções contrárias – e assim não consegue chegar a lugar nenhum.

O cérebro – seja de rato ou humano – é uma máquina feita de partes em conflito. Se parece estranho construir um dispositivo com divisão interna, lembre-se de que já construímos máquinas sociais deste tipo: pense em um júri num tribunal. Doze estranhos com opiniões diferentes têm a única missão de chegar a um consenso. Os jurados debatem, persuadem, influenciam, afrouxam – e por fim o júri combina uma decisão. Ter diferentes opiniões não é um defeito do sistema judiciário, é sua característica central.

Inspirado por essa arte na formação de consenso, Abraham Lincoln decidiu colocar os adversários William Seward e Salmon Chase em seu gabinete presidencial. Ele estava escolhendo, na memorável expressão da historiadora Doris Kearns Goodwin, uma equipe de rivais. As equipes de rivais são fundamentais na estratégia política moderna. Em fevereiro de 2009, com a economia do Zimbábue em queda livre, o presidente Robert Mugabe concordou em dividir o poder com Morgan Tsvangirai, um rival que ele já tentara assassinar. Em março de 2009, o presidente chinês Hu Jintao nomeou dois líderes de facções furiosamente opostas, Xi Jinping e Li Keqiang, para ajudarem a elaborar o futuro econômico e político da China.

Proponho que o cérebro é mais bem compreendido como uma equipe de rivais, e o resto deste capítulo explorará este sistema: quem são os partidos, como competem, como a união é mantida e o que acontece quando as coisas degringolam. Lembre-se, ao prosseguirmos, de que as facções concorrentes costumam ter a mesma meta – o sucesso do país –, mas em geral têm diferentes maneiras de abordá-la. Como afirmou Lincoln, os rivais devem ser transformados em aliados "pelo bem maior", e nas subpopulações neurais o interesse comum é a prosperidade e a sobrevivência do organismo. Da mesma maneira que liberais e conservadores amam seu país mas podem ter estratégias amargamente diferentes para sua condução, o cérebro tem facções concorrentes que acreditam saber o jeito certo de resolver os problemas.

O SISTEMA BIPARTIDÁRIO DOMINANTE: RAZÃO E EMOÇÃO

Quando tentam compreender os estranhos pormenores do comportamento humano, psicólogos e economistas às vezes apelam a uma explicação de "processo dual".[9] Nesta perspectiva, o cérebro contém dois sistemas separados: um é rápido, automático e abaixo da superfície da consciência, enquanto o outro é lento, cognitivo e consciente. O primeiro sistema pode ser rotulado de automático, heurístico, implícito, intuitivo, holístico, reativo e impulsivo, ao passo que o segundo é cognitivo, sistemático, explícito, analítico, regulamentar e reflexivo.[10] Estes dois processos sempre estão em batalha.

Apesar do nome "processo dual", não há um motivo verdadeiro para pressupor que só existem dois sistemas – na realidade, podem ser vários. Por exemplo, em 1920, Sigmund Freud sugeriu três partes concorrentes em seu modelo da psique: o id (instintivo), o ego (realista e organizado) e o superego (crítico e moralizante).[11] Na década de 1950, o neurocientista americano Paul MacLean sugeriu que o cérebro é composto de três camadas representando fases sucessivas do desenvolvimento evolutivo: o cérebro reptiliano (envolvido no comportamento de sobrevivência), o sistema límbico (envolvido nas emoções) e o neocórtex (usado no pensamento de ordem superior). Os pormenores das duas teorias caíram no esquecimento para os neuroanatomistas, mas o cerne da ideia sobrevive: o cérebro é composto de subsistemas concorrentes. Usaremos o modelo generalizado de processo dual como ponto de partida, porque transmite adequadamente o propósito do argumento.

Embora psicólogos e economistas pensem em sistemas diferentes em termos abstratos, a neurociência moderna aspira a um fundamento anatômico. E acontece que o diagrama de circuitos do cérebro presta-se a divisões que geralmente descrevem o modelo de processo dual.[12] Algumas áreas de seu cérebro estão envolvidas em operações de ordem superior relacionadas com os acontecimentos no mundo (estas incluem, por exemplo, a superfície do cérebro logo abaixo de suas têmporas, chamada de córtex pré-frontal dorsolateral). Já outras áreas estão envolvidas no monitoramento de seu estado interno, como seu nível de fome, senso de motivação, ou se alguma coisa lhe é recompensadora (essas áreas incluem, por exemplo, uma região pouco anterior a sua testa, chamada córtex pré-frontal medial, e várias áreas bem abaixo da superfície do córtex). A situação é mais complicada do que implicaria esta divisão rudimentar, porque o cérebro pode estimular estados futuros, lembranças do passado, deduzir onde encontrar coisas que não estão imediatamente presentes e assim por diante. Mas, por ora, esta divisão em sistemas que monitoram o externo e o interno servirá como guia rudimentar, e um pouco mais tarde refinaremos o quadro.

No esforço de usar rótulos que não estejam ligados nem a caixas pretas nem a neuroanatomia, preferi dois que serão familiares a todos: os sistemas *racional* e *emocional*. Estes termos são pouco específicos e imperfeitos, mas transmitirão a questão central sobre as rivalidades no cérebro.[13] O sistema racional é aquele que se importa com a análise das coisas no mundo, enquanto o sistema emocional monitora o estado interno e se preocupa se as coisas serão boas ou ruins. Em outras palavras, como um guia rudimentar, a cognição racional envolve eventos externos, enquanto a emoção envolve seu estado interior. Você pode resolver um problema de matemática sem consultar seu estado interior, mas não pode pedir uma sobremesa de um cardápio nem priorizar o que tem vontade de fazer em seguida.[14] As redes emocionais são absolutamente necessárias para classificar suas possíveis ações futuras no mundo: se você fosse um robô sem emoção que rodasse por uma sala, poderia analisar os objetos que o cercam, mas ficaria paralisado de indecisão sobre o que fazer a seguir. As decisões quanto à prioridade das ações são determinadas por nossos estados internos: se você vai diretamente à geladeira, ao banheiro ou ao quarto ao voltar para casa depende não de estímulos externos em sua casa (estes não mudaram), mas de estados internos de seu corpo.

TEMPO DE CALCULAR, TEMPO DE MATAR

A batalha entre os sistemas racional e emocional é esclarecida pelo que os filósofos chamam de dilema do bonde. Considere esta hipótese: um bonde desce os trilhos, descontrolado. Cinco trabalhadores estão fazendo consertos mais abaixo nos trilhos, e você, um espectador, rapidamente percebe que todos serão mortos pelo bonde. Mas você também percebe que há uma chave por perto que você pode girar, e isso desviará o bonde para um trilho diferente, onde só um único trabalhador será morto. O que você faz? (Suponha que não existam truques de solução nem informações ocultas.)

Se você for como a maioria das pessoas, não hesitará em girar a chave: é muito melhor ter um morto do que cinco, não é? Boa decisão.

Agora temos uma guinada interessante no dilema: imagine que o mesmo bonde desce descontrolado os trilhos e os mesmos cinco trabalhadores correm perigo – mas desta vez você é um espectador em uma passarela que atravessa os trilhos por cima. Você percebe que há um obeso parado na passarela, e percebe que, se você o empurrasse para fora da ponte, seu volume seria suficiente para deter o bonde e salvar os cinco trabalhadores. Você o empurraria?

Se você for como a maioria das pessoas, vai se arrepiar com a sugestão de assassinar um inocente. Mas espere um minuto. Que diferença há desta para sua decisão anterior? Você não está trocando uma vida por cinco? A matemática não funciona da mesma maneira?

Qual é a exata diferença entre estes dois casos? Os filósofos que trabalharam na tradição de Immanuel Kant propuseram que a diferença está em como as pessoas estão sendo usadas. Na primeira hipótese, você simplesmente reduz uma situação ruim (a morte de cinco pessoas) a uma situação nem tão ruim (a morte de uma). No caso do homem na ponte, ele está sendo explorado como meio para um fim. Esta é uma explicação popular na literatura de filosofia.

É interessante observar que pode haver uma abordagem mais baseada no cérebro para compreender o reverso nas decisões das pessoas. Na interpretação alternativa, sugerida pelos neurocientistas Joshua Greene e Jonathan Cohen, a diferença entre as duas hipóteses gira em torno do componente emocional de realmente tocar alguém – isto é, interagir com ele de perto.[15] Se o problema é construído de modo que o homem na passarela possa cair, com o girar de uma manivela, através de um alçapão, muitas pessoas escolherão deixá-lo cair. Algo em interagir com a pessoa de perto impede que a maioria empurre o homem para sua morte. Por quê? Porque esse tipo de interação pessoal ativa as redes emocionais. Muda o problema, que passa de uma questão de matemática abstrata e impessoal para uma decisão emocional e pessoal.

Quando as pessoas pensam no problema do bonde, aqui está o que revelam as imagens do cérebro: na hipótese da passarela, são ativadas as áreas envolvidas no planejamento motor e na emoção. Já na hipótese da troca de trilhos, só as áreas laterais envolvidas no pensamento racional são ativadas. As pessoas registram emocionalmente quando têm de empurrar alguém; quando só precisam acionar uma alavanca, seu cérebro se comporta como o Spock de *Jornada nas estrelas*.

A batalha entre as redes emocional e racional do cérebro é muito bem ilustrada por um antigo episódio de *Além da imaginação*. Estou citando de memória, mas a trama é mais ou menos como se segue: um estranho de sobretudo aparece na porta de um homem e propõe um acordo. "Aqui está uma caixa com um único botão. Só o que precisa fazer é apertar este botão e lhe pagarei mil dólares."

"O que acontece quando aperto o botão?", pergunta o homem.

O estranho lhe diz: "Quando apertar o botão, alguém longe daqui, alguém que o senhor nem conhece, morrerá."

O homem sofre a noite toda com o dilema moral. A caixa com o botão está na mesa da cozinha. Ele a olha. Anda em volta dela. O suor gruda em sua testa. Por fim, depois de uma avaliação de sua desesperadora situação financeira, ele avança para a caixa e aperta o botão. Não acontece nada. Há silêncio e anticlímax. Ouve-se um batida na porta. O estranho de sobretudo está ali e entrega o dinheiro ao homem, pegando a caixa. "Espere", grita o homem a suas costas. "E agora, o que acontece?" O estranho diz: "Agora eu levo a caixa e a dou à pessoa seguinte. A alguém distante, alguém que você nem conhece."

A história ressalta a facilidade de apertar impessoalmente um botão: se tivessem pedido ao homem para atacar alguém com as próprias mãos, ele presumivelmente teria rejeitado a troca.

Nos primeiros tempos de nossa evolução, não havia maneira real de interagir com os outros a uma distância maior do que permitiam as mãos, os pés ou possivelmente uma vara. Essa distância de interação era importante e é o que reflete nossa reação emocional. Nos tempos modernos, a situação difere: generais e até soldados comumente se veem bem longe das pessoas que matam. Em *Henrique VI, Parte 2*, de Shakespeare, o rebelde Jack Cade desafia Lorde Say, zombando do fato de ele nunca ter conhecido em primeira mão o perigo do campo de batalha: "Quando desferistes vós um golpe em batalha?" Lord Say responde: "Grandes homens estenderam-me as mãos: por diversas vezes golpeei aqueles a quem jamais vi, e os golpeei à morte."

Nos tempos modernos, podemos lançar quarenta mísseis Tomahawk terra a terra do convés de embarcações no golfo Pérsico e no mar Vermelho com o apertar de um botão. O resultado de apertar esse botão pode ser visto pelos operadores de mísseis ao vivo na CNN, minutos depois, quando os prédios de Bagdá desaparecem em fumaça. A proximidade é perdida, e o mesmo acontece com a influência emocional. Esta natureza impessoal da guerra a torna desconcertante de tão fácil. Na década de 1960, um pensador político sugeriu que o botão para lançar uma guerra nuclear deveria ser implantado no peito do amigo mais íntimo do presidente. Assim, se o presidente quiser tomar a decisão de aniquilar milhões de pessoas do outro lado do planeta, primeiro precisa ferir o amigo, abrindo seu peito para chegar ao botão. Isso envolveria pelo menos seu sistema emocional na tomada de decisão, de modo a evitar que a decisão fosse impessoal.

Como os dois sistemas neurais batalham pelo controle do único canal para o comportamento, as emoções podem desequilibrar a balança da tomada de decisão. Esta antiga batalha se transformou numa espécie de diretiva para muitas pessoas: *Se eu me sinto mal, então deve ser errado.*[16] Existem muitos contraexemplos a isto (por exemplo, alguém pode se vir contrariado pela preferência sexual do outro, mas ainda não julga nada de moralmente errado nesta preferência), todavia a emoção serve como mecanismo de direção útil para a tomada de decisão.

Os sistemas emocionais são evolutivamente antigos, e portanto partilhados com muitas outras espécies, enquanto o desenvolvimento do sistema racional é mais recente. Mas, como vimos, o caráter novo do sistema racional não indica necessariamente que ele seja, em si, superior. As sociedades *não* seriam melhores se todos fossem como Mr. Spock, somente racionalidade e nenhuma emoção. Em vez disso, um equilíbrio – uma subjugação dos rivais internos – é o ideal para o cérebro. Isto porque a repulsa que sentimos em empurrar o homem da passarela é fundamental para a interação social; a impassividade que se sente ao se pressionar um botão e lançar um míssil Tomahawk é prejudicial para a civilização. É necessário um equilíbrio entre os sistemas emocional e racional, e este equilíbrio já pode ser otimizado pela seleção natural no cérebro humano. Para colocar de outra maneira, pode ser que você prefira uma divisão democrática – uma tomada de controle em qualquer direção quase certamente se mostraria menos ideal. Os gregos antigos tinham uma analogia para a vida que apreendia esta sabedoria: você é um cocheiro, e sua carruagem é puxada por dois cavalos trovejantes, o branco da razão e o preto da paixão. O cavalo branco sempre tenta levá-lo a um lado da estrada, e o preto tenta puxá-lo para o outro lado. Sua tarefa é segurá-los com firmeza, mantendo-os controlados para continuar no meio da estrada.

As redes emocional e racional batalham não só nas decisões morais imediatas, mas em outra situação conhecida: como nos comportamos no tempo.

POR QUE O DIABO PODE LHE VENDER A FAMA AGORA EM TROCA DE SUA ALMA DEPOIS

Alguns anos atrás, os psicólogos Daniel Kahneman e Amos Tversky propuseram uma questão enganosamente simples: se eu lhe oferecesse 100 dólares agora ou 110 dólares daqui a uma semana, o que você escolheria? Muitos participantes decidiram pelos 100 dólares agora. Não parecia valer a pena esperar uma semana para ter mais 10 dólares.

Depois os pesquisadores alteraram um pouco a questão: se eu lhe oferecesse 100 dólares daqui a 52 semanas, ou 110 dólares daqui a 53 semanas, o que você escolheria? Aqui as pessoas tendiam a mudar suas preferências, escolhendo esperar as 53 semanas. Observe que as duas hipóteses são idênticas, no sentido de que esperar uma semana lhe garante mais 10 dólares. Então, por que há um reverso da preferência entre as duas?[17]

É porque as pessoas "descontam" o futuro, um termo econômico que significa que as recompensas mais próximas do presente são mais valorizadas do que aquelas do futuro distante. Atrasar a recompensa é complicado. E há algo muito especial no *agora* – que sempre contém maior valor. O reverso da preferência de Kahneman e Tversky aparece porque o desconto tem uma forma específica: cai muito rapidamente no futuro próximo, depois estabiliza um pouco, como se as épocas mais distantes fossem todas iguais. Esta forma se parece com aquela que você conseguiria se combinasse dois processos mais simples: um que se preocupa com recompensas de curto prazo e outro que tem preocupações mais distantes no futuro.

Isto deu uma ideia aos neurocientistas Sam McClure, Jonathan Cohen e colegas. Eles reconsideraram o problema do reverso da preferência à luz do contexto de múltiplos sistemas concorrentes no cérebro. Pediram a voluntários para tomar essas decisões econômicas de agora ou mais tarde enquanto estavam num scanner cerebral. Os cientistas procuravam um sistema que se importasse com a recompensa imediata, e outro que envolvesse a racionalidade de um prazo mais longo. Se os dois operassem de forma independente e entrassem em conflito, os dados estariam explicados. E eles descobriram que algumas estruturas cerebrais emocionalmente envolvidas eram muito ativadas pela escolha de recompensas imediatas ou de curto prazo. Essas áreas eram associadas com o comportamento impulsivo, inclusive o vício em drogas. Em contraste, quando os participantes optaram por recompensas de prazo mais longo com um retorno mais alto, eram mais ativas as áreas laterais do córtex envolvidas na cognição superior e na deliberação.[18] E quanto mais alta a atividade nessas áreas laterais, mais o participante se dispunha a adiar a recompensa.

Em algum momento entre 2005 e 2006, os Estados Unidos sofreram a explosão de uma bolha. O problema era que 80% das hipotecas recém-lançadas eram de juros ajustáveis. Os financiados *subprime* que tinham tomado esses empréstimos de repente se viram com taxas de pagamento mais altas e nenhuma forma de refinanciamento. A inadimplência foi à estratosfera. Entre o final de 2007 e 2008, quase um milhão de casas americanas foram executadas. Os seguros hipotecários rapidamente perderam a maior parte de seu valor. O crédito no mundo se estreitou. A economia evaporou.

O que isso tem a ver com os sistemas concorrentes do cérebro? As ofertas de hipotecas *subprime* eram perfeitamente otimizadas para tirar proveito do sistema eu-quero-agora: compre esta linda casa agora com pagamentos muito baixos, impressione seus amigos e familiares, viva mais confortavelmente do que pensou ser possível. A certa altura a taxa de juros de sua hipoteca aumentará, mas vai levar um bom tempo, escondido nas névoas do futuro. Ao tocarem diretamente nesses circuitos de recompensa imediata, os bancos quase afundaram a economia americana. Como observou o economista Robert Shiller na esteira da crise das hipotecas *subprime*, as bolhas especulativas são causadas por "um otimismo contagiante, aparentemente impermeável à realidade, que em geral estaca quando os preços estão em ascensão. As bolhas são principalmente um fenômeno social; até que compreendamos e nos voltemos para a psicologia que as incita, elas vão continuar se formando".[19]

Se você procurar exemplos de acordos eu-quero-agora, os verá por toda parte. Recentemente conheci um homem que aceitou 500 dólares enquanto era universitário por destinar seu corpo a uma faculdade de medicina depois de sua morte. Os alunos que aceitaram o acordo receberam tatuagens no tornozelo que diriam ao hospital, décadas depois, onde seus corpos deveriam ser entregues. É fácil vender para a faculdade: parece ótimo receber 500 dólares agora, enquanto a morte é inconcebivelmente distante. Não há nada de errado em doar o corpo, mas isto serve para ilustrar o conflito arquetípico de processo dual, o proverbial pacto com o diabo: seus desejos garantidos agora em troca de sua alma no futuro distante.

Esse tipo de batalha neural em geral está por trás da infidelidade conjugal. Os cônjuges fazem promessas em um momento de amor sincero, mas depois podem se ver numa situação em que as tentações presentes tombam a tomada de decisão para outro lado. Em novembro de 1995, o cérebro de Bill Clinton decidiu que arriscar a liderança futura do mundo democrático era compensada pelo prazer da oportunidade que tinha com a cativante Monica no presente momento.

Assim, quando falamos de uma pessoa virtuosa, não nos referimos necessariamente a alguém que não é tentado, mas a alguém que é capaz de *resistir* a essa tentação. Referimo-nos a alguém que não deixa a batalha pender para o lado da recompensa imediata. Valorizamos essas pessoas porque é fácil ceder a impulsos e tremendamente difícil ignorá-los. Sigmund Freud observou que os argumentos gerados pelo intelecto ou a moralidade são fracos quando contrapostos às paixões e aos desejos humanos,[20] e é por isso que as campanhas "diga não" ou pratique a abstinência nunca funcionarão. Também se propôs que este desequilíbrio da razão e da emoção talvez possa explicar a tenacidade da religião nas sociedades: as religiões do mundo são otimizadas para explorar as redes emocionais, e os grandes argumentos da razão pouco podem fazer contra essa influência magnética. E de fato as tentativas soviéticas de reprimir a religião só tiveram um sucesso parcial, e o governo entrou em colapso antes que as cerimônias religiosas voltassem abundantemente à vida.

A observação de que as pessoas são feitas de desejos conflitantes entre curto e longo prazos não é nova. Os antigos textos judaicos propunham que o corpo é composto de duas partes em interação: um corpo (*guf*), que sempre quer as coisas agora, e uma alma (*nefesh*), que sustenta uma visão de longo prazo. Da mesma forma, os alemães usam uma expressão singular para alguém que tenta adiar a recompensa: ele deve superar seu *innerer schweinehund* – o que se traduz, às vezes para confusão de não germânicos, por "caçador de porcos interior".

Seu comportamento – o que você faz no mundo – é simplesmente o resultado das batalhas. Mas a história melhora, porque as diferentes partes do cérebro podem aprender sobre suas interações com as outras. E assim, a situação rapidamente ultrapassa uma simples queda de braço entre os desejos de curto e longo prazos, e entra no domínio de um processo surpreendentemente sofisticado de negociação.

O ULISSES DO PRESENTE E DO FUTURO

Em 1909, Merkel Landis, tesoureiro da Carlisle Trust Company na Pensilvânia, saiu para uma longa caminhada e teve uma nova ideia financeira. Criaria algo chamado Clube de Natal. Os clientes depositariam dinheiro no banco durante o ano todo e haveria uma taxa se eles retirassem o dinheiro antes. Depois, no fim do ano, as pessoas teriam acesso a seu dinheiro a tempo para as compras de Natal. Se a ideia pegasse, o banco teria muito capital para reinvestir e lucro o ano todo. Mas será que daria certo? As pessoas abririam mão de boa vontade de seu capital o ano todo em troca de juros pequenos ou inexistentes?

Landis tentou e o conceito de imediato pegou fogo. Naquele ano, quase quatrocentos clientes do banco depositaram uma média de 28 dólares cada um – um bom dinheiro no início dos anos 1900. Landis e os outros banqueiros nem acreditavam em sua sorte. Os clientes *queriam* que eles guardassem seu dinheiro. A popularidade dos clubes de Natal aumentou rapidamente e os bancos logo se viram batalhando por este pé-de-meia. Os jornais exortavam os pais a colocar os filhos nos clubes de Natal "para desenvolver a autoconfiança e o hábito de poupar".[21] Nos anos 1920, vários bancos, inclusive o Dime Saving Bank de Toledo, em Ohio, e o Atlantic Country Trust Co., em Atlantic City, Nova Jersey, começaram a produzir brindes atraentes de bronze dos clubes de Natal para seduzir novos clientes.[22] (Os brindes do Atlantic City diziam "Ingresse em nosso Clube de Natal e tenha dinheiro quando mais precisar".)

Mas por que os clubes de Natal pegaram? Se os depositantes controlassem o próprio dinheiro o ano todo, poderiam ter juros melhores ou investir em oportunidades emergentes. Qualquer economista aconselharia a guardar o próprio capital. Então por que as pessoas se dispunham a pedir a um banco para levar seu dinheiro, especialmente em face de restrições e taxas de retirada antecipada? A resposta é evidente: as pessoas queriam que alguém as impedisse de gastar. Elas sabiam que se guardassem elas mesmas o dinheiro, provavelmente o torrariam.[23]

Pelo mesmo motivo, as pessoas costumam usar a receita federal como um substituto de clube de Natal: ao pedir deduções menores em seus cheques de pagamento, elas permitem que a receita guarde mais de seu dinheiro durante o ano. E então, quando chega abril, recebem a alegria de um cheque na caixa de correio. Parece dinheiro grátis – mas é claro que é apenas o seu. E é o governo que ganha juros sobre ele, e não você. Entretanto, as pessoas preferem esta via quando intuem que o dinheiro extra abrirá um buraco em seu bolso durante o ano. Elas preferem atribuir a outra pessoa a responsabilidade de protegê-las de decisões impulsivas.

Por que as pessoas não assumem o controle de seu próprio comportamento e aproveitam as oportunidades de controlar o próprio capital? Para entender a popularidade do clube de Natal e do fenômeno do imposto de renda, precisamos voltar três milênios, ao rei de Ítaca e a um herói da Guerra de Troia, Ulisses.

Depois da guerra, Ulisses estava numa longa viagem de volta por mar a sua ilha natal de Ítaca, quando percebeu que tinha uma rara oportunidade diante de si. Seu barco passaria pela ilha das Sereias, onde as belas sereias cantavam melodias tão sedutoras que roubavam a mente humana. O problema era que os marinheiros que ouviam esta música dirigiam-se para as donzelas traiçoeiras e seus barcos eram jogados nas pedras implacáveis, afogando todos a bordo.

E assim Ulisses teve um plano. Ele sabia que, quando ouvisse a música, seria tão incapaz de resistir como qualquer outro mortal, então pensou em lidar com seu *eu futuro*. Não o Ulisses presente e racional, mas o Ulisses futuro, enlouquecido. Ordenou a seus homens que o amarrassem firmemente ao mastro do barco. Assim ele seria incapaz de se mover quando a música vagasse sobre a proa da embarcação. Depois ordenou que enchessem os ouvidos de cera de abelha para que não fossem seduzidos pelas vozes das sereias – ou ouvissem as ordens loucas que ele desse. Ulisses deixou claro aos homens que eles não deveriam responder a suas súplicas e não deveriam soltá-lo antes que o barco tivesse passado pelas sereias. Ele imaginou que estaria gritando, berrando, xingando, tentando obrigar os homens a navegar para as mulheres melífluas – ele sabia que este Ulisses futuro não estaria em condições de tomar boas decisões. Portanto, o Ulisses da mente sensata estruturou as coisas de maneira a não fazer nenhuma tolice quando passassem pela ilha. Foi um pacto feito entre o Ulisses presente e o futuro.

Este mito ressalta como a mente pode desenvolver um metaconhecimento sobre a interação das partes de curto e longo prazos. A consequência impressionante é que a mente pode negociar com diferentes pontos temporais dela mesma.[24]

Assim, imagine a anfitriã empurrando o bolo de chocolate para você. Algumas partes de seu cérebro querem essa glicose, enquanto outras se importam com sua dieta; algumas partes olham o ganho de curto prazo, e outras a estratégia de longo prazo. A batalha pende para suas emoções e você decide ceder. Mas não sem um contrato: você só vai comer se prometer ir à academia no dia seguinte. Quem está negociando com quem? Não seriam as duas partes *você* em negociação? As decisões livremente tomadas que o prendem ao futuro são o que os filósofos chamam de contrato de Ulisses.²⁵ Como exemplo concreto, um dos primeiros passos para romper com o vício em álcool é garantir, durante a reflexão sóbria, que não haja álcool na casa. A tentação simplesmente será grande demais depois de um dia de trabalho estressante, num sábado festivo, ou num domingo solitário.

As pessoas fazem o contrato de Ulisses o tempo todo, e isto explica o sucesso imediato e duradouro do Clube de Natal de Merkel Landis. Quando as pessoas entregaram seu capital em abril, estavam agindo com um olhar cauteloso para suas personalidades de outubro, que elas sabiam que ficariam tentadas a torrar o dinheiro em algo egoísta em vez de ceder a seus egos generosos que dão presentes em dezembro.

Muitos acordos evoluíram para permitir que as pessoas comprometam proativamente as opções de seus egos futuros. Pense na existência de sites que o ajudam a perder peso negociando um acordo financeiro com seu futuro eu. Funciona da seguinte maneira: você paga um depósito de 100 dólares com a promessa de que perderá cinco quilos. Se conseguir no tempo prometido, recuperará o dinheiro. Se não emagrecer este peso nesse período, a empresa ficará com o dinheiro. Estes acordos valem-se do sistema de honra e podem ser ludibriados com facilidade, mas as empresas são lucrativas. Por quê? Porque as pessoas entendem que, à medida que se aproximam da data em que podem retirar seu dinheiro, seu sistema emocional se importará cada vez mais com isso. São sistemas de curto e longo prazos se contrapondo.*

---

* Embora o sistema funcione, ocorre-me que há uma maneira melhor de casar este modelo de negócios com a neurobiologia. O problema é que a perda de peso exige um esforço contínuo, enquanto a aproximação do prazo para a perda de dinheiro sempre está distante, até que o dia de acertar as contas de repente fica muito próximo. Em um modelo neurologicamente otimizado, você perderia um pouco de dinheiro todo dia até ter perdido os cinco quilos. A cada dia, a quantia que perdesse aumentaria em 15%. Assim, todo dia traria o aguilhão emocional imediato da perda financeira, e a ferroada pioraria constantemente. Quando você perdesse os cinco quilos, pararia de perder dinheiro. Isto estimularia uma ética de dieta sustentada por todo o período.

Os contratos de Ulisses em geral aparecem no contexto da tomada de decisão médica. Quando uma pessoa de boa saúde assina uma diretiva médica antecipada, determinando que se desliguem os aparelhos na eventualidade de um coma, ela está se prendendo a um contrato com um possível futuro ego – embora se possa argumentar que os dois egos (o saudável e o doente) sejam bem diferentes.

Aparece um desvio interessante no contrato de Ulisses quando outra pessoa se mete a tomar uma decisão por você e vincula seu eu presente em deferência a seu eu futuro. Estas situações surgem comumente em hospitais, quando um paciente, tendo acabado de passar por uma mudança de vida traumática, como a perda de um membro do corpo ou um cônjuge, declara que quer morrer. Ele pode exigir, por exemplo, que seus médicos interrompam a diálise e lhe deem uma dose excessiva de morfina. Estes casos em geral param nos conselhos de ética e os conselhos costumam decidir o mesmo: não deixem o paciente morrer, porque o paciente futuro um dia encontrará uma maneira de recuperar o equilíbrio emocional e reivindicar a felicidade. Aqui, o conselho de ética age simplesmente como um advogado do sistema racional de longo prazo, reconhecendo que o contexto presente tolera a vozinha intelectual contra as emoções.[26] O conselho essencialmente decide que o congresso neural no momento pende de forma injusta e que é necessária uma intervenção para evitar a tomada de poder de uma das partes. Felizmente às vezes podemos depender da imparcialidade de outra pessoa, como Ulisses dependia de seus marinheiros para ignorar seus apelos. A regra de ouro é esta: quando você não pode depender de seu sistema racional, pegue emprestado de outros.[27] Neste caso, os pacientes usam os sistemas racionais dos membros do conselho. O conselho pode assumir mais facilmente a responsabilidade pela proteção do paciente futuro, uma vez que seus integrantes não ouvem o canto de sereia emocional com que o paciente é ensurdecido.

DE MUITAS MENTES

A fim de ilustrar o sistema de equipe de rivais, tenho feito a simplificação excessiva de subdividir a neuroanatomia em sistemas racional e emocional. Mas não quero dar a impressão de que só existem facções concorrentes. Elas são apenas o começo da história da equipe de rivais. Para onde quer que olhemos, encontraremos sistemas coincidentes que competem.

Um dos exemplos mais fascinantes de sistemas concorrentes pode ser visto nos dois hemisférios do cérebro, o esquerdo e o direito. Os hemisférios são semelhantes e conectados por uma densa via de fibras chamadas de corpo caloso. Ninguém teria adivinhado que os hemisférios esquerdo e direito formavam duas metades de uma equipe de rivais antes da década de 1950, quando foi realizado um conjunto incomum de cirurgias. Os neurobiologistas Roger Sperry e Ronald Meyers, em algumas cirurgias experimentais, cortaram o corpo caloso de gatos e macacos. O que aconteceu? Pouca coisa. Os animais agiam normalmente, como se a imensa faixa de fibras que ligavam as duas metades não fosse necessária.

Como resultado deste sucesso, a cirurgia de cérebro dividido foi realizada pela primeira vez em pacientes de epilepsia humana em 1961. Para eles, uma operação que evitava a disseminação de convulsões de um hemisfério para outro era a última esperança. E as cirurgias funcionaram lindamente. Uma pessoa que sofrera terrivelmente de convulsões debilitantes agora podia ter uma vida normal. Mesmo com as duas metades do cérebro separadas, o paciente não parecia agir de modo diferente. Conseguia se lembrar normalmente de eventos e aprender novos fatos sem problemas. Podia amar, rir, dançar e se divertir. Mas acontecia algo estranho. Se fossem usadas estratégias engenhosas para dar informações apenas a um hemisfério e não a outro, um hemisfério podia aprender uma coisa enquanto o outro não aprendia. Era como se a pessoa tivesse dois cérebros independentes.²⁸ E os pacientes podiam fazer diferentes tarefas ao mesmo tempo, algo que o cérebro normal não pode realizar. Por exemplo, com um lápis em cada mão, os pacientes de cérebro dividido podiam desenhar simultaneamente figuras incompatíveis, como um círculo e um triângulo.

E havia mais. A rede motora principal do cérebro se entrecruza, de tal modo que o hemisfério direito controla a mão esquerda e o hemisfério esquerdo controla a mão direita. E este fato permite uma demonstração extraordinária. Imagine que a palavra *maçã* pisque para o hemisfério esquerdo, enquanto a palavra *lápis* pisque simultaneamente para o hemisfério direito. Quando um paciente de cérebro dividido é solicitado a segurar o item que acaba de ver, a mão direita pega a maçã enquanto a esquerda pegará ao mesmo tempo o lápis. As duas metades agora têm a própria vida, desconectadas.

Com o tempo, os pesquisadores passaram a perceber que os dois hemisférios têm personalidades e habilidades um tanto diferentes – isto inclui suas capacidades de pensar abstratamente, criar histórias, fazer inferências, determinar a origem de uma lembrança e tomar boas decisões em um jogo de azar. Roger Sperry, um dos neurobiologistas que foram pioneiros no estudo do cérebro dividido (e ganhou o prêmio Nobel por isso), passou a compreender o cérebro como "dois reinos separados de consciência; dois sistemas de sensações, percepções, pensamento e lembranças". As duas metades constituem uma equipe de rivais: agentes com os mesmos objetivos, mas formas um tanto diferentes de abordá-los.

Em 1976, o psicólogo americano Julian Jaynes propôs que até o final do segundo milênio a.C. o ser humano não tinha consciência introspectiva e sua mente era essencialmente dividida em duas, com o hemisfério esquerdo seguindo as ordens do direito.²⁹ Essas ordens, na forma de alucinações auditivas, foram interpretadas como vozes dos deuses. Por volta de três mil anos atrás, sugere Jaynes, esta divisão de trabalho entre os hemisférios esquerdo e direito começou a entrar em colapso. À medida que os hemisférios começaram a se comunicar mais suavemente, os processos cognitivos, como a introspecção, pu-

O CÉREBRO É UMA EQUIPE DE RIVAIS 137

deram se desenvolver. A origem da consciência, argumentou ele, resultou da capacidade dos dois hemisférios de se sentarem à mesa juntos e trabalharem suas diferenças. Ninguém sabe ainda se a teoria de Jaynes vai longe, mas a proposta é interessante demais para ser ignorada. Os dois hemisférios são quase idênticos do ponto de vista anatômico. É como se você viesse equipado com o mesmo modelo básico de hemisfério cerebral nos dois lados do crânio, ambos absorvendo informações do mundo de maneiras ligeiramente diferentes. É essencialmente uma planta impressa duas vezes. E nada pode ser mais adequado a uma equipe de rivais. O fato de que as duas metades são duplicatas do mesmo plano básico é evidenciado por uma cirurgia chamada hemisferectomia, em que uma metade inteira do cérebro é removida (isto é feito para tratar epilepsia intratável, causada por encefalite de Rasmussen). Surpreendentemente, se a cirurgia é realizada em uma criança antes dos oito anos, a criança fica bem. Deixe-me repetir: a criança, com apenas metade do cérebro, fica bem. Pode comer, ler, falar, fazer contas, fazer amigos, jogar xadrez, amar os pais e tudo o mais que uma criança com dois hemisférios pode fazer. Observe que não é possível remover *qualquer* metade do cérebro: não se pode remover a metade da frente ou a de trás e esperar que o paciente sobreviva. Mas as metades direita e esquerda revelam-se cópias uma da outra. Retire uma e você ainda terá outra, com funções aproximadamente redundantes. Como dois partidos políticos. Se os republicanos ou democratas desaparecessem, o outro partido ainda poderia governar o país. A abordagem seria um tanto diferente, mas as coisas ainda funcionariam.

REINVENÇÃO INCESSANTE

Comecei com exemplos comparando sistemas racionais com sistemas emocionais, e o fenômeno de duas facções em um só cérebro desmascarado pelas cirurgias de cérebro dividido. Mas as rivalidades no cérebro são muito mais numerosas, e muito mais sutis, do que aquelas generalizadas que introduzi até agora. O cérebro é cheio de subsistemas menores com domínios coincidentes, cuidando das mesmas tarefas.

Considere a memória. A natureza parece ter inventado mecanismos para armazenar a memória mais de uma vez. Por exemplo, em circunstâncias normais, suas lembranças de eventos cotidianos são consolidadas (isto é, "cimentadas") por uma área do cérebro chamada hipocampo. Mas, durante situações apavorantes – como um acidente de carro ou um assalto –, outra área, a amídala, também armazena lembranças por uma trilha de memória secundária e independente.[30] As lembranças da amídala têm um caráter diferente: é difícil apagá-las e elas podem voltar de repente como uma "lâmpada" – como descrevem vítimas de estupro e veteranos de guerra. Em outras palavras, há mais de uma maneira de armazenar uma lembrança. Não estamos falando de uma lembrança de acontecimentos diferentes, mas múltiplas lembranças do *mesmo* acontecimento – como se dois jornalistas de diferentes personalidades fizessem anotações sobre o desenrolar de uma única história.

Assim, vemos que diferentes facções no cérebro podem estar envolvidas na mesma tarefa. No fim, é provável que haja ainda mais de duas facções envolvidas, todas registrando informações e mais tarde competindo para contar a história.[31] A convicção de que a memória é uma só é ilusória.

Tomemos outro exemplo de domínios coincidentes. Os cientistas debatem há muito como o cérebro detecta o movimento. Existem muitas maneiras teóricas de desenvolver detectores de movimento de neurônios, e a literatura científica tem proposto modelos muito diferentes que envolvem conexões entre neurônios, ou os processos estendidos de neurônios (chamados dendritos), ou grandes populações de neurônios.[32] Os pormenores não são importantes aqui; o que importa é que essas diferentes teorias inflamaram décadas de debates entre os acadêmicos. Como os modelos propostos são pequenos demais para uma medição direta, os pesquisadores projetam experimentos engenhosos para validar ou contradizer as várias teorias.

O resultado interessante tem sido de que a maior parte dos experimentos é inconclusiva, apoiando um modelo em detrimento de outro em algumas condições laboratoriais, mas não em outras. Isto tem levado a um reconhecimento cada vez maior (relutante, para alguns) de que existem *muitas* maneiras de o sistema visual detectar o movimento. Diferentes estratégias são implementadas em diferentes lugares do cérebro. Como acontece com a memória, a lição aqui é de que o cérebro evoluiu maneiras múltiplas e redundantes de resolver problemas.[33] As facções neurais costumam concordar sobre o que está no mundo exterior, mas nem sempre. E isto proporciona o perfeito substrato para uma democracia neural.

O que quero enfatizar aqui é que a biologia raras vezes sossega com uma única solução. Ela tende a reinventar incessantemente soluções. Mas por que inovar interminavelmente – por que não encontrar uma boa solução e seguir em frente? Ao contrário do laboratório de inteligência artificial, o laboratório da natureza não tem programador master que verifica uma sub-rotina depois de ser inventada. Uma vez que o programa *empilhar bloco* é codificado e otimizado, os programadores humanos avançam ao passo seguinte. Proponho que este avanço é um forte motivo para a inteligência artificial ter empacado. A biologia, ao contrário da inteligência artificial, assume uma abordagem diferente: quando topa com um circuito biológico para *detectar movimento*, não há programador master a quem se reportar, e assim as mutações aleatórias continuam, inventando incessantemente novas variações no circuito, resolvendo *detectar movimento* de formas criativas, novas e inesperadas.

Esta perspectiva sugere uma nova abordagem ao raciocínio sobre o cérebro. A maior parte da literatura de neurociência procura *a* solução para a função cerebral estudada. Mas esta abordagem pode ser equivocada. Se um alienígena pousasse na Terra e descobrisse um animal que pode subir numa árvore (digamos, um macaco), seria imprudência da parte dele concluir que o macaco é o único animal com essas habilidades. Se o alienígena continuar procurando, rapidamente descobrirá que formigas, esquilos e jaguares também sobem em árvores. E é assim que acontece com os mecanismos engenhosos na biologia: quando continuamos procurando, encontramos mais. A biologia nunca marca um problema e o dá por encerrado. Ela reinventa soluções continuamente. O produto desta abordagem é um sistema de soluções altamente sobreposto – a condição necessária para uma arquitetura de equipe de rivais.[34]

A FORÇA DE UM SISTEMA DE MÚLTIPLOS PARTIDOS

Os membros de uma equipe em geral podem discordar, mas não *precisa* ser assim. Na realidade, em grande parte do tempo, os rivais desfrutam de uma concordância natural. E este simples fato permite que uma equipe de rivais seja forte diante de partes perdidas do sistema. Vamos voltar à experiência do desaparecimento de um partido político. Imagine que todos os principais agentes de decisão de um partido político morressem em um acidente de avião, e consideremos isto aproximadamente análogo aos danos cerebrais. Em muitos casos, a perda de um partido exporia as opiniões polarizadas e contrárias de um grupo rival – como acontece quando os lobos frontais são lesionados, permitindo o mau comportamento, como a cleptomania ou urinar em público. Mas há outros casos, talvez muito mais comuns, em que o desaparecimento de um partido político passa despercebido, porque todos os outros partidos sustentam aproximadamente a mesma opinião sobre um assunto (por exemplo, a importância de financiar a coleta residencial de lixo). Esta é a marca de um sistema biológico forte: os partidos políticos podem perecer em um trágico acidente e a sociedade ainda será governada, às vezes com pouco mais do que um soluço do sistema. Pode ser que, para cada estranho caso clínico em que o dano cerebral leve a uma mudança bizarra no comportamento ou na percepção, existam centenas de casos em que partes do cérebro são lesionadas sem sinal clínico detectável.

Uma vantagem dos domínios coincidentes pode ser vista no fenômeno recém-descoberto da *reserva cognitiva*. Descobre-se, durante uma autópsia, que muitas pessoas têm a destruição neural da doença de Alzheimer – mas elas jamais mostraram os sintomas enquanto estavam vivas. Como pode ser assim? Acontece que essas pessoas continuaram a desafiar seus cérebros na velhice, permanecendo ativas em suas profissões, resolvendo palavras cruzadas, ou realizando qualquer outra atividade que mantivesse suas populações neurais exercitadas. Por permanecerem mentalmente vigorosas, elas construíram o que os neuropsicólogos chamam de reserva cognitiva. Não digo com isto que as pessoas cognitivamente saudáveis não venham a ter Alzheimer; é que seu cérebro tem uma proteção contra os sintomas. Mesmo enquanto partes do cérebro se degradam, elas têm outras maneiras de resolver os problemas. Não estão presas ao padrão de ter uma única solução; graças a uma vida inteira de buscas e formação de estratégias redundantes, elas têm soluções alternativas. Quando partes da população neural degeneram, elas nem mesmo sentem sua falta.

A reserva cognitiva – e a força em geral – é alcançada quando se cobre um problema com soluções sobrepostas. Como analogia, pense em um faz-tudo. Se ele tiver várias ferramentas na caixa, perder o martelo não será o fim de sua carreira. Ele pode usar o pé de cabra ou o lado plano de sua chave-inglesa. O faz-tudo com apenas algumas ferramentas fica em dificuldades maiores.

O segredo da redundância nos permite entender o que antes era um mistério clínico bizarro. Imagine que uma paciente sofra danos em uma grande parte de seu córtex visual primário, e agora toda uma metade de seu campo visual é cego. Você, o pesquisador, pega uma forma em cartolina, ergue-a diante do lado cego e lhe pergunta: "O que vê aqui?"

Ela diz: "Não sei... sou cega deste lado de meu campo visual."

"Eu sei", diz você. "Mas adivinhe. Você vê um círculo, um quadrado, ou um triângulo?"

Ela diz: "Eu não posso lhe dizer. Não estou vendo nada. Sou cega ali."

Você diz: "Eu sei, eu sei. Mas *chute*."

Por fim, exasperada, ela chuta que a forma é um triângulo. E ela está *certa*, bem acima do que seria previsto pelo acaso.[35] Embora seja cega, ela pode se valer de um pressentimento – e isto indica que *alguma coisa* em seu cérebro está vendo. Não é a parte consciente que depende da integridade do córtex visual. Este fenômeno é chamado de visão cega, e nos ensina que, quando se perde a visão consciente, ainda há operários subcorticais nos bastidores operando seus programas normais. Assim, a remoção de partes do cérebro (neste caso, o córtex) revela estruturas subjacentes que fazem a mesma coisa, igualmente bem. E do ponto de vista da neuroanatomia, isto não é de surpreender; afinal, os répteis enxergam, embora não tenham córtex nenhum. Eles não veem tão bem quanto nós, mas veem.[36]

Paremos um pouco para pensar em como o sistema de equipe de rivais propõe uma maneira de pensar sobre o cérebro diferente daquela tradicionalmente ensinada. Muitas pessoas tendem a supor que o cérebro pode ser dividido em regiões elegantemente rotuladas que codificam, digamos, rostos, cavalos, cores, corpos, uso de ferramentas, fervor religioso e assim por diante. Esta era a esperança da ciência da frenologia do início do século XIX, em que se supunha que calombos no crânio representassem algo acerca do tamanho das áreas subjacentes. A ideia era de que cada ponto do cérebro podia receber um rótulo no mapa.

Mas a biologia raramente tem êxito desta maneira, se é que o tem. O sistema de equipe de rivais propõe um modelo que possui múltiplas maneiras de representar o mesmo estímulo. Esta perspectiva toca os sinos fúnebres para aquelas esperanças iniciais de que cada parte do cérebro serve a uma função que pode ser facilmente rotulada.

Observe que o impulso frenológico voltou de mansinho ao quadro devido a nosso recém-descoberto poder de visualizar o cérebro com o neuroimageamento. Cientistas e público podem se ver seduzidos à armadilha fácil de querer atribuir cada função do cérebro a uma localização específica. Talvez devido à pressão por informações simples e sólidas, um fluxo constante de relatos na mídia (e até na literatura científica) criou a falsa impressão de que a área cerebral para tal e tal coisa tenha sido descoberta. Estes relatos alimentam a expectativa popular e a esperança pela classificação fácil. Mas a verdadeira situação é muito mais interessante: as redes contínuas de circuitos neurais realizam suas funções usando estratégias múltiplas, descobertas de forma independente. O cérebro se presta bem à complexidade do mundo, mas muito mal à cartografia nítida.

MANTENDO A UNIÃO: AS GUERRAS CIVIS NA DEMOCRACIA DO CÉREBRO

No filme extravagante e cult *Uma noite alucinante 2*, a mão direita do protagonista ganha mente própria e tenta matá-lo. A cena degenera numa versão que se pode encontrar em um playground de sexta série: o herói usa a mão esquerda para refrear a mão direita, que tenta atacar seu rosto. Por fim a decepa com uma serra elétrica e prende a mão, que ainda se mexe sob uma lata de lixo virada. Empilha livros por cima da lata para prendê-la no chão e o observador atento pode ver que o livro do alto da pilha é *Adeus às armas*, de Hemingway.

Embora esse enredo pareça absurdo, existe realmente um distúrbio chamado *síndrome da mão alheia*. Embora não seja tão dramática quanto a versão de *Uma noite alucinante*, a ideia é mais ou menos a mesma. Na síndrome da mão alheia, que pode resultar de cirurgias de cérebro dividido que discutimos páginas antes, as duas mãos expressam desejos conflitantes. A mão "alheia" de um paciente pode pegar um biscoito para colocar na boca, enquanto a mão que se comporta normalmente a segurará pelo pulso para impedi-la. Segue-se uma luta. Ou a mão vai pegar um jornal, e a outra lhe dará um tapa para evitar. Ou a mão vai abrir o casaco e a outra vai fechá-lo. Alguns pacientes com síndrome da mão alheia descobriram que gritar "pare!" levará o outro hemisfério (e a mão alheia) a recuar. Mas além deste controle mínimo, a mão opera com seus programas próprios e inacessíveis, e é por isso que é rotulada de alheia – porque a parte consciente do paciente parece não ter poder de previsão sobre ela; a mão não parece fazer parte da personalidade do paciente. Um paciente nesta situação costuma dizer: "Eu juro que não estou fazendo isso." O que nos faz rever um dos principais pontos deste livro: quem é o *eu*? Seu próprio cérebro está fazendo isso, o de ninguém mais. Simplesmente ele não tem acesso consciente a esses programas.

O que a síndrome da mão alheia nos diz? Ela revela o fato de que abrigamos sub-rotinas mecânicas e "alheias", às quais não temos acesso e das quais não temos conhecimento. Quase todos os nossos atos – de produzir a fala a pegar uma xícara de café – são operados por sub-rotinas alheias, também conhecidas como sistemas zumbis. (Uso estes termos de forma intercambiável; *zumbi* ressalta a falta de acesso consciente, enquanto *alheia* enfatiza o caráter estranho dos programas).[37] Algumas sub-rotinas alheias são instintivas, enquanto outras são aprendidas; todos os algoritmos altamente automatizados que vimos no Capítulo 3 (saque de uma bola de tênis, sexagem dos frangos) tornam-se programas zumbis inacessíveis quando são gravados no circuito. Quando um jogador profissional de beisebol conecta seu bastão com uma bola que está viajando rápido demais para que sua mente consciente acompanhe, ele está se utilizando de uma sub-rotina alheia afiada.

A síndrome da mão alheia também nos diz que em circunstâncias normais todos os programas automáticos são estritamente controlados de modo que só um comportamento possa acontecer a um dado momento. A mão alheia ressalta a forma aparentemente contínua com que o cérebro mantém uma tampa sobre seus conflitos internos. Requer apenas um pequeno dano estrutural para revelar o que está acontecendo por baixo. Em outras palavras, manter a união de subsistemas não é algo que o cérebro faça sem esforço – é um processo ativo. É apenas quando as facções começam a se apartar da união que se evidencia o caráter alheio das partes.

Um bom exemplo de rotinas conflitantes é encontrado no teste de Stroop, uma tarefa que não pode ter instruções mais simples: dê o nome da cor de uma *tinta* em que uma palavra é impressa. Digamos que eu apresente a palavra JUSTIÇA escrita em caracteres azuis. Você diz "Azul". Agora eu lhe mostro IMPRESSORA em amarelo. "Amarelo." Não pode ser mais fácil. Mas o truque aparece quando eu apresento uma palavra que é em si o nome de uma cor. Apresento a palavra AZUL na cor verde. Agora a reação não é tão fácil. Você pode soltar "Azul!", ou pode se deter e gaguejar "Verde!". Seja como for, você tem um tempo de reação muito mais lento – e isso esconde o conflito que se desenrola sob a superfície. A *interferência de Stroop* desmascara o choque entre o impulso forte, involuntário e automático de ler a palavra e a tarefa incomum, ponderada e penosa de declarar a cor em que foi impressa.[38]

Lembra a tarefa de associação implícita do Capítulo 3, aquela que procura revelar o racismo inconsciente? Gira em torno do tempo de reação mais lento do que o normal quando você é solicitado a relacionar algo que não gosta com uma palavra positiva (como *felicidade*). Como acontece na tarefa de Stroop, há um conflito subjacente entre sistemas profundamente embutidos.

E PLURIBUS UNUM

Nós não nos limitamos a operar rotinas alheias; também as justificamos. Temos meios de contar retrospectivamente histórias sobre nossos atos, como se os atos fossem sempre ideia nossa. Como exemplo, no início do livro, mencionei que os pensamentos nos vêm e assumimos o crédito por eles ("eu acabo de ter uma grande ideia!"), embora nosso cérebro tenha ruminado um dado problema por muito tempo e por fim entregado o produto final. Estamos constantemente fabricando e contando histórias sobre os processos alheios que ocorrem sob a superfície.

Para trazer à luz esse tipo de fabricação, precisamos apenas olhar outro experimento com pacientes de cérebro dividido. Como já vimos, as metades direita e esquerda são semelhantes, mas não são idênticas. No homem, o hemisfério esquerdo (que contém a maior parte da capacidade de linguagem falada) pode falar do que está sentindo, enquanto o lado direito e mudo só pode comunicar seus pensamentos ordenando a mão esquerda a apontar, estender-se ou escrever. E este fato abre a porta a um experimento relacionado com a fabricação retrospectiva de histórias. Em 1978, os pesquisadores Michael Gazzaniga e Joseph LeDoux mostraram rapidamente a imagem de um pé de galinha ao hemisfério esquerdo e a imagem de uma cena nevada de inverno ao hemisfério direito de um paciente de cérebro dividido. O paciente foi então solicitado a apontar os cartões que representassem o que acabara de ver. Sua mão direita apontou o cartão da galinha, e a esquerda apontou o cartão com uma pá de neve. Os pesquisadores lhe perguntaram por que ele apontava a pá. Lembre-se de que o hemisfério esquerdo (aquele com capacidade para linguagem) tinha informações apenas sobre uma galinha, e mais nada. Mas o hemisfério esquerdo, prontamente, fabricou uma história: "Ah, é simples. O pé de galinha vem com a galinha, e você precisa de uma pá para limpar o galinheiro." Quando uma parte do cérebro opta por alguma coisa, outras partes podem rapidamente inventar uma história que explique o porquê. Se você mostrar o comando "Ande" ao hemisfério direito (aquele sem linguagem), o paciente se levantará e começará a andar. Se impedi-lo e perguntar por que está saindo, seu hemisfério esquerdo, elaborando uma resposta, dirá algo como: "Eu ia beber uma água."

O experimento frango-pá levou Gazzaniga e LeDoux à conclusão de que o hemisfério esquerdo age como um "intérprete", observando as ações e comportamentos do corpo e atribuindo uma narrativa coerente a esses eventos. E o hemisfério esquerdo trabalha assim mesmo em cérebros normais e intactos. Programas ocultos impelem a atos, e o hemisfério esquerdo faz justificativas. Esta ideia das histórias retrospectivas sugere que passamos a conhecer nossas próprias atitudes e emoções, pelo menos em parte, inferindo-as a partir de observações de nosso comportamento.[39] Como coloca Gazzaniga: "Essas descobertas sugerem que o mecanismo de interpretação do hemisfério esquerdo sempre trabalha mais, procurando o significado dos acontecimentos. Busca constantemente ordem e razão, mesmo quando não há nenhuma – o que o leva a continuamente cometer erros."[40] Esta fabricação não está restrita aos pacientes de cérebro dividido. Seu cérebro também interpreta os atos de seu corpo e constrói uma história em torno deles. Os psicólogos descobriram que, se você segurar um lápis entre os dentes enquanto lê alguma coisa, achará o material mais engraçado; isso porque a interpretação é influenciada pelo sorriso em seu rosto. Se você se sentar reto em vez de arriado, se sentirá mais feliz. O cérebro supõe que, se a boca e a coluna estão fazendo isso, deve ser por alegria.

Em 31 de dezembro de 1974, o juiz da Suprema Corte William O. Douglas foi debilitado por um derrame que paralisou o lado esquerdo de seu corpo e o confinou a uma cadeira de rodas. Mas o juiz Douglas exigiu receber alta do hospital, alegando que estava bem. Declarou que a notícia de sua paralisia era "um mito". Quando os repórteres expressaram ceticismo, ele os convidou publicamente a se juntarem a ele numa escalada, um gesto considerado absurdo. Ele até alegou estar chutando bolas de futebol a gol com a perna paralítica. Como resultado de seu comportamento aparentemente delirante, Douglas foi destituído de seu cargo na Suprema Corte.

O que Douglas viveu chama-se *anosognosia*. Este termo descreve uma completa falta de consciência de uma deficiência, e um exemplo típico é um paciente que nega inteiramente uma paralisia patente. Não é que o juiz Douglas estivesse *mentindo* – seu cérebro realmente acreditava que ele podia se movimentar bem. Estas fabricações ilustram até que ponto o cérebro irá para formar uma narrativa coerente. Quando solicitado a colocar as duas mãos em um volante imaginário, um paciente parcialmente paralítico e anosognósico colocará uma das mãos, mas não a outra. Quando indagado se as duas mãos estão no volante, ele dirá que sim. Quando o paciente é solicitado a bater palmas, pode mover apenas uma das mãos. Se indagado "Você bateu palmas?", ele dirá que sim. Se você observar que não ouviu som nenhum e pedir para que ele repita, ele poderá se negar; se perguntar por quê, ele dirá "não estou com vontade". Da mesma maneira, como dissemos no Capítulo 2, pode-se perder a visão e alegar ainda ser capaz de enxergar bem, mesmo sendo incapaz de andar por uma sala sem esbarrar nos móveis. As desculpas são de equilíbrio ruim, cadeiras rearrumadas e assim por diante – enquanto nega a cegueira.

A questão na anosognosia é que os pacientes não estão mentindo e não são motivados nem por maldade, nem por constrangimento; seu cérebro está fabricando explicações que fornecem uma narrativa coerente sobre o que está havendo com o corpo deficiente.

Mas a evidência em contrário não deveria alertar essas pessoas para um problema? Afinal, o paciente quer mover a mão, mas ela não se mexe. Ele quer bater palmas, mas não ouve som algum. Acontece que alertar o sistema para as contradições depende criticamente de determinadas regiões do cérebro – de uma em particular, chamada córtex cingulado anterior. Devido a estas regiões de monitoramento de conflitos, ideias incompatíveis resultarão na vitória de um lado ou outro: pode-se construir uma história que ou as torne compatíveis, ou ignore um lado do debate. Em circunstâncias especiais de dano cerebral, este sistema de arbitragem pode estar prejudicado – e assim é possível que o conflito não cause problemas à mente consciente. Esta situação é ilustrada por uma mulher que chamarei de sra. G., que sofreu um severo dano no tecido cerebral resultante de um recente derrame. Quando a conheci, ela se recuperava no hospital com o marido junto ao leito e parecia em boa saúde geral e bom estado de espírito. Meu colega, o dr. Karthik Sarma, percebeu na noite anterior que, quando lhe pedia para fechar os olhos, ela só fechava um e não o outro. Então ele e eu fomos examiná-la com mais atenção.

Quando lhe pedi para fechar os olhos, ela disse "tudo bem", e fechou apenas um, como uma piscadela permanente.

"Está de olhos fechados?", perguntei.

"Sim", disse ela.

"Os dois?"

"Sim."
Ergui três dedos.
"Quantos dedos estão levantados, sra. G.?"
"Três", disse ela.
"E seus olhos estão fechados?"
"Sim." Sem usar um tom de desafio, eu disse: "Então, como sabe quantos dedos estou levantando?"
Seguiu-se um silêncio interessante. Se a atividade cerebral fosse audível, teríamos ouvido diferentes regiões de seu cérebro em batalha. Os partidos políticos que queriam acreditar que seus olhos estavam fechados debatiam com os partidos que queriam que a lógica prevalecesse: *Não está vendo que não podemos ter os olhos fechados e conseguirmos enxergar?* Em geral essas batalhas são rapidamente vencidas pelo partido com a posição mais razoável, mas isto nem sempre acontece na anosognosia. O paciente não dirá nada e não concluirá nada – não porque esteja constrangido, mas porque simplesmente está travado na questão. Os dois partidos se cansam ao ponto do atrito e a questão original finalmente é abandonada. A paciente não concluirá nada sobre a situação. É impressionante e desconcertante de testemunhar.
Eu tive uma ideia. Levei a sra. G em seu leito a uma posição diante do único espelho do quarto e lhe perguntei se podia ver o próprio rosto. Ela disse que sim. Depois pedi-lhe para fechar os olhos. Novamente ela fechou um só e não o outro.
"Os *dois* olhos estão fechados?"
"Sim."
"Consegue se ver?"
"Sim."
Eu disse gentilmente: "Acha possível ver-se no espelho com os dois olhos fechados?"
Pausa. *Nenhuma conclusão.*
"Parece-lhe que tem um ou os dois olhos fechados?"
Pausa. *Nenhuma conclusão.*

Ela não ficou angustiada com as perguntas; estas não a fizeram mudar de opinião. O que teria sido um xeque-mate em um cérebro normal provou-se um jogo rapidamente esquecido no dela. Casos como o da sra. G. nos permitem estimar o nível de esforço necessário nos bastidores de nossos sistemas zumbis para trabalharem juntos e chegarem a um acordo. Manter a união e fazer uma boa narrativa não são gratuitos – o cérebro trabalha o tempo todo para costurar um padrão de lógica a nossa vida cotidiana: o que acaba de acontecer e qual foi meu papel nisso? A fabricação de histórias é uma das principais atividades de nosso cérebro. O cérebro faz isso com o único objetivo de dar sentido às ações multifacetadas da democracia. Como afirma o lema dos Estados Unidos, *e pluribus unum*: de muitos, um.

Depois de você ter aprendido a andar de bicicleta, o cérebro não precisa preparar uma narrativa sobre o que seus músculos estão fazendo; isso não incomoda em nada o CEO consciente. Como tudo é previsível, não se conta nenhuma história; você é livre para pensar em outras questões enquanto pedala. A capacidade do cérebro de contar histórias entra em ação apenas quando as coisas são conflitantes ou de compreensão difícil, como nos pacientes de cérebro dividido ou em anosognósicos como o juiz Douglas.

Em meados dos anos 1990, meu colega Read Montague e eu fizemos um experimento para compreender melhor como o ser humano toma decisões simples. Pedimos aos participantes para escolherem entre dois cartões em uma tela de computador, um rotulado de A e o outro, de B. Os participantes não tinham como saber qual era a melhor opção, assim, no início, escolhiam arbitrariamente. Os cartões escolhidos lhes davam uma recompensa de algo entre um centavo e um dólar. Depois os cartões eram apagados e eles tinham de escolher novamente. Escolher o mesmo cartão produzia uma recompensa diferente. Parecia haver um padrão, mas era de detecção muito complicada. O que os participantes não sabiam era que a recompensa de cada rodada se baseava numa fórmula que incorporava a história de suas quarenta escolhas anteriores – muito mais difícil para o cérebro detectar e analisar.

A parte interessante veio quando entrevistei os participantes depois do teste. Perguntei-lhes o que eles fizeram no jogo de apostas e por que fizeram. Fiquei surpreso ao ouvir todo tipo de explicações barrocas, como "O computador gostava quando eu ia de um lado a outro" e "O computador estava tentando me castigar, então eu mudei meu plano de jogo". Na realidade, as descrições dos participantes de suas próprias estratégias não combinavam com os que eles realmente fizeram, o que se mostrou altamente previsível.[41] Suas descrições também não combinavam com o comportamento do computador, que era puramente formulaico. A mente consciente dos participantes, incapaz de atribuir a tarefa a um sistema zumbi, procurava desesperadamente uma narrativa. Os participantes não estavam *mentindo*; davam a melhor explicação que podiam – como os pacientes de cérebro dividido e os anosognósicos.

A mente procura padrões. Em um termo introduzido pelo escritor de ciências Michael Shermer, eles são impelidos para a "padronicidade" – a tentativa de encontrar estrutura em dados que nada significam.[42] A evolução prefere a busca de padrões, porque permite a possibilidade de reduzir os mistérios a programas rápidos e eficientes no circuito neural.

Para demonstrar a padronicidade, pesquisadores do Canadá mostraram aos participantes uma luz que piscava aleatoriamente e lhes pediram para escolher quais dos dois botões apertar e quando, a fim de tornar o piscar mais regular. Os participantes experimentaram diferentes padrões de botões, e por fim a luz começou a piscar regularmente. Eles conseguiram! Agora os pesquisadores lhes perguntaram como fizeram isso. Os participantes deram uma interpretação narrativa sobre o que fizeram, mas o fato é que a pressão nos botões não tinha nenhuma relação com o comportamento da luz: o piscar teria vagado para a regularidade independentemente do que eles fizessem.

Em outro exemplo de criação de uma narrativa diante de informações confusas, pense nos sonhos, que parecem ser uma camada interpretativa para tempestades noturnas de atividade elétrica no cérebro. Um modelo popular na literatura de neurociência sugere que as tramas dos sonos são costuradas a partir de atividade essencialmente aleatória: descargas de populações neurais no mesencéfalo. Estes sinais incitam a simulação de uma cena em um shopping, ou um vislumbre de reconhecimento de um ente querido, uma sensação de queda ou de uma epifania. Todos esses momentos são dinamicamente tecidos em uma história e é por isso que depois de uma noite de atividade aleatória você acorda, rola para seu parceiro e sente que tem uma história estranha a contar. Desde que eu era criança, fico maravilhado ao ver como os personagens de meus sonhos possuem detalhes tão específicos e peculiares, como conseguem dar respostas tão rápidas a minhas perguntas, como produzem um diálogo tão surpreendente e sugestões tão inventivas – coisas que "eu mesmo" não teria inventado. Muitas vezes ouvi uma nova piada num sonho e isto me impressionou muito. Não porque a piada fosse muito engraçada à luz sóbria do dia (não era), mas porque era uma piada em que não acreditava que *eu* teria pensado. Mas, pelo menos presumivelmente, era o meu cérebro e o de ninguém mais que preparava esses enredos interessantes.[43] Como os pacientes de cérebro dividido ou o juiz Douglas, os sonhos ilustram nossas habilidades de tecer uma narrativa simples a partir de um conjunto de fios aleatórios. Seu cérebro é extraordinariamente competente para manter a cola da união, mesmo diante de informações inteiramente incoerentes.

POR QUE TEMOS ALGUMA CONSCIÊNCIA?

A maioria dos neurocientistas estuda modelos animais de comportamento: como uma lesma-do-mar se retrai ao toque, como um camundongo reage a recompensas, como uma coruja localiza sons no escuro. Todos esses circuitos, à medida que são cientificamente trazidos à luz, revelam-se nada mais do que sistemas zumbis: plantas de circuito que reagem a determinadas informações com respostas adequadas. Se nosso cérebro fosse composto *apenas* destes padrões de circuitos, por que pareceria qualquer coisa viva e consciente? Por que não pareceria um nada – como um zumbi?

Uma década atrás, os neurocientistas Francis Crick e Christof Koch perguntaram: "Por que nosso cérebro não consiste simplesmente numa série de sistemas zumbis especializados?"[44] Em outras palavras, por que somos conscientes de alguma coisa? Por que simplesmente não somos um grande conjunto destas rotinas automatizadas e gravadas que resolvem os problemas?

A resposta de Crick e Koch, como a minha em capítulos anteriores, é de que a consciência existe para controlar sistemas alheios automatizados e para distribuir o controle sobre eles. Um sistema de sub-rotinas automáticas que chega a um certo nível de complexidade (e o cérebro humano certamente se qualifica a isso) requer um mecanismo de alto nível para que as partes se comuniquem, dispensem recursos e aloquem controle. Como vimos antes com a tenista aprendendo a sacar, a consciência é o CEO da empresa: ela estabelece diretrizes de nível mais alto e atribui novas tarefas. Aprendemos neste capítulo que ela não precisa entender o programa usado por cada departamento na organização; nem precisa ver em detalhes seus diários e recibos de vendas. Precisa apenas saber quem convocar e quando.

Desde que as sub-rotinas zumbis estejam operando tranquilamente, o CEO pode dormir. É apenas quando algo dá errado (digamos, todos os departamentos de repente descobrem que seus modelos de negócios falharam catastroficamente) que o CEO deve acordar. Pense em *quando* sua consciência entra em ação: naquelas situações em que os eventos do mundo *violam suas expectativas*. Quando tudo corre de acordo com as necessidades e habilidades de seus sistemas zumbis, você não está consciente da maior parte do que tem diante de si; quando de repente eles não podem lidar com a tarefa, você se torna consciente do problema. O CEO se esforça, procurando por soluções rápidas, ligando para todo mundo para descobrir quem pode resolver melhor o problema.

O cientista Jeff Hawkins propõe um bom exemplo disto: um dia, depois de entrar em casa, percebeu que não teve vivência consciente ao estender a mão, pegar e girar a maçaneta. Foi um ato inteiramente robotizado e inconsciente da parte dele – e isto porque tudo na experiência (a sensação e localização da maçaneta, o tamanho e peso da porta e assim por diante) já está gravado no circuito inconsciente de seu cérebro. Era esperado, e portanto não exigia nenhuma participação consciente. Mas ele percebeu que, se alguém entrasse furtivamente em sua casa, retirasse a maçaneta e a recolocasse uns dez centímetros para a direita, ele perceberia de imediato. Em vez de seus sistemas zumbis levarem-no diretamente para sua casa sem alerta nem preocupações, de repente haveria uma violação das expectativas – e a consciência entraria em cena. O CEO acordaria, acionaria os alarmes e tentaria deduzir o que pode ter acontecido e o que fazer.

Se você acha que está consciente da maior parte do que o cerca, pense bem. Na primeira vez que foi de carro para o novo emprego, você ficou atento a tudo pelo caminho. O percurso parece consumir muito tempo. Quando você já fez o percurso muitas vezes, pode chegar lá sem muita deliberação consciente. Você agora é livre para pensar em outras coisas; sente como se saísse de casa e chegasse ao trabalho num picar de olhos. Seus sistemas zumbis são especialistas em cuidar dos assuntos costumeiros. Você só fica consciente do que o cerca quando vê um esquilo na rua, ou ultrapassa uma placa de pare, ou vê um carro capotado no acostamento.

Tudo isso é coerente com uma descoberta que aprendemos dois capítulos atrás: quando as pessoas jogam um videogame pela primeira vez, seu cérebro fervilha de atividade. Elas estão queimando energia como loucas. À medida que melhoram no jogo, é envolvida uma atividade cerebral cada vez menor. Elas ficaram mais eficientes em energia. Se você medir o cérebro de alguém e vir muito pouca atividade durante uma tarefa, isso não indica necessariamente que a pessoa não esteja tentando – é mais provável que signifique que ela trabalhou muito no passado para gravar os programas no circuito. A consciência é chamada durante a primeira fase de aprendizagem e

O CÉREBRO É UMA EQUIPE DE RIVAIS 155

excluída do jogo depois de estar imersa no sistema. Jogar um simples videogame se torna um processo tão inconsciente quanto dirigir um carro, produzir fala ou a realização de movimentos complexos dos dedos necessários para amarrar um cadarço. Estas sub-rotinas se tornam ocultas, escritas em uma linguagem de programação indecifrada de proteínas e neuroquímicos, e ali elas espreitam – às vezes por décadas – até que sejam convocadas.

Do ponto de vista evolutivo, o propósito da consciência parece ser este: um animal composto de um conjunto gigantesco de sistemas zumbis seria eficiente em energia mas *cognitivamente inflexível*. Teria programas econômicos para realizar tarefas determinadas e simples, mas não teria meios rápidos de mudar de programa ou estabelecer metas para se especializar em tarefas novas e inesperadas. No reino animal, a maioria das criaturas faz certas coisas muito bem (digamos, extrair sementes do interior de uma pinha), enquanto só algumas espécies (como a humana) têm flexibilidade para desenvolver dinamicamente novos programas.

Embora a capacidade de ser flexível pareça melhor, ela não é gratuita – em troca há o fardo de uma longa infância. Ser flexível como adulto humano requer anos de uma infância indefesa. A mãe humana em geral só cria um filho de cada vez e deve proporcionar um período de cuidados que é inaudito (e impraticável) no restante do reino animal. Já os animais que operam apenas algumas sub-rotinas muito simples (como "comer o que parecem alimentos e se afastar de objetos gigantes") adotam uma estratégia de criação diferente, em geral algo como "botar muitos ovos e esperar pelo melhor". Sem a capacidade de escrever novos programas, seu único mantra disponível é: se você não pode pensar melhor do que os oponentes, supere-os em número.

Então existem animais conscientes? Atualmente a ciência não tem meios de fazer uma medição para responder à pergunta – mas eu proponho duas intuições. Primeira, a consciência provavelmente não é uma propriedade tudo-ou-nada, mas tem gradações. Segundo, sugiro que o *grau de consciência* de um animal terá paralelo com sua

flexibilidade intelectual. Quanto mais sub-rotinas um animal possui, mais ele exigirá um CEO que lidere a organização. O CEO mantém as sub-rotinas unificadas; é o capataz dos zumbis. Para colocar de outra maneira, uma pequena empresa não precisa de um CEO que ganhe três milhões de dólares por ano, mas uma grande corporação, sim. A única diferença é o número de trabalhadores que o CEO precisa controlar, alocar e as metas que precisa estabelecer para eles.*
Se você colocar um ovo vermelho num ninho de gaivota-argêntea, a ave ficará frenética. A cor vermelha incita a agressividade na ave enquanto o formato do ovo incita o comportamento de chocar – e, como consequência, ela tenta ao mesmo tempo atacar o ovo e incubá-lo.[45] Está operando dois programas de uma vez, com um resultado improdutivo. O ovo vermelho incita a soberania e programas conflitantes, gravados no cérebro da gaivota como feudos concorrentes. A rivalidade existe, mas a ave não tem capacidade de arbitrar a serviço da cooperação tranquila. Da mesma maneira, se uma fêmea de esgana-gata invade o território de um macho, o macho exibirá simultaneamente comportamento de ataque e corte, e de nenhuma maneira para conquistar a fêmea. O pobre macho de esgana-gata parece ser simplesmente uma coleção de programas zumbis incitados por simples estímulos do tipo chave e fechadura (*Invasão! Fêmea!*) e as sub-rotinas não encontraram nenhum método de arbitrar entre elas. Isto me parece sugerir que a gaivota-argêntea e o esgana-gata não são particularmente conscientes.

Proponho que um indicador útil da consciência é a capacidade de mediar com sucesso sistemas zumbis conflitantes. Quanto mais um animal parece uma desordem de sub-rotinas de estímulos e respostas, menos dá prova de consciência; quanto mais pode coordenar, adiar a recompensa e aprender novos programas, mais consciente ele

---

* É possível que haja outras vantagens em ter um grande conjunto de sistemas alheios com distribuição flexível. Por exemplo, isto pode reduzir nossa previsibilidade a predadores. Se você só tem uma sub-rotina e a opera o tempo todo, um predador saberia exatamente como pegá-lo (pense nos crocodilos fitando os antílopes que nadam por rios africanos da mesma maneira, na mesma época, todo ano). Os conjuntos mais complexos de sistemas alheios desfrutam não só de flexibilidade, mas de uma dose melhor de imprevisibilidade.

pode ser. Se esta perspectiva estiver correta, no futuro uma bateria de testes poderá gerar uma escala aproximada do grau de consciência de uma espécie. Pense no rato desnorteado que vimos perto do início do capítulo que, preso entre o impulso de avançar para a comida e outro de fugir do choque, fica empacado entre os dois e vacila. Sabemos como é ter momentos de indecisão, mas nossa capacidade humana de julgar entre programas nos permite escapar destes enigmas e tomar uma decisão. Rapidamente encontramos maneiras de nos persuadirmos ou nos punirmos por um resultado ou outro. Nosso CEO é bastante sofisticado para nos tirar dos impasses simples que podem paralisar completamente o pobre rato. Pode ser assim que nossa mente consciente – que só tem um pequeno papel em nossa função neural total – realmente brilha.

AS MULTIDÕES

Vamos voltar a como isto nos permite pensar em nosso cérebro de uma nova maneira – isto é, como o sistema de equipe de rivais nos permite abordar mistérios que seriam inexplicáveis se considerássemos a perspectiva dos programas de computador tradicionais ou da inteligência artificial.

Considere o conceito de um segredo. O que mais se sabe dos segredos é que guardá-los não é saudável para o cérebro.[46] O psicólogo James Pennebaker e colaboradores estudaram o que acontece quando vítimas de estupro e incesto, agindo por vergonha ou culpa, preferem guardar segredo. Depois de anos de estudo, Pennebaker concluiu que "o ato de *não* discutir ou confidenciar o evento com outros pode ser mais prejudicial do que ter vivido o evento *per se*".[47] Ele e sua equipe descobriram que, quando os participantes confessavam ou escreviam sobre seus segredos bem guardados, sua saúde melhorava, o número de consultas ao médico declinava e havia um decréscimo mensurável em seus níveis de hormônio do estresse.[48]

Os resultados são bem claros, mas alguns anos atrás comecei a perguntar a mim mesmo como compreender essas descobertas do ponto de vista da ciência do cérebro. E isto levou a uma questão que percebi que não era abordada na literatura científica: o que *é* um segredo, da perspectiva da neurobiologia? Imagine construir uma rede neural artificial de milhões de neurônios interligados – como um segredo seria ali? Poderia uma torradeira, com suas partes interligadas, abrigar um segredo? Temos sistemas científicos úteis para compreender a doença de Parkinson, a percepção das cores e a sensação de temperatura – mas nenhum para entender o que significa para o cérebro ter e guardar um segredo.

No sistema da equipe de rivais, um segredo é facilmente compreendido: é o resultado da luta entre partidos concorrentes no cérebro. Uma parte do cérebro quer revelar alguma coisa, outra parte não quer. Quando há votos conflitantes no cérebro – um para contar, outro para guardar –, isto define o segredo. Se nenhuma parte se importa de contar, é apenas um fato tedioso; se as duas partes querem contar, é uma boa história. Sem o sistema da rivalidade, não teríamos como compreender um segredo.* O motivo para um segredo ser vivido conscientemente é que ele resulta de uma rivalidade. Não é corriqueiro, e portanto o CEO é convocado a lidar com ele.

O principal motivo para não se revelar um segredo é uma aversão às consequências de longo prazo. Um amigo pode pensar mal de você, ou um amante pode ficar magoado, ou uma comunidade pode colocá-lo no ostracismo. Esta preocupação com o resultado é evidenciada pelo fato de que é mais provável que as pessoas contem seus segredos a completos estranhos; com alguém que você não conhece, o conflito neural pode ser dissipado sem custo nenhum. Por isso os estranhos podem ser tão sociáveis nos aviões, contando todos os detalhes de seus problemas conjugais, e por essa razão os confessionários continuam a ser um importante elemento de uma das maiores religiões do mundo. Pode explicar também o apelo da oração, em espe-

---

* Algumas pessoas são, por constituição, incapazes de guardar segredos, e este equilíbrio pode nos dizer algo sobre as batalhas travadas em seu íntimo e para que lado elas tendem. Os bons espiões e agentes secretos são aqueles cujas batalhas sempre pendem para a decisão de longo prazo em vez da emoção de contar.

cial naquelas religiões que têm muitos deuses pessoais, deidades que emprestam os ouvidos com uma atenção indivisa e um amor infinito.

O mais recente exemplo desta necessidade ancestral de contar segredos a um estranho pode ser encontrado na forma de websites como o postsecret.com, onde as pessoas revelam anonimamente suas confissões. Aqui estão alguns exemplos: "Quando minha filha nasceu morta, eu não só pensei em sequestrar um bebê, como planejei tudo mentalmente. Até me vi olhando mães recentes com seus filhos, tentando escolher o que fosse perfeito"; "Eu estou quase certo de que seu filho tem autismo, mas não sei como contar a você"; "Às vezes eu me pergunto por que meu pai abusou de minha irmã, mas não de mim. Eu não prestava para ele?"

Como você sem dúvida percebeu, conta-se um segredo em geral pelo próprio bem, e não como um convite para um conselho. Se o ouvinte vê uma solução óbvia para um problema revelado pelo segredo e comete o erro de sugeri-la, isto frustrará quem o conta – e ele *realmente* queria contar. O ato de contar um segredo pode ser em si a solução. Uma questão em aberto é por que o ouvinte dos segredos deve ser humano – ou semelhante a isso, no caso das deidades. Contar seus segredos a uma parede, um lagarto ou uma cabra é muito menos satisfatório.

CADÊ O C3PO?

Quando eu era criança, imaginava que teríamos robôs hoje em dia – robôs que nos trariam comida, lavariam nossas roupas e conversariam conosco. Mas algo deu errado no campo da inteligência artificial, e assim o único robô em minha casa é um aspirador de pó autodirigido moderadamente idiota.

Por que a inteligência artificial empacou? A resposta é clara: a inteligência se provou um problema tremendamente complicado. A natureza teve a oportunidade de fazer trilhões de experimentos ao longo de bilhões de anos. O homem vem arranhando o problema só há algumas décadas. Na maior parte desse tempo, nossa abordagem tem sido preparar a inteligência do zero – mas só recentemente o campo mudou de rumo. Para fazer um progresso significativo na construção de robôs que pensam, agora está claro que precisamos decifrar os truques que a natureza imaginou.

Sugiro que o sistema de equipe de rivais terá um importante papel no impulso ao campo empacado da inteligência artificial. Abordagens anteriores deram o passo útil de dividir o trabalho – mas os programas resultantes nada podem fazer sem as opiniões divergentes. Se quisermos inventar robôs que pensam, nosso desafio é não apenas desenvolver um subagente para resolver com engenhosidade cada problema, mas reinventar incessantemente subagentes, cada um com soluções coincidentes, e depois colocá-los um contra o outro. As facções coincidentes oferecem proteção contra a degradação (pense na reserva cognitiva), assim como a solução de problemas por abordagens inesperadas.

Os programadores humanos abordam um problema supondo que haja uma *melhor* maneira de resolvê-lo, ou que haja uma maneira que *deve* ser resolvida pelo robô. Mas a principal lição que podemos extrair da biologia é que é melhor cultivar uma equipe de populações que ataquem o problema de maneiras diferentes e sobrepostas. O sistema de equipe de rivais sugere que a melhor abordagem é abandonar a questão "Qual é a maneira mais engenhosa de resolver o problema?" em favor de "Existem maneiras múltiplas e sobrepostas de resolver este problema?".

Provavelmente, a melhor maneira de cultivar uma equipe é pelo uso de uma abordagem evolutiva, gerando aleatoriamente pequenos programas e deixando que se reproduzam com pequenas mutações. Esta estratégia nos permitirá descobrir continuamente soluções em vez de tentar pensar em uma solução perfeita do zero. Como declara a segunda lei do biólogo Leslie Orgel: "A evolução é mais inteligente do que você." Se eu tivesse uma lei da biologia, seria: "Evolua soluções; quando encontrar uma boa, *não pare.*"

Até agora, a tecnologia não tirou proveito da ideia de uma arquitetura democrática – isto é, o sistema de equipe de rivais. Embora seu computador seja formado de milhares de componentes especializados, eles nunca colaboram nem discutem. Sugiro que a organização democrática baseada no conflito – resumida como arquitetura da equipe de rivais – levará a uma nova era frutífera de maquinaria de inspiração biológica.[49]

A principal lição deste capítulo é que você é composto de um parlamento inteiro de peças e subsistemas. Além de um conjunto de subsistemas locais especialistas, somos conjuntos de mecanismos sobrepostos que se reinventam continuamente, um grupo de facções concorrentes. A mente consciente fabrica histórias para explicar a dinâmica às vezes inexplicável dos subsistemas dentro do cérebro. Pode ser inquietante considerar até que ponto todos os nossos atos são impelidos por sistemas arraigados, fazendo o que fazem melhor, enquanto nós dispomos histórias sobre nossas escolhas.

Observe que a população da sociedade mental nem sempre vota exatamente do mesmo jeito. Este reconhecimento em geral fica ausente nas discussões da consciência, que pressupõe que o que deve ser você é o mesmo de um dia para o outro, de momento a momento. Às vezes você é capaz de ler bem; em outras ocasiões, divaga. Às vezes você pode achar todas as palavras certas; em outras, sua língua se embaralha. Em uns dias, você é firme como uma rocha; em outros, atira a cautela ao vento. Então quem é você realmente? Como observou o ensaísta francês Michel de Montaigne: "Há tanta diferença entre nós e nós mesmos como há entre nós e os outros."

Em qualquer momento, uma nação é mais prontamente definida por seus partidos políticos no poder. Mas também é definida pelas opiniões políticas que abriga nas ruas e nas salas de estar. Uma compreensão abrangente de uma nação deve incluir aqueles partidos que não estão no poder, mas que podem ascender, nas circunstâncias certas. Da mesma maneira, você é composto de suas multidões, embora em qualquer momento sua manchete consciente possa envolver apenas um subgrupo de todos os partidos políticos.

Voltando a Mel Gibson e sua arenga de bêbado, podemos perguntar se existe algo chamado "verdadeiras" cores. Vimos que o comportamento é o resultado da batalha entre sistemas internos. Quero esclarecer que não estou defendendo o comportamento desprezível de Gibson, mas dizendo que um cérebro de equipe de rivais pode naturalmente abrigar sentimentos racistas e não racistas. O álcool não é um soro da verdade. Ele tende a pender a batalha para a facção de curto prazo, que não reflete – e tem, mais ou menos, o direito de qualquer outra facção a ser a "verdadeira". Mas ora, podemos *nos importar* com a facção irracional em alguém, porque ela define até que ponto elas são *capazes* de comportamento antissocial e perigoso. Certamente é racional preocupar-se com este aspecto de uma pessoa, e faz sentido dizer: "Gibson é capaz de antissemitismo." No fim, podemos falar razoavelmente das cores "mais perigosas" de alguém, mas as cores "verdadeiras" podem ser uma expressão errônea e sutilmente perigosa.

Com isto em mente, podemos voltar a um lapso na desculpa de Gibson: "Não há desculpas, nem deve haver nenhuma tolerância para com qualquer um que pense ou expresse qualquer observação antissemita." Vê o erro aqui? Alguém que *pensa* assim? Eu adoraria que não houvesse nem mesmo um pensamento antissemita, mas temos pouca esperança de controlar as patologias da xenofobia que às vezes infestam os sistemas alheios. A maior parte do que chamamos pensamento acontece sob a superfície do controle cognitivo. Esta análise não pretende isentar Mel Gibson por seu comportamento detestável, mas pretende, sim, destacar uma questão levantada por tudo o que aprendemos até agora: se o você consciente tem menos controle sobre a maquinaria mental do que intuíamos, o que tudo isso significa para a responsabilidade? É a esta questão que nos voltaremos agora.

6

POR QUE A QUESTÃO NÃO É A IMPUTABILIDADE

OS PROBLEMAS SUSCITADOS PELO HOMEM NA TORRE

No primeiro dia de calor opressivo de agosto de 1966, Charles Whitman pegou um elevador para o último andar da torre da Universidade do Texas, em Austin.[1] O jovem de 25 anos subiu três lances de escada até o deque de observação, levando uma mala cheia de armas e munição. No alto, matou um recepcionista com a coronha do rifle. Depois atirou em duas famílias de turistas que subiam a escada, antes de disparar indiscriminadamente do deque nas pessoas na rua. A primeira mulher que baleou estava grávida. Outros correram para ajudá-la e ele também os baleou. Atirou em pedestres na rua e nos motoristas de ambulância que vinham resgatá-los.

Na noite da véspera, Whitman sentou-se à sua máquina de escrever e compôs o seguinte bilhete de suicida:

> Não me entendo ultimamente. Eu deveria ser um jovem medianamente razoável e inteligente. Mas, ultimamente (não me lembro quando começou), tenho sido vítima de muitos pensamentos incomuns e irracionais.

À medida que eram divulgadas as notícias do tiroteio, todos os policiais de Austin receberam ordens de se dirigirem ao campus. Depois de várias horas, três policiais e um cidadão rapidamente arregimentado subiram a escada e conseguiram matar Whitman no deque. Além de Whitman, 13 pessoas morreram e 33 ficaram feridas.

A história do ataque violento de Whitman dominou as manchetes do país no dia seguinte. E quando a polícia investigou sua casa à procura de pistas, a história tornou-se ainda mais soturna: nas primeiras horas da manhã, antes do tiroteio, ele tinha assassinado a mãe e matado a mulher a facadas enquanto ela dormia. Depois destas primeiras mortes, voltou a seu bilhete de suicida, agora escrito à mão.

> Depois de muito refletir, decidi matar minha mulher, Kathy, esta noite. (...) Eu a amo muito e ela foi uma boa esposa para mim, como qualquer homem poderia esperar. Não consigo situar racionalmente nenhum motivo específico para fazer isto. (...)

Junto com o choque dos assassinatos havia outra surpresa mais oculta: a justaposição de seus atos aberrantes e sua vida pessoal comum. Whitman era um ex-escoteiro e fuzileiro naval, trabalhava como caixa em um banco e como chefe voluntário da quinta tropa de escoteiros de Austin. Quando criança, marcou 138 pontos no teste de QI Stanford Binet, o que colocou no percentil de 0,1. Assim, depois do tiroteio indiscriminado e sangrento da torre da Universidade do Texas, todos queriam respostas.

Aliás, Whitman também queria. Pediu em seu bilhete de suicídio que uma autópsia fosse realizada para determinar se algo tinha mudado em seu cérebro – porque ele suspeitava disto. Alguns meses antes do tiroteio, Whitman escrevera no diário:

> Conversei com um médico uma vez por cerca de duas horas e tentei transmitir a ele meus medos, de que eu me sentia dominado por impulsos violentos incontroláveis. Depois de uma sessão, não voltei a ver o médico e desde então tenho lutado com meu tumulto mental sozinho, e aparentemente em vão.

O corpo de Whitman foi levado ao necrotério, o crânio colocado sob a serra de ossos e o legista retirou o cérebro de sua câmara. Descobriu que o cérebro de Whitman abrigava um tumor com o diâmetro aproximado de uma moeda. Este tumor, chamado glioblastoma, desenvolveu-se por baixo de uma estrutura de nome tálamo, invadiu o hipotálamo e comprimiu uma terceira região, chamada amídala.[2] A amídala está envolvida na regulação emocional, em especial com respeito ao medo e à agressividade. No final dos anos 1800, pesquisadores descobriram que danos na amídala causavam perturbação emocional e social.[3] Na década de 1930, os biólogos Heinrich Kluver e Paul Bucy demonstraram que danos à amídala de macacos levavam a uma constelação de sintomas que incluíam ausência de medo, entorpecimento da emoção e reação exagerada.[4] As fêmeas com danos na amídala mostraram comportamento materno inadequado, em geral negligenciando ou maltratando fisicamente os filhotes.[5] Em seres humanos normais, a atividade na amídala aumenta quando as pessoas estão diante de rostos ameaçadores, são colocadas em situações assustadoras ou vivem fobias sociais.

A intuição de Whitman a respeito de si mesmo – de que algo em seu cérebro alterava seu comportamento – foi muito acertada.

> Imagino que pareça que eu matei brutalmente as duas pessoas que mais amava. Só estava tentando fazer um trabalho rápido. (...) Se minha apólice de seguro de vida for válida, por favor, paguem minhas dívidas (...) doem o resto anonimamente a uma fundação de saúde mental. Talvez a pesquisa possa evitar outras tragédias deste tipo.

Outros também perceberam as mudanças. Elaine Fuess, amiga íntima dos Whitman, observou: "Mesmo quando ele parecia perfeitamente normal, dava a sensação de tentar controlar alguma coisa nele mesmo." Presumivelmente, essa "coisa" era seu conjunto de programas zumbis furiosos e agressivos. Suas partes mais frias e racionais estavam em batalha com as partes violentas e reativas, mas os danos do tumor favoreceram um lado e não era mais uma luta justa.

Será que a descoberta do tumor cerebral de Whitman modifica seus sentimentos pelos assassinatos insensatos que ele cometeu? Se

Whitman tivesse sobrevivido àquele dia, o tumor regularia a sentença que você consideraria adequada para ele? O tumor alteraria o grau de "culpa" a que você considera dele? Não poderia você mesmo ter a falta de sorte de desenvolver um tumor e perder o controle sobre seu comportamento?

Por outro lado, não seria arriscado concluir que as pessoas com um tumor são de certo modo livres de culpa, ou que elas não deveriam ser responsabilizadas por seus crimes?

O homem da torre com a massa no cérebro nos leva ao coração da questão da culpabilidade. Para colocar no jargão jurídico: ele era *imputável*? Até que ponto alguém tem culpa se seu cérebro está lesionado de tal maneira que não lhe resta alternativa? Afinal, não somos independentes de nossa biologia, não é verdade?

MUDE O CÉREBRO, MUDE A PESSOA: OS INESPERADOS PEDÓFILOS, CLEPTOMANÍACOS E JOGADORES

O caso de Whitman não é isolado. Na interface entre a neurociência e a lei, casos envolvendo danos cerebrais brotam com uma frequência cada vez maior. À medida que desenvolvemos tecnologias melhores para sondar o cérebro, detectamos mais problemas.

Considere o caso de um homem de quarenta anos que chamaremos de Alex. A mulher de Alex, Julia, começou a perceber uma mudança nas preferências sexuais do marido. Pela primeira vez nas duas décadas em que ela o conhecia, ele começou a demonstrar interesse por pornografia infantil. E não era pouco interesse, era dominador. Ele despendia tempo e energia em visitas a sites de pornografia infantil e uma coleção de revistas. Também solicitava prostituição de uma jovem em um salão de massagem, algo que nunca havia feito. Este não era mais o homem com quem Julia se casara e ela ficou alarmada com a mudança em seu comportamento. Ao mesmo tempo, Alex reclamava de dores de cabeça que se agravavam. E assim Julia o levou ao médico da família, que o enviou a um neurologista. Alex passou por um escâner no cérebro, que revelou um tumor imenso no córtex orbitofrontal.[6] Os neurocirurgiões retiraram o tumor. O apetite sexual de Alex voltou ao normal.

A história de Alex ressalta um ponto central profundo: quando sua biologia muda, podem mudar sua tomada de decisão, seus apetites e seus desejos. Os impulsos que você toma por certos ("Sou hetero/homossexual", "Sou atraído a crianças/adultos", "Sou agressivo/tranquilo" e assim por diante) dependem de pormenores intrincados de sua maquinaria neural. Embora agir segundo estes impulsos seja popularmente considerado uma questão de livre-arbítrio, o exame mais apressado das evidências demonstram os limites deste pressuposto; veremos outros exemplos daqui a pouco.

A lição do caso de Alex é reforçada pelo seguimento inesperado de sua história. Cerca de seis meses após a cirurgia no cérebro, seu comportamento pedófilo começou a voltar. A mulher o levou novamente aos médicos. O neurorradiologista descobriu que uma parte do tumor escapara à cirurgia e estava crescendo – e Alex voltou a entrar na faca. Depois da remoção do restante do tumor, seu comportamento voltou ao normal.

A repentina pedofilia de Alex ilustra que impulsos e desejos ocultos podem espreitar escondidos por trás da maquinaria neural de socialização. Quando o lobo frontal é comprometido, as pessoas tornam-se "desinibidas", desmascarando a presença de elementos mais fracos da democracia neural. Seria então correto dizer que Alex era "fundamentalmente" um pedófilo, meramente socializado para resistir a seus impulsos? Talvez, mas antes de atribuirmos rótulos, considere que você não iria querer descobrir as sub-rotinas alheias que espreitam sob seu próprio córtex frontal.

Um exemplo comum deste comportamento desinibido é visto em pacientes com demência frontotemporal, uma doença trágica em que há degeneração dos lobos frontal e temporal. Com a perda de tecido encefálico, os pacientes perdem a capacidade de controlar os impulsos ocultos. Para frustração de seus entes queridos, esses pacientes desenterram uma variedade interminável de maneiras de violar as normas sociais: roubar artigos na frente dos gerentes de loja, tirar a roupa em público, ultrapassar placas de pare, começar a cantar em momentos inapropriados, comer restos de comida encontrados em lixeiras públicas ou ser fisicamente agressivos ou sexualmente transgressores. Os pacientes com demência frontotemporal em geral acabam nos tribunais, onde seus advogados, médicos e constrangidos filhos adultos devem explicar ao juiz que a violação não foi *culpa* do perpetrador, exatamente; grande parte de seu cérebro degenerou e não existe medicação que impeça isto. Cinquenta e sete por cento dos pacientes com demência frontotemporal exibem comportamento socialmente transgressor, colocando-os em problemas com a lei, comparados a apenas 7% dos pacientes de Alzheimer.[7]

Em outro exemplo de alterações no cérebro levando a modificações no comportamento, considere o que aconteceu no tratamento da doença de Parkinson. Em 2001, famílias e enfermeiros de pacientes de Parkinson começaram a perceber algo estranho. Quando os pacientes recebiam uma droga chamada pramipexol, parte deles passava a fazer apostas.[8] E não só apostas fortuitas – transformaram-se em jogadores patológicos. Eram pacientes que nunca haviam exibido este comportamento e pegavam aviões para Las Vegas. Um homem de 68 anos acumulou perdas de mais de 200 mil dólares em seis meses numa série de cassinos. Alguns pacientes tornaram-se consumidos pelo pôquer pela internet, acumulando contas impagáveis de cartão de crédito. Muitos faziam o que podiam para esconder as perdas das famílias. Para alguns, o novo vício ia além de apostar, passando ao comer e consumir álcool compulsivos e à hipersexualidade.

O que estava havendo? Você pode ter visto a medonha pilhagem do Parkinson, um distúrbio degenerativo em que as mãos tremem, pernas e braços enrijecem, as expressões faciais tornam-se vazias e o equilíbrio do paciente piora progressivamente. A doença de Parkinson resulta da perda de células no cérebro que produzem um neurotransmissor conhecido como dopamina. Para tratar o Parkinson é preciso aumentar os níveis de dopamina do paciente – em geral aumentando a produção da substância no corpo, às vezes usando medicamentos que se ligam diretamente aos receptores de dopamina. Mas acontece que a dopamina é uma substância de duplo papel no cérebro. Junto com sua importância no comando motor, também serve como principal mensageiro nos sistemas de recompensa, orientando uma pessoa para comida, bebida, parceiros e todas as coisas úteis à sobrevivência. Devido a seu papel no sistema de recompensa, os desequilíbrios na dopamina podem incitar o hábito de apostar, comer demais e o vício em drogas – comportamentos que resultam de um sistema de recompensa alterado.[9]

Os médicos agora observam estas mudanças de comportamento como um possível efeito colateral de drogas domapinérgicas como o pramipexol e há um alerta claro no rótulo. Quando surge um problema de jogo compulsivo, as famílias e enfermeiros são instruídos a esconder o cartão de crédito do paciente e monitorar atentamente suas atividades online e andanças pela cidade. Por sorte, os efeitos da droga são reversíveis – o médico simplesmente baixa a dosagem e a compulsão pelo jogo passa.

A lição é clara: uma leve mudança no equilíbrio da química do cérebro pode causar grandes mudanças no comportamento. O comportamento do paciente não pode ser isolado de sua biologia. Se preferirmos acreditar que as pessoas têm livre-arbítrio com relação a seu comportamento (por exemplo, "eu não jogo porque tenho força de vontade"), casos como o de Alex e a pedofilia, os cleptomaníacos frontotemporais e os pacientes de Parkinson apostadores podem nos estimular a examinar nossas opiniões com mais atenção. Talvez nem todos sejam igualmente "livres" para fazer escolhas socialmente corretas.

AONDE VOCÊ VAI, ONDE VOCÊ ESTEVE

Muitos preferem acreditar que todos os adultos têm a mesma capacidade de tomar decisões sensatas. É uma boa ideia, mas equivocada.

Os cérebros das pessoas podem ser muito diferentes – influenciados não só pela genética, mas pelo ambiente em que foram criadas. Muitos "patógenos" (químicos e comportamentais) podem influenciar seu comportamento; estes incluem abuso de substâncias pela mãe durante a gravidez, estresse materno e baixo peso ao nascimento. Durante a fase de crescimento, negligência, maus-tratos físicos e lesões na cabeça podem causar problemas no desenvolvimento mental da criança. Depois que a criança é adulta, o abuso de substâncias e exposição a uma variedade de toxinas podem lesionar o cérebro, modificando a inteligência, a agressividade e a capacidade de tomada de decisões.[10] O forte movimento para proibir tintas com base de chumbo surgiu de uma compreensão de que até níveis baixos de chumbo podem provocar danos cerebrais que tornam crianças menos inteligentes e, em alguns casos, mais impulsivas e agressivas. No que você se torna depende de onde você esteve. Assim, quando se vem a pensar na imputabilidade, a primeira dificuldade a considerar é que as pessoas não escolhem seu caminho de desenvolvimento.

Como veremos, esta compreensão não livra a cara de criminosos, mas é importante para orientar esta discussão com uma compreensão clara de que as pessoas têm pontos de partida muito diferentes.

É problemático imaginar-se na pele de um criminoso e concluir: "Ora, *eu* não teria feito isso" – porque, se você não foi exposto a cocaína no útero, envenenamento por chumbo ou maus-tratos físicos, e ele sim, então você e ele não são diretamente comparáveis. Os dois cérebros são diferentes; você não pode se colocar na pele dele. Mesmo que preferisse imaginar como seria ser igual a ele, você não conseguiria muita coisa com isso.

Quem você pode ser começa bem antes de sua infância – começa na concepção. Se você acha que os genes não têm importância no comportamento das pessoas, pense neste fato admirável: se você é portador de um conjunto determinado de genes, sua probabilidade de cometer um crime violento aumenta em 882 *por cento*. Aqui estão as estatísticas do Departamento de Justiça dos Estados Unidos, que dividi em dois grupos: crimes cometidos pela população que porta este conjunto determinado de genes, e aqueles da população que não os portam:

Média de crimes violentos cometidos anualmente nos Estados Unidos

Crime	Portadores dos genes	Não portadores dos genes
Agressão com agravantes	3.419.000	435.000
Homicídio	14.196	1.468
Assalto à mão armada	2.051.000	157.000
Ataque sexual	442.000	10.000

Em outras palavras, se você é portador destes genes, tem uma probabilidade oito vezes maior de cometer agressão com agravantes, dez vezes maior de cometer assassinato, 13 vezes maior de cometer assalto à mão armada e 44 vezes maior de cometer um crime sexual.

Cerca de metade da população humana porta esses genes, enquanto a outra metade não é portadora, tornando a primeira metade muito mais perigosa. E isto não é um concurso. A maioria esmagadora dos prisioneiros é de portador desses genes, assim como 98,4% dos que estão no corredor da morte. Parece bem claro que os portadores são fortemente predispostos a um comportamento diferente – e essas estatísticas, sozinhas, indicam que não podemos presumir que todos chegam ao mundo igualmente equipados em termos de impulsos e comportamentos.

Voltaremos a esses genes daqui a pouco, mas primeiro quero levar a questão de volta ao ponto principal que vimos por todo o livro: não somos os únicos que dirigem o barco de nosso comportamento, pelo menos não tanto como acreditamos. *Quem nós somos* corre bem abaixo da superfície de nosso acesso consciente, e os pormenores remontam a tempos anteriores a nosso nascimento, quando o encontro de um espermatozoide com um óvulo nos dotou de determinados atributos e não de outros. *Quem podemos ser* começa com nossas plantas moleculares – uma série de códigos alheios escritos em sequências invisíveis de ácidos – bem antes de termos algo a ver com isso. Somos o fruto de nossa história microscópica e inacessível.

Aliás, com relação a esse perigoso conjunto de genes, você já deve ter ouvido falar deles. São resumidos como o cromossomo Y. Se você é portador, pode ser chamado de homem.

Quando se trata de natureza e criação, a questão que importa é que *você não escolhe nem uma, nem outra*. Cada um de nós é construído a partir de uma planta genética e nasce num mundo de circunstâncias sobre as quais não tem escolha em nossos anos de formação. Graças às interações complexas de genes e ambiente, os cidadãos de nossa sociedade possuem perspectivas diferentes, personalidades heterogêneas e capacidades variadas para tomar decisões. Estas não são *escolhas de livre-arbítrio* dos cidadãos; são as mãos de cartas com que temos de lidar.

Como não escolhemos os fatores que afetaram a formação e a estrutura de nosso cérebro, os conceitos de livre-arbítrio e responsabilidade pessoal começam a aparecer com pontos de interrogação. Será importante dizer que Alex fez más *escolhas*, embora seu tumor cerebral não fosse culpa dele? Seria justificável dizer que os pacientes com demência frontotemporal ou Parkinson deveriam ser *castigados* por seu mau comportamento?

Se parece que estamos tomando um rumo desagradável – um rumo que deixa livres os criminosos –, continue a ler, por favor, porque vou mostrar a lógica de um novo argumento em detalhes. A conclusão será de que podemos ter um sistema de justiça baseado em provas, pelo qual continuaremos a tirar os criminosos das ruas, mas mudaremos nossos motivos para as punições e nossas oportunidades de reabilitação. Quando a moderna ciência do cérebro é vista com clareza, é difícil justificar como nosso sistema judiciário pode continuar a funcionar sem ela.

A QUESTÃO DO LIVRE-ARBÍTRIO E POR QUE A RESPOSTA PODE NÃO TER IMPORTÂNCIA

O homem é uma obra-prima da criação, no mínimo porque nenhum determinismo impede que ele acredite agir como um ser livre.

– Georg C. Lichtenberg, *Aphorisms*

Em 20 de agosto de 1994, em Honolulu, no Havaí, uma elefanta de circo chamada Tyke apresentava-se diante de uma multidão de centenas de pessoas. A certa altura, por motivos mascarados nos neurocircuitos da elefanta, ela teve um surto. Feriu com as presas o tratador, Dallas Beckwith, depois pisoteou o treinador, Allen Beckwith. Na frente da plateia apavorada, Tyke irrompeu pelas barreiras da arena; ao sair, atacou um relações-públicas de nome Steve Hirano. Toda a série de eventos sangrentos foi gravada em vídeo por espectadores do circo. Tyke andou a trote pelas ruas do distrito de Kakaako. Nos trinta minutos seguintes, policiais havaianos a perseguiram, disparando um total de 86 tiros na elefanta. Por fim, os ferimentos foram demais e Tyke desabou, morta.

Ataques de elefantes como estes não são raros, e a parte mais bizarra das histórias é o final. Em 1903, a elefanta Topsy matou três de seus tratadores em Coney Island e, numa exibição de nova tecnologia, foi eletrocutada por Thomas Edison. Em 1916, Mary, a elefanta que se apresentava com o Sparks World Famous Show, matou seu tratador diante de uma multidão no Tennessee. Reagindo às exigências de sede de sangue da comunidade, o dono do circo enforcou Mary num laço imenso em um guindaste ferroviário, a única forca conhecida para elefantes na história.

Nem precisamos nos incomodar em perguntar sobre a culpa de um desequilibrado elefante de circo. Não existem advogados especializados em defender elefantes, nem julgamentos, nem debates para atenuação biológica. Simplesmente lidamos com o elefante da maneira mais direta a fim de manter a segurança pública. Afinal, Tyke,

Topsy e Mary são vistas simplesmente como animais, nada além de uma coleção pesada de sistemas zumbis elefantinos.

Mas, quando se trata do ser humano, o sistema judiciário fundamenta-se no pressuposto de que *temos* livre-arbítrio – e somos julgados com base nesta liberdade percebida. Porém, uma vez que nosso circuito neural opera fundamentalmente os mesmos algoritmos daqueles de nossos primos paquidermes, faria sentido esta distinção entre homem e animais? Anatomicamente, nosso cérebro é composto de todas as mesmas partes, com nomes como *córtex*, *hipotálamo*, *formação reticular*, *fórnix*, *núcleo septal* e assim por diante. As diferenças nos planos de corpo e nichos ecológicos modificam ligeiramente os padrões de conectividade – mas, se não fosse por isso, encontraríamos em nosso cérebro os mesmos projetos encontrados no cérebro dos elefantes. Do ponto de vista evolutivo, as diferenças entre cérebros mamíferos existem apenas em detalhes mínimos. Então, onde está essa liberdade de escolha que supostamente entrou no circuito dos seres humanos?

No entender da justiça, o homem é um *raciocinador prático*. Usamos a ponderação consciente quando decidimos como vamos agir. Tomamos nossas próprias decisões. Assim, no sistema de justiça, um promotor não deve apenas demonstrar um ato culpável, mas também uma mente culpada. E como não há nada impedindo que a mente controle o corpo, presume-se que o agente seja plenamente responsável por seus atos. Esta visão do raciocinador prático é ao mesmo tempo intuitiva e – como a essa altura deve estar claro neste livro – profundamente problemática. Existe uma tensão entre a biologia e a lei sobre esta intuição. Afinal, somos impelidos a ser quem somos pelas vastas e complexas redes biológicas. Não chegamos ao mundo como tábulas rasas, livres para tomar o mundo e chegar a decisões abertas. Na realidade, não está claro que relação o *você* consciente – ao contrário do você genético e neural – tem com qualquer decisão.

Chegamos ao X da questão. Como exatamente devemos atribuir a culpabilidade a pessoas por seu comportamento variado, quando é difícil argumentar que não havia escolha?

Ou as pessoas têm como decidir sobre como agem, apesar de tudo? Mesmo em face de toda a maquinaria que constitui você, haveria uma vozinha interior independente da biologia, que orienta as decisões, que cochicha incessamente a coisa certa a fazer? Não é o que chamamos de livre-arbítrio?

A existência do livre-arbítrio no comportamento humano é tema de um antigo debate acalorado. Os que apoiam o livre-arbítrio em geral baseiam seus argumentos na experiência subjetiva direta (eu *sinto* que tomei uma decisão para levantar o dedo neste momento) que, como estamos prestes a ver, pode ser enganadora. Embora nossas decisões possam parecer escolhas livres, não existe nenhuma boa prova de que elas realmente o são.

Considere a decisão de se mover. Parece que o livre-arbítrio o leva a mostrar a língua, ou coçar o rosto, ou chamar alguém pelo nome. Mas o livre-arbítrio não é *necessário* a nenhum destes atos. Pense na síndrome de Tourette, em que uma pessoa sofre de movimentos e vocalizações involuntários. Um típico paciente de Tourette pode mostrar a língua, coçar o rosto, chamar alguém pelo nome – tudo isso sem *escolher* fazê-lo. Um sintoma comum da síndrome de Tourette é chamado de coprolalia, comportamento infeliz em que a pessoa grita palavras ou expressões socialmente inaceitáveis, como palavrões ou epítetos raciais. Infelizmente, para o paciente de Tourette, as palavras que saem de sua boca costumam ser a última coisa que ele quer dizer nesta situação: a coprolalia é incitada quando vê alguém ou algo que interditaria aquelas exclamações. Por exemplo, ao ver um obeso, ele pode ser compelido a gritar: "Balofo!" O caráter proibido do pensamento compele-o a gritar.

Os tiques motores e as exclamações inadequadas do paciente de Tourette não são gerados com o que chamaríamos de livre-arbítrio. Assim, logo aprendemos duas coisas sobre o paciente de Tourette. Primeira, a ação sofisticada pode ocorrer na ausência de livre-arbítrio. Isto quer dizer que testemunhar um ato complicado em nós mesmos ou em terceiros não deve nos convencer de que haja livre-arbítrio por trás dele. Segundo, o paciente de Tourette não consegue *deixar* de agir: ele não consegue usar o livre-arbítrio para anular ou controlar o que outras partes de seu cérebro decidiram fazer. Ele não tem *liberdade de não fazer*. O que a falta de livre-arbítrio e a falta da liberdade de não fazer têm em comum é a ausência de "liberdade".

A síndrome de Tourette nos proporciona um caso em que os sistemas zumbis tomam decisões e todos concordamos que a pessoa não é responsável.

Esta falta de livres decisões não é limitada aos pacientes de Tourette. Vemos também nos chamados distúrbios psicogênicos, em que os movimentos de mãos, braços, pernas e rosto são involuntários, embora certamente *pareçam* voluntários: pergunte a tal paciente por que ela está mexendo os dedos para cima e para baixo, e ela explicará que não tem controle sobre a mão. Ela não consegue não fazer.

Da mesma maneira, como vimos no capítulo anterior, os pacientes de cérebro dividido podem desenvolver a síndrome da mão alheia: enquanto uma das mãos abotoa uma camisa, a outra tenta desabotoá-la. Quando uma das mãos se estende para um lápis, a outra a afasta. Por mais que se esforce, o paciente não consegue fazer com que a mão alheia *não* faça o que está fazendo. Não cabe a "ele" decidir iniciar ou parar livremente.

Os atos inconscientes não são limitados a gritos ou gestos errantes e involuntários; podem ser surpreendentemente sofisticados. Pense em Kenneth Park, um homem de Toronto de 23 anos, com mulher, filha de cinco meses e uma relação próxima com os sogros. Sofrendo de dificuldades financeiras, problemas conjugais e um vício em jogo, ele pretendia visitar os sogros e conversar sobre seus problemas. A sogra, que o descreveu como um "gigante gentil", ansiava por discutir seus problemas com ele. Mas, um dia antes do encontro, nas primeiras horas da manhã de 23 de maio de 1987, Kenneth saiu da cama, mas não acordou. Sonâmbulo, entrou no carro e dirigiu 65 quilômetros até a casa dos sogros. Invadiu-a e matou a sogra a facadas, depois atacou o sogro, que sobreviveu. Depois disso, foi sozinho de carro à delegacia. Ao chegar, disse: "Acho que matei umas pessoas... minhas mãos", percebendo pela primeira vez que suas próprias mãos estavam gravemente cortadas. Ele foi levado ao hospital, onde os tendões da mão foram operados.

Em todo o ano que se seguiu, o testemunho de Kenneth foi extraordinariamente coerente, mesmo em face de tentativas de provocar uma contradição: ele não se lembrava de nada do incidente. Além disso, enquanto todas as partes concordavam que Kenneth sem dúvida nenhuma cometeu o assassinato, também concordavam que ele não tinha motivos para o crime. Seus advogados de defesa argumentaram que era um caso de assassinato por sonambulismo, conhecido como sonambulismo homicida.[12]

No julgamento em 1988, o psiquiatra Ronald Billings deu o seguinte testemunho de especialista:

P: Há alguma prova de que uma pessoa pode formular um plano enquanto está acordada e de alguma maneira garantir que seja realizado durante o sono?
R: Não, nenhuma. Provavelmente a característica mais impressionante do que sabemos acontecer na mente durante o sono é que ela é muito independente da atividade mental em vigília, em seus objetivos e assim por diante. Há uma falta de controle da direção de nossa mente no sono, se comparada com a vigília. No estado de vigília, em geral planejamos as coisas voluntariamente, o que chamamos de volição – isto é, decidimos fazer isto e não aquilo – e não há provas de que isto ocorra durante o episódio de sonambulismo. (...)
P: E supondo-se que ele estivesse sonâmbulo naquele momento, teria ele a capacidade de planejar?
R: Não.
P: Teria ele avaliado o que fazia?
R: Não, não teria.
P: Compreenderia ele as consequências do que fazia?
R: Não, não creio que pudesse. Acredito que tudo tenha sido uma atividade inconsciente, sem controle e mediação.

O sonambulismo homicida provou-se um desafio complicado para os tribunais, porque, enquanto a reação do público era gritar "impostor!", o cérebro na realidade opera em um estado diferente durante o sono e o sonambulismo é um fenômeno que pode ser verificado. Nos distúrbios do sono, conhecidos como parassonias, as enormes redes cerebrais nem sempre fazem a transição tranquila entre os estados de sono e vigília – podem ficar presas entre os dois. Dada a quantidade colossal de coordenação neural necessária para a transição (inclusive os padrões cambiantes de sistemas neurotransmissores, hormônios e atividade elétrica), talvez seja surpreendente que as parassonias não sejam mais comuns do que são.

Enquanto o cérebro normalmente emerge do sono de ondas lentas para estágios mais leves e finalmente para o despertar, o eletroencefalograma (EEG) de Kenneth mostrou um problema em que seu cérebro tentava emergir diretamente de uma fase de sono profundo para a vigília – e tentava esta transição arriscada de dez a vinte vezes por noite. Num cérebro adormecido normal, esta transição não é tentada nem ao menos uma vez por noite. Como não há maneira de Kenneth fingir os resultados do EEG, estas descobertas foram o argumento decisivo que convenceu o júri de que ele sofria realmente de um problema de sonambulismo – um problema grave o bastante para que ele capitulasse involuntariamente a seus atos. Em 25 de maio de 1988, o júri do caso Kenneth Parks declarou-o inocente do assassinato de sua sogra e, subsequentemente, da tentativa de assassinato do sogro.[13]

Como acontece com os pacientes de Tourette, com os que são sujeitos a distúrbios psicogênicos e pacientes de cérebro dividido, o caso de Kenneth ilustra que comportamentos de alto nível podem acontecer na ausência de livre-arbítrio. Como seu batimento cardíaco, a respiração, o piscar e a deglutição, até sua maquinaria mental pode operar no piloto automático.

POR QUE A QUESTÃO NÃO É A IMPUTABILIDADE

O X da questão é se *todos* os seus atos estão fundamentalmente no piloto automático ou se há algum tantinho que é "livre" para escolher, independentemente das regras da biologia. Este sempre foi o ponto de impasse para filósofos e cientistas. Pelo que podemos dizer, toda atividade no cérebro é impelida por outra atividade no cérebro, em uma rede amplamente complexa e interligada. Bem ou mal, isto parece não deixar espaço para nada *além de* atividade neural – isto é, não há espaço para um fantasma na máquina. Para considerar isto de outra perspectiva, se o livre-arbítrio deve ter algum efeito nos atos do corpo, ele precisa influenciar a atividade cerebral contínua. E para tanto ele deve estar fisicamente conectado a pelo menos alguns neurônios. Mas não encontramos nenhum ponto do cérebro que não seja em si impelido por outras partes da rede. Cada parte do cérebro é densamente interconectada com outras partes – e impelida por elas. E isto sugere que nenhuma parte é independente e portanto "livre".

Assim, em nossa atual compreensão da ciência, não podemos encontrar o hiato físico em que encaixar o livre-arbítrio – o causador sem causa –, porque não parece haver nenhuma parte da maquinaria que não siga uma relação causal com outras partes. Tudo o que se declarou aqui é previsto no que conhecemos neste momento da história, que certamente parecerá rudimentar daqui a um milênio; porém, a esta altura, não se pode ver com clareza como o problema de uma entidade não física (o livre-arbítrio) interage com uma entidade física (a matéria do cérebro).

Mas digamos que você ainda intui muito fortemente que tem livre-arbítrio, apesar das questões biológicas. Existe alguma maneira de a neurociência *testar* diretamente o livre-arbítrio?

Na década de 1960, um cientista chamado Benjamin Libet colocou eletrodos na cabeça de participantes e lhes pediu uma tarefa simples: levante o dedo num momento de sua própria escolha. Eles olhavam um cronômetro de alta precisão e foram solicitados a anotar o momento exato em que "sentiram o impulso" de fazer o movimento.

Libet descobriu que as pessoas se tornavam conscientes do impulso para se mexer cerca de um quarto de segundo antes de realmente fazer o movimento. Mas não foi isso o que surpreendeu. Ele examinou seus registros de EEG – as ondas cerebrais – e descobriu algo muito surpreendente: a atividade no cérebro começou a aumentar *antes* de eles sentirem o impulso para se mexerem. E não só um pouco. Por mais de um segundo. (Ver figura a seguir.) Em outras palavras, partes do cérebro tomavam decisões bem antes de a pessoa viver conscientemente o impulso.[14] Voltando à analogia do jornal da consciência, parece que nosso cérebro roda nos bastidores – desenvolvendo coalizões neurais, planejando ações, votando em planos – antes que recebamos a notícia de que acabamos de ter a ótima ideia de levantar um dedo.

Os experimentos de Libet provocaram uma comoção.[15] Seria verdade que a mente consciente é a última a receber uma informação na cadeia de comando? Será que este experimento meteu o prego no caixão do livre-arbítrio? O próprio Libet afligiu-se com esta possibilidade suscitada por seus experimentos, sugerindo por fim que podemos manter a liberdade na forma de poder de *veto*. Em outras palavras, embora não possamos controlar o fato de que temos o impulso para mover nosso dedo, talvez tenhamos uma janela mínima de tempo para evitar o erguer do dedo. Isto salvaria o livre-arbítrio? É difícil dizer. Apesar da impressão de que o poder de veto é livremente escolhido, não há provas que sugiram que ele também não seria resultado de atividade neural desenvolvida nos bastidores, oculta da visão consciente.

Foram propostos vários outros argumentos para tentar salvar o conceito do livre-arbítrio. Por exemplo, enquanto a física clássica descreve um universo estritamente determinista (cada coisa se segue da última de uma maneira previsível), a física quântica da escala atômica introduz a imprevisibilidade e a incerteza como parte inerente do cosmo. Os pais da física quântica perguntaram-se se esta nova ciência podia salvar o livre-arbítrio. Infelizmente, não pode. Um sistema probabilístico e imprevisível é tão pouco satisfatório quanto um sistema determinista, porque em ambos os casos não há escolha. Seja em jogos de cara ou coroa ou bolas de bilhar, nenhum dos casos equivale à liberdade no sentido que desejamos ter.

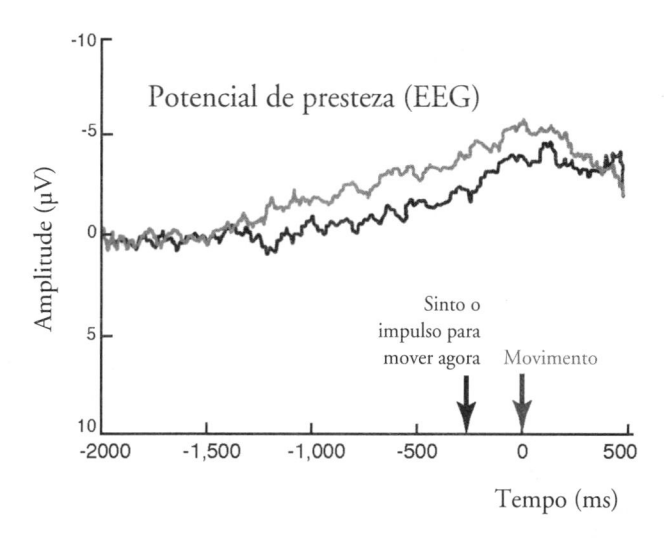

"Mova o dedo quando for tomado pelo impulso." Muito tempo antes de um movimento voluntário ser realizado, podemos medir um aumento de atividade neural. O "potencial de presteza" é maior quando os participantes julgam o tempo de seu impulso para mover (traço cinza), em vez do movimento em si (traço preto). De Eagleman, *Science*, 2004, adaptada de Sirigu et al., *Nature Neuroscience*, 2004.

Outros estudiosos que tentaram salvar o livre-arbítrio olharam a teoria do caos, observando que o cérebro é tão vastamente complexo que não há jeito, na prática, de determinar seus movimentos seguintes. Embora isto certamente seja verdade, não aborda de forma significativa o problema do livre-arbítrio, porque os sistemas estudados na teoria do caos ainda são deterministas: um passo leva inevitavelmente ao seguinte. É muito difícil prever para onde vão os sistemas caóticos, mas cada estado do sistema tem uma relação causal com o estado anterior. É importante destacar a diferença entre um sistema imprevisível e outro livre. No colapso de uma pirâmide de bolas de pingue-pongue, a complexidade do sistema impossibilita que se prevejam as trajetórias e as posições finais das bolas – mas cada bola, entretanto, segue as regras deterministas do movimento. Só porque não podemos dizer aonde tudo vai parar, não quer dizer que o conjunto de bolas seja "livre".

Assim, apesar de nossas esperanças e intuições sobre o livre-arbítrio, atualmente não há argumentos que determinem convincentemente sua existência.

A questão do livre-arbítrio importa muito pouco quando nos voltamos para a culpabilidade. Quando um criminoso se coloca diante do júri depois de cometer recentemente um crime, a justiça quer saber se ele é *imputável*. Afinal, se ele é fundamentalmente responsável por seus atos, saberemos como puni-lo. Você pode punir sua filha se ela escrever com lápis de cor nas paredes, mas não a castigaria se ela fizesse a mesma coisa enquanto dormia. Mas por que não? Ela é a mesma criança com o mesmo cérebro nos dois casos, não é? A diferença está em suas intuições sobre o livre-arbítrio: em um caso ela o tem, no outro, não. Em um está escolhendo agir com travessura, no outro ela é um autômato inconsciente. Você atribui a culpabilidade no primeiro caso, mas não no segundo.

O sistema de justiça partilha de sua intuição: a responsabilidade por seus atos se iguala ao controle volitivo. Se Kenneth Parks estava acordado quando matou os sogros, é culpado. Se estava dormindo, é absolvido. Da mesma forma, se você bate na cara de alguém, a lei quer saber se você estava sendo agressivo ou se tem hemibalismo, um distúrbio em que seus braços e pernas podem se agitar louca e subitamente. Se você bate o caminhão em uma barraca de frutas no acostamento, a lei quer saber se você estava dirigindo como um louco ou se foi vítima de um ataque cardíaco. Todas estas distinções giram em torno do pressuposto de que temos livre-arbítrio.

Mas será que temos? Não temos? A ciência ainda não conseguiu chegar a uma maneira de dizer sim, mas nossa intuição tem dificuldades para dizer não. Depois de séculos de debates, o livre-arbítrio ainda é um problema científico válido, relevante e em aberto.

Proponho que *a resposta à questão do livre-arbítrio não importa* – pelo menos não para fins de política social – e eis o porquê. No sistema judiciário, há uma defesa conhecida como *automatismo*. É alegada quando a pessoa realiza um ato automático – digamos, se uma crise epilética leva um motorista a dirigir para uma multidão. A defesa do automatismo é usada quando um advogado alega que um ato se deve a um processo biológico sobre o qual o réu teve pouco ou nenhum controle. Em outras palavras, houve um ato criminoso, mas não havia uma *escolha* por trás dele.

Mas espere um momento. Com base no que aprendemos, esses processos biológicos não descrevem a maior parte ou, alguns argumentariam, tudo o que acontece em nosso cérebro? Dado o poder de direção de nossa genética, das experiências de infância, de toxinas ambientais, hormônios, neurotransmissores e circuitos neurais, muitas decisões nossas estão além de nosso controle explícito e assim inquestionavelmente não estamos no comando. Em outras palavras, o livre-arbítrio *pode* existir – mas, se existe, tem muito pouco espaço em que operar. Assim, vou propor o que chamo de *princípio do automatismo suficiente*. O princípio surge naturalmente da compreensão de que o livre-arbítrio, se existir, é apenas um pequeno fator no alto de uma enorme maquinaria automatizada. Tão pequeno que podemos pensar em tomar uma decisão ruim da mesma maneira que pensamos em qualquer outro processo físico, como o diabetes ou a doença pulmonar.[16] O princípio declara que a resposta à questão do livre-arbítrio simplesmente não importa. Mesmo que o livre-arbítrio tenha sua existência conclusivamente provada daqui a cem anos, não alterará o fato de que o comportamento humano opera em grande parte quase sem ligar para a mão invisível da volição.

Para colocar de outra maneira, Charles Whitman, Alex, o pedófilo repentino, os cleptomaníacos frontotemporais, os pacientes de Parkinson viciados em jogo e Kenneth Parks compartilham o desfecho de que os atos não podem ser considerados separadamente da biologia de seus agentes. O livre-arbítrio não é tão simples como intuímos – e nossa confusão com ele sugere que não podemos usá-lo como base para decisões punitivas.

Ao considerar este problema, Lorde Bingham, presidente da Suprema Corte inglesa, recentemente afirmou o que se segue:

No passado, a lei tendia a basear sua abordagem (...) em uma série de pressupostos muito rudimentares: os adultos de capacidade mental competente são livres para escolher se agirão de uma ou outra maneira; presume-se que ajam racionalmente e no que concebem ser seus melhores interesses; possuem presciência das consequências de seus atos, como esperamos que pessoas conscientes de sua posição a tenham; em geral acredita-se no que dizem. Quaisquer que sejam os méritos e deméritos de pressupostos como estes no leque comum dos casos, é evidente que não nos dão um guia uniformemente preciso ao comportamento humano.[17]

Antes de passar ao cerne da discussão, vamos deixar um pouco de lado a preocupação de que as explicações biológicas levarão à libertação de criminosos com base em que nada é culpa deles. Ainda vamos punir os criminosos? Sim. Isentar todos os criminosos de culpa não é o futuro nem o objetivo de uma compreensão melhor. *Explicação não equivale a isenção.* Não abandonaremos as punições, mas refinaremos o *modo* como punimos – tema a que nos voltaremos agora.

A MUDANÇA DA CULPA PARA A BIOLOGIA

O estudo do cérebro e dos comportamentos se vê no meio de uma mudança conceptiva. Historicamente, médicos e advogados têm concordado em uma distinção intuitiva entre distúrbios neurológicos ("problemas do cérebro") e aqueles psiquiátricos ("problemas mentais").[18] Há apenas um século, a atitude dominante era levar os pacientes psiquiátricos a um "endurecimento", seja por privações, súplicas ou torturas. A mesma atitude era aplicada a muitos distúrbios; por exemplo, há algumas centenas de anos, os epiléticos em geral eram abominados porque se considerava que suas convulsões eram possessão demoníaca – talvez em paga direta por seu comportamento anterior.[19] Não nos surpreende que tenha se mostrado uma abordagem malsucedida. Afinal, embora os distúrbios psiquiátricos tendam a ser fruto de formas mais sutis de patologia cerebral, eles se baseiam, em última análise, nas particularidades biológicas do cérebro. A comunidade médica reconheceu isto com uma mudança na terminologia, agora referindo-se aos distúrbios mentais sob o rótulo de *disfunções orgânicas*. Esta expressão indica que há, na verdade, uma base física (orgânica) no problema mental em vez de um fundamento puramente "psíquico", o que significa que não tem relação com o cérebro – um conceito que hoje em dia não faz muito sentido.

O que levou à mudança da culpa para a biologia? Talvez a maior força motriz seja a eficácia dos tratamentos farmacêuticos. Nenhum espancamento afastará a depressão, mas um pequeno comprimido chamado fluoxetina costuma fazer o truque. Os sintomas de esquizofrenia não podem ser dominados por exorcismo, mas podem ser controlados com risperidona. A mania reage não à conversa ou ao ostracismo, mas ao lítio. Estes êxitos, em sua maior parte introduzidos nos últimos sessenta anos, sublinham a ideia de que não faz sentido chamar alguns distúrbios de problemas cerebrais enquanto atribuímos outros ao domínio inefável do psíquico. Os problemas mentais começaram a ser abordados da mesma maneira que abordamos uma perna quebrada. O neurocientista Robert Sapolsky nos convida a considerar esta mudança conceptiva com uma série de indagações:

> Seria um ente querido, mergulhado numa depressão tão grave que não consegue viver, um caso de uma doença sem base bioquímica tão "real" como é a bioquímica do, digamos, diabetes ou está meramente se entregando? Uma criança se sai mal na escola porque é desmotivada e lenta ou porque há uma disfunção de aprendizado de base neurobiológica? Um amigo, beirando um grave problema com abuso de substâncias, exibe uma simples falta de disciplina ou sofre de problemas com a neuroquímica da recompensa?[20]

Quanto mais descobrimos sobre os circuitos do cérebro, mais as respostas afastam-se de acusações de submissão, falta de motivação, disciplina fraca – e mais pendem para os pormenores da biologia. A mudança da culpa para a ciência reflete a compreensão que hoje temos de que nossas percepções e comportamentos são controlados por sub-rotinas inacessíveis que podem ser facilmente perturbadas, como vimos com os pacientes de cérebro dividido, as vítimas de demência frontotemporal e os jogadores compulsivos com Parkinson. Mas há um ponto crítico escondido aqui. Só porque abandonamos a culpa, não significa que tenhamos uma compreensão plena da biologia.

Embora saibamos que há uma forte relação entre o cérebro e o comportamento, o neuroimageamento ainda é uma tecnologia rudimentar, incapaz de ter peso significativo nas avaliações de culpa ou inocência, em especial nos casos individuais. Os métodos de imageamento podem usar sinais altamente processados do fluxo sanguíneo, cobrindo dezenas de milímetros cúbicos de tecido cerebral. Em um único milímetro cúbico de tecido cerebral, há cerca de cem milhões de conexões sinápticas entre os neurônios. Assim, o moderno neuroimageamento é como pedir a um astronauta na nave espacial para olhar pela janela e julgar como a América está se saindo. Ele pode ver incêndios florestais imensos, ou uma nuvem de atividade vulcânica adensando-se do Mount Rainier, ou as consequências do rompimento das barragens de Nova Orleans – mas, de seu ponto de observação, ele é incapaz de detectar se um crash no mercado de ações levou à depressão generalizada e ao suicídio, se as tensões raciais incitaram tumulto, ou se a população sofre um surto de influenza. O astronauta não tem a resolução para discernir estes detalhes, e nem a moderna neurociência tem a resolução para fazer declarações detalhadas acerca da saúde do cérebro. Não pode dizer nada sobre as minúcias dos microcircuitos, nem os algoritmos que operam os vastos mares de sinalização elétrica e química na escala de milissegundos.

Por exemplo, um estudo dos psicólogos Angela Scarpa e Adrian Raine revelou que existem diferenças mensuráveis na atividade cerebral de assassinos condenados e participantes controle, mas estas diferenças são sutis e só se revelam em medições de grupo. Portanto, elas não têm essencialmente poder de diagnóstico para um indivíduo. O mesmo é válido para os estudos de neuroimageamento de psicopatas: as diferenças mensuráveis na anatomia do cérebro só se aplicam no nível da população, mas são inúteis para o diagnóstico individual.[21]

E isto nos coloca numa estranha situação.

A LINHA DE FALHA: POR QUE A IMPUTABILIDADE É A QUESTÃO ERRADA

Considere um cenário comum que se desenrola nos tribunais do mundo todo: um homem comete um ato criminoso devido a um problema cerebral. Os psiquiatras não encontram (ou não conseguem apresentar de forma convincente) evidências para atenuantes e o homem é preso ou sentenciado à morte. Mas *algo* é diferente na neurobiologia do homem. A causa subjacente pode ser uma mutação genética, um pequeno dano cerebral causado por um pequeno derrame ou um tumor indetectável, um desequilíbrio nos níveis de neurotransmissores, um desequilíbrio hormonal – ou qualquer combinação destes. Qualquer destes problemas, ou todos eles, podem ser indetectáveis com as tecnologias que temos hoje. Mas podem causar diferenças na função cerebral que levem ao comportamento anormal.

Novamente, uma explicação biológica não implica que o criminoso será absolvido; meramente sublinha a ideia de que seus atos não estão divorciados da maquinaria de seu cérebro, assim como vimos com Charles Whitman e Kenneth Parks. Não culpamos o pedófilo repentino por seu tumor e não culpamos o cleptomaníaco frontotemporal pela degeneração de seu córtex frontal.[22] Em outras palavras, há um problema cerebral mensurável, que garante leniência ao réu. Ele não deve ser culpado.

Mas *podemos* culpar alguém se não tivermos tecnologia para detectar um problema biológico. E isto nos leva ao cerne de nosso argumento: *a imputabilidade é a pergunta errada a fazer*.

Imagine um espectro de culpabilidade. Em uma extremidade, você tem pessoas como Alex, o pedófilo, ou um paciente com demência frontotemporal que se exibe a crianças em idade escolar. Aos olhos do juiz e do júri, estas são pessoas que sofreram danos cerebrais nas mãos do destino e não escolheram sua situação neural.

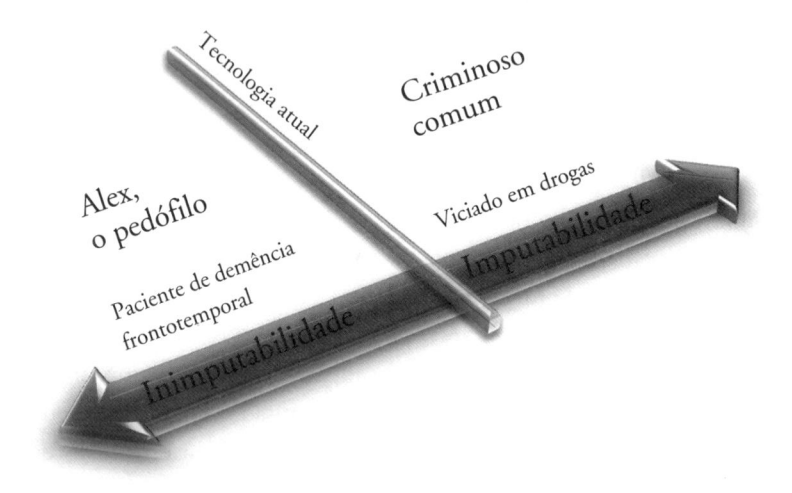

Tecnologia atual

Criminoso comum

Alex, o pedófilo

Viciado em drogas

Paciente de demência frontotemporal

Inimputabilidade — *Imputabilidade*

No lado da imputabilidade na linha está o criminoso comum, cujo cérebro recebe pouco estudo e sobre quem nossa tecnologia atual não é capaz de dizer muita coisa. A maioria esmagadora dos criminosos está deste lado da linha, porque não tem nenhum problema biológico evidente. Eles simplesmente são considerados agentes com livre-arbítrio.

Em algum lugar no meio do espectro, você encontrará alguém como Chris Benoit, lutador profissional cujo médico conspirou com ele para lhe dar quantidades imensas de testosterona à guisa de terapia de substituição hormonal. No final de junho de 2007, em uma crise de raiva conhecida como fúria de esteroides, Benoit chegou em casa, assassinou o filho e a mulher, depois cometeu suicídio, enforcando-se com uma corda de pular em um dos aparelhos de halteres.

Ele tinha o atenuante biológico dos hormônios controlando seu estado emocional, mas parecia mais imputável porque escolheu ingeri-los. Os vícios em drogas em geral são vistos perto do meio do espectro: embora tenhamos alguma compreensão de que o vício é um problema biológico e que as drogas alteram os circuitos do cérebro, também acontece que os viciados são considerados responsáveis por tomar a primeira dose.

O espectro apreende a intuição comum que os júris parecem ter sobre a imputabilidade. Mas há um grave problema nisto. A tecnologia continuará a melhorar, e à medida que melhoramos na medição de problemas do cérebro, a linha migrará para o lado da inimputabilidade. Os problemas que agora são opacos se abriram ao exame por novas tecnologias e um dia descobriremos que alguns tipos de mau comportamento terão uma explicação biológica importante – como aconteceu com a esquizofrenia, a epilepsia, a depressão e a mania. Atualmente podemos detectar apenas grandes tumores cerebrais, mas daqui a cem anos detectaremos padrões em níveis inimaginavelmente menores de microcircuitos, correlacionados com problemas de comportamento. A neurociência poderá dizer melhor por que as pessoas são predispostas a agir como agem. À medida que nos tornarmos mais qualificados em especificar como o comportamento resulta de detalhes microscópicos do cérebro, mais advogados de defesa apelarão aos atenuantes biológicos e mais júris colocarão os réus no lado inimputável da linha.

Não pode fazer sentido que a culpabilidade seja determinada pelos limites da tecnologia atual. Um sistema de justiça que declare uma pessoa imputável no início de uma década e inimputável no final dela não é um sistema em que a culpabilidade tenha um significado claro.

O cerne do problema é que não faz mais sentido perguntar: "Até que ponto foi por sua *biologia* e até que ponto foi *ele*?" A questão não faz mais sentido porque agora compreendemos que ambas são a mesma coisa. Não há uma distinção significativa entre a biologia e a tomada de decisão de uma pessoa. Elas são inseparáveis.

Como sugeriu recentemente o neurocientista Wolf Singer: mesmo quando não podemos medir o que há de errado no cérebro de um criminoso, podemos pressupor com boa segurança que há *algo* errado.[23] Seus atos são *prova suficiente* de uma anormalidade cerebral, mesmo que não saibamos (e talvez jamais venhamos a saber) dos detalhes.[24] Como coloca Singer: "Como não podemos identificar as causas, o que não podemos e provavelmente jamais poderemos fazer, devemos garantir que todo mundo tenha um motivo neurobiológico para ser anormal." Observe que na maior parte do tempo não podemos medir uma anormalidade em criminosos. Considere Eric Harris e Dylan Klebold, os atiradores da Columbine High School no Colorado, ou Seung-Hui Cho, o atirador da Virginia Tech. Havia algo errado no cérebro deles? Nunca saberemos, porque eles – como a maioria dos atiradores em escolas – foram mortos no local. Mas podemos pressupor com segurança que havia *algo* anormal em seu cérebro. Este é um comportamento raro; a maioria dos estudantes não age desta maneira.

O ponto principal do argumento é que os criminosos sempre devem ser tratados como incapazes de ter agido de outra maneira. A atividade criminosa em si deve ser tomada como prova de anormalidade cerebral, independentemente de podermos situar os problemas atualmente mensuráveis. Isto quer dizer que a testemunha especialista em neurociência deve ser excluída: seu testemunho reflete apenas se hoje temos nomes e medições para os problemas, e não se os problemas existem.

Então a culpabilidade parece ser a *pergunta errada a fazer*.

Aqui está a pergunta certa: o que faremos, *daqui em diante*, com um criminoso acusado?

A história de um cérebro diante do júri pode ser muito complexa – só o que queremos saber, em última análise, é como uma pessoa pode se comportar no futuro.

O QUE FAREMOS A PARTIR DAQUI?
UM SISTEMA DE JUSTIÇA PROSPECTIVO
E COMPATÍVEL COM O CÉREBRO

Embora nosso estilo atual de penalidades fundamente-se na volição e na culpa pessoais, a presente linha de argumentação sugere uma alternativa. Embora as sociedades possuam impulsos profundamente arraigados para a punição, um sistema de justiça prospectivo estará mais preocupado em melhor servir à sociedade a partir de hoje. Aqueles que infringem os contratos sociais precisam ser isolados, mas neste caso o futuro tem maior importância do que o passado.[25] As penas de prisão não precisam mais se basear na vingança, mas podem ser calibradas segundo o risco de reincidência. Um *insight* biológico mais profundo no comportamento permitirá uma compreensão melhor da recidiva – isto é, quem sairá e cometerá mais crimes. E isto nos dá uma base para as sentenças racionais e baseadas em provas: algumas pessoas precisam ser retiradas das ruas por um tempo maior, porque a probabilidade de reincidência é alta; outras, devido a uma variedade de circunstâncias atenuantes, têm uma probabilidade de reincidência menor.

Mas como saberemos quem apresenta um alto risco de reincidência? Afinal, as minúcias de um julgamento nem sempre dão uma indicação clara dos problemas subjacentes. Uma estratégia melhor incorpora uma abordagem mais científica.

Considere as mudanças importantes que aconteceram nas sentenças de criminosos sexuais. Há vários anos, os pesquisadores começaram a perguntar a psiquiatras e agentes de condicional que probabilidade havia de um criminoso sexual reincidir quando saísse da prisão. Tanto psiquiatras como agentes de condicional têm experiência com os criminosos em questão, assim como com centenas antes deles – e então não era complicado prever quem andaria na linha e quem voltaria.

Ou seria? O resultado surpreendente foi que suas conjecturas não mostraram quase nenhuma correlação com a realidade. Os psiquiatras e agentes de condicional tinham a precisão profética de um jogo de cara ou coroa. Este resultado espantou a comunidade de pesquisa, especialmente em vista da expectativa de intuições bem refinadas entre aqueles que trabalham diretamente com os criminosos. Assim os pesquisadores, desesperados, tentaram uma abordagem mais atuarial. Passaram a medir dezenas de fatores de 22.500 criminosos sexuais que estavam prestes a ser libertados: se o criminoso tinha estado num relacionamento por mais de um ano, se sofreu abuso sexual na infância, se era viciado em drogas, mostrava remorsos, tinha preferências sexuais desviantes e assim por diante. Os pesquisadores acompanharam então os criminosos por cinco anos depois da soltura para ver quem voltava para a prisão. No final do estudo, computaram que fatores explicavam melhor as taxas de reincidência, e a partir destes dados montaram tabelas atuariais a serem usadas na determinação das sentenças. Alguns criminosos, segundo a estatística, pareciam ser uma receita para o desastre – e foram afastados da sociedade por mais tempo. Outros tinham uma probabilidade menor de representar um perigo futuro para a sociedade e receberam sentenças mais curtas. Quando se compara o poder de previsão da abordagem atuarial com o de agentes de condicional e psiquiatras, não há dúvida: os números vencem a intuição. Estes testes atuariais agora são usados para determinar o tamanho da sentença nos tribunais de todos os Estados Unidos.

Sempre será impossível saber com precisão o que alguém fará depois de libertado da prisão, porque a vida real é complicada. Mas há mais poder de previsão oculta nos números do que as pessoas esperam costumeiramente. Alguns criminosos são mais perigosos do que outros, e, apesar do encanto ou da repugnância superficiais, as pessoas perigosas partilham de determinados padrões de comportamento. As sentenças baseadas na estatística têm suas imperfeições, mas permitem que as provas vençam a intuição popular e proporcionam uma customização das sentenças em vez das diretrizes obtusas empregadas de modo geral pelo sistema judiciário. À medida que introduzirmos as ciências do cérebro nessas medições – por exemplo, com estudos de neuroimageamento –, a capacidade de previsão só aumentará. Os cientistas jamais poderão prever com alto grau de certeza quem reincidirá, porque isso depende de vários fatores, inclusive circunstância e oportunidade. Todavia, é possível fazer boas conjecturas, e a neurociência as fará melhor.[26] Observe que a lei, mesmo na ausência de conhecimento neurobiológico detalhado, já traz algum raciocínio prospectivo: considere a leniência dada a um crime passional em comparação com um homicídio premeditado. Os que cometem o primeiro têm uma probabilidade menor de reincidência do que os que cometem o último, e suas sentenças refletem sensivelmente este fato.

Agora, há uma nuance crítica a avaliarmos aqui. Nem todos com tumor cerebral perpetram um tiroteio em massa, e nem todos os homens cometem crimes. Por que não? Como veremos no capítulo seguinte, é porque os genes e o ambiente interagem em padrões inimaginavelmente complexos.[27] Deste modo, o comportamento humano sempre continuará imprevisível. Esta complexidade irredutível tem suas consequências: quando um cérebro é levado ao tribunal, o juiz não pode se importar com a história do cérebro. Haveria mau desenvolvimento fetal, uso de cocaína durante a gravidez, maus-tratos na infância, um alto nível de testosterona *in utero*, qualquer pequena mudança genética que resultasse em uma predisposição 2% maior à violência se a criança mais tarde fosse exposta a mercúrio? Todos esses fatores e centenas de outros interagem, com o resultado de que seria um empreendimento infrutífero para o juiz tentar desemaranhá-los e determinar a imputabilidade. Assim, o judiciário *precisa* se tornar prospectivo, principalmente porque não pode mais agir de outra forma.

Além das sentenças customizadas, um sistema de justiça mais compatível com o cérebro e mais prospectivo nos permitirá transcender o hábito de tratar a prisão como uma solução universal para todos. As prisões se tornaram nossas instituições de saúde mental *de facto*. Mas existem abordagens melhores.

Para começar, uma justiça prospectiva explorará a compreensão biológica em *reabilitação* customizada, vendo o comportamento criminoso como compreendemos outros problemas médicos como a epilepsia, a esquizofrenia e a depressão – problemas que agora permitem a procura e administração de auxílio. Estes e outros distúrbios cerebrais encontram-se agora do outro lado da linha, onde ficam confortavelmente como questões biológicas e não demoníacas. Assim, e quanto às outras formas de comportamento, como os atos criminosos? A maioria dos legisladores e eleitores é favorável à reabilitação de criminosos em vez de enfiá-los em prisões superlotadas, mas o desafio tem sido a carência de novas ideias sobre *como* reabilitar.

E, é claro, não podemos nos esquecer do medo que ainda vive na consciência coletiva: as lobotomias frontais. A lobotomia (originalmente chamada de leucotomia) foi inventada por Egas Moniz, que via sentido em ajudar os criminosos mexendo em seus lobos frontais com um bisturi. A cirurgia simples cortava as conexões para e do córtex pré-frontal, em geral resultando em grandes mudanças de personalidade e possível retardo mental.

Moniz a testou em vários criminosos e descobriu, para sua satisfação, que o procedimento os acalmava. Na realidade, nivelava inteiramente sua personalidade. O protegido de Moniz, Walter Freeman, percebendo que o cuidado institucional era estorvado por uma falta de tratamentos eficazes, viu a lobotomia como um expediente para libertar grandes populações do tratamento e devolvê-las à vida privada.

Infelizmente, ela roubava das pessoas seus direitos neurais básicos. Este problema foi levado a seu extremo no romance de Ken Kesey *Um estranho no ninho*, em que o paciente internado e rebelde Randle McMurphy é punido por contestar a autoridade: torna-se a vítima azarada de uma lobotomia. A personalidade alegre de McMurphy despertara a vida de outros pacientes na ala, mas a lobotomia o transformou num vegetal. Depois de ver a nova condição de McMurphy, seu dócil amigo "chefe" Bromden faz o favor de asfixiá-lo com um travesseiro antes que outros internos vejam o destino ignominioso de seu líder. As lobotomias frontais, graças às quais Moniz ganhou o prêmio Nobel, não são mais consideradas a abordagem adequada ao comportamento criminoso.[28] Mas, se a lobotomia impede os crimes, por que não? O problema ético gira em torno do quanto o Estado deve ser capaz de modificar seus cidadãos.* Para mim, este é um dos maiores problemas da moderna neurociência: à medida que compreendemos o cérebro, como podemos evitar que o governo mexa com ele? Observe que este problema mostra sua cara não só nas formas que causam maior sensação, como a lobotomia, mas de formas mais sutis, como em criminosos sexuais reincidentes obrigados a sofrer castração química, como ocorre atualmente na Califórnia e na Flórida.

Mas aqui proponho uma nova solução, que pode reabilitar sem preocupações éticas. Chamemos de treinamento pré-frontal.

O TREINAMENTO PRÉ-FRONTAL

Para ajudar um cidadão a se reintegrar na sociedade, o objetivo ético é mudá-lo *o mínimo possível* a fim de que seu comportamento se coadune com as necessidades da sociedade. Nossa proposta nasce do conhecimento de que o cérebro é uma equipe de rivais, uma competição entre populações neurais diferentes. Como em uma competição, o resultado pode pender para um ou outro lado.

O fraco controle dos impulsos é uma característica marcante da maioria dos criminosos no sistema carcerário.[29] Eles geralmente sabem a diferença entre atos certos e errados e compreendem a gravidade da punição – mas são paralisados por uma incapacidade de controlar seus impulsos. Veem uma mulher com uma bolsa cara andando sozinha por uma viela e não conseguem pensar em nada que não seja aproveitar a oportunidade. A tentação vence a preocupação com o futuro.

---

* A propósito, a lobotomia perdeu terreno nem tanto por questões éticas, mas porque as drogas psicoativas chegaram ao mercado no início dos anos 1950, proporcionando uma abordagem mais conveniente ao problema.

Se parece difícil ter empatia pelas pessoas com fraco controle sobre os impulsos, pense em todas as coisas a que você sucumbe, mas não quer. Fritas? Álcool? Bolo de chocolate? Televisão? Não é preciso olhar muito longe para encontrar o fraco controle dos impulsos permeando nossa paisagem de tomada de decisão. Não é que não saibamos o que é melhor para nós; simplesmente os circuitos do lobo frontal que representam as considerações de longo prazo não conseguem vencer as eleições quando a tentação está presente. É como tentar eleger um partido de moderados no meio da guerra e do colapso econômico.

Assim, nossa estratégia de reabilitação é dar aos lobos frontais a prática na repressão dos circuitos de curto prazo. Meus colegas Stephen LaConte e Pearl Chiu começaram a influenciar o *feedback* em tempo real em imageamento do cérebro para permitir que isto aconteça.[30] Imagine que você gostaria de resistir melhor ao bolo de chocolate. Neste experimento, você olha fotos de bolos de chocolate durante uma varredura do cérebro – e os pesquisadores determinam as regiões de seu cérebro envolvidas no desejo. Depois a atividade nessas redes é representada por uma barra vertical na tela do computador. Seu trabalho é fazer a barra descer. A barra age como um termômetro para seu desejo: se suas redes de desejo estão em plena atividade, a barra é alta; se você estiver reprimindo seus desejos, a barra é baixa. Você olha a barra e tenta fazê-la descer. Talvez tenha discernimento do que está fazendo para resistir ao bolo; talvez isto seja inacessível. De qualquer forma, você experimenta diferentes recursos mentais até que a barra começa a descer lentamente. Quando desce, significa que você recrutou com sucesso o circuito frontal para reprimir a atividade das redes envolvidas no desejo impulsivo. O longo prazo venceu o curto. Ainda olhando as imagens de bolo de chocolate, você pratica fazer a barra descer repetidamente até que fortaleça estes circuitos frontais. Por este método, você pode visualizar a atividade nas partes de seu cérebro que precisam de modulação e testemunha os efeitos das diferentes abordagens mentais que pode assumir.

Voltando à analogia da equipe democrática de rivais, a ideia é estabelecer um bom sistema de controles. Este treinamento pré-frontal é projetado para nivelar o campo de jogo para o debate entre as partes, cultivando a reflexão antes da ação.

E na verdade isto é apenas amadurecimento. A principal diferença entre o cérebro de um adolescente e outro de um adulto é o desenvolvimento dos lobos frontais. O córtex pré-frontal humano só se desenvolve plenamente no início dos vinte anos, e isto fundamenta o comportamento impulsivo dos adolescentes. Os lobos frontais são às vezes chamados o órgão da socialização, porque tornar-se socializado não passa de desenvolver circuitos para reprimir nossos impulsos mais básicos.

Isto explica por que os danos aos lobos frontais revelam comportamento antissocial que nunca teríamos pensado estar encerrado ali. Lembre-se dos pacientes com demência frontotemporal que roubam em lojas, exibem-se, urinam em público e explodem a cantar em momentos inoportunos. Esses sistemas zumbis estiveram à espreita sob a superfície o tempo todo, mas foram mascarados por um lobo frontal de funcionamento normal. O mesmo tipo de desmascaramento acontece quando uma pessoa sai e se embriaga ruidosamente numa noite de sábado: ela está desinibindo a função frontal normal e deixando que os zumbis subam ao palco.

Depois de malhar na academia pré-frontal, você ainda pode desejar o bolo de chocolate, mas saberá como vencer o desejo em vez de deixar que ele vença você. Não é que não queiramos desfrutar de nossos pensamentos impulsivos (*Hmmmm, bolo*), apenas queremos dotar o córtex pré-frontal de algum controle sobre nossos atos (*Dispenso*). Da mesma maneira, uma pessoa pode pensar em cometer um ato criminoso, desde que não o coloque em prática. Para o pedófilo, não podemos esperar controle se ele é atraído a crianças. Se ele nunca age, pode ser o melhor que podemos esperar como uma sociedade que respeita os direitos e a liberdade de pensamento dos indivíduos. Não podemos restringir o que as pessoas pensam; e um sistema de justiça não deve ter isto como objetivo. A política social pode apenas esperar evitar que os pensamentos impulsivos influenciem o comportamento antes que sejam censurados por uma neurodemocracia saudável.

Embora o *feedback* em tempo real envolva tecnologia de ponta, não devemos nos desviar da simplicidade do objetivo: melhorar a capacidade de uma pessoa para a tomada de decisão de longo prazo. O objetivo é dar mais controle às populações neurais que se importam com as consequências de longo prazo. Inibir a impulsividade. Estimular a reflexão. Se um cidadão pensa nas consequências de longo prazo e ainda decide perpetrar o crime, vamos lidar com essas consequências apropriadamente. Esta abordagem tem importância ética e apelo libertário. Ao contrário de uma lobotomia, que às vezes deixa o paciente apenas com uma mentalidade de bebê, esta abordagem cria a oportunidade de uma pessoa ajudar a si mesma. Em vez de um governo ordenando uma psicocirurgia, aqui um governo pode estender a mão amiga para melhorar a reflexão pessoal e a socialização. Esta abordagem deixa o cérebro intacto – sem drogas, nem cirurgia – e promove os mecanismos naturais da plasticidade cerebral, auxiliando-o a se ajudar. É uma retificação, e não um *recall* de produto.

Nem todos que aumentam sua capacidade de autorreflexão chegarão às mesmas conclusões seguras, mas pelo menos têm a oportunidade de ouvir o debate dos partidos neurais. Observe também que esta abordagem pode restaurar parte do esperado poder de dissuasão, que pode funcionar apenas com quem pensa e age segundo as consequências de longo prazo. Para o impulsivo, as ameaças de castigo não têm peso verdadeiro.

A ciência do treinamento pré-frontal está em seus primeiros estágios, mas temos esperança de que a abordagem presente seja o modelo correto: é ao mesmo tempo bem fundamentada na biologia e na ética, e permite que uma pessoa se ajude a melhorar a tomada de decisão de longo prazo. Como qualquer tentativa científica, pode fracassar por várias razões imprevistas. Mas pelo menos chegamos a um ponto em que podemos desenvolver novas ideias em vez de pressupor que o encarceramento é a única solução prática.

Um dos desafios da implementação de novas abordagens de reabilitação é conquistar a aceitação popular. Muitas pessoas (mas não todas) têm um forte impulso para o castigo: querem ver a punição, e não a reabilitação.[31] Compreendo este impulso, porque também o tenho. Sempre que sei de um criminoso cometendo um ato odioso, fico com tanta raiva que quero me vingar ao estilo dos justiceiros. Mas só porque tenho o impulso para uma ação, não quer dizer que seja a melhor abordagem.

Considere a xenofobia, o medo de estrangeiros. É completamente natural. As pessoas preferem os que se parecem com elas; embora desprezível, é comum não gostar de estranhos. Nossa política social tenta sedimentar as ideias mais esclarecidas de humanidade para superar os aspectos mais fundamentais da natureza humana. E assim os Estados Unidos aprovaram leis antidiscriminação na forma do artigo 8º da Lei de Direitos Civis de 1968. Levamos muito tempo para chegar lá, mas o fato de que chegamos demonstra que somos uma sociedade flexível, que pode melhorar nossos padrões com base numa compreensão melhor.

E o mesmo acontece com o justiçamento: apesar de nossa compreensão do impulso de punir, concordamos em resistir a ele como sociedade porque sabemos que as pessoas podem ficar confusas com os fatos de um crime e que todos merecem a presunção de inocência até que se prove que são culpados perante um júri de iguais. Da mesma maneira, à medida que passamos a compreender mais a base biológica do comportamento, fará mais sentido subjugar nossas noções intuitivas de imputabilidade em favor de uma abordagem mais construtiva. Podemos aprender ideias melhores, e a tarefa do judiciário é tomar as melhores ideias e cimentá-las, para resistir às forças da opinião variáveis. Embora hoje a política social baseada no cérebro pareça distante, pode não continuar assim por muito tempo. E nem sempre pode parecer absurda.

O MITO DA IGUALDADE HUMANA

Há outros motivos para compreender como o cérebro leva ao comportamento. Por qualquer eixo em que medirmos os seres humanos, descobriremos uma distribuição ampla, seja em empatia, inteligência, capacidade de natação, agressividade ou talento inato para o violoncelo ou o xadrez.³² As pessoas não têm igual criação. Embora se imagine que é melhor varrer esta variabilidade para debaixo do tapete, ela é na verdade o motor da evolução. A cada geração, a natureza tenta o maior número de variedades que pode gerar, por todas as dimensões disponíveis – e os produtos mais adequados para o ambiente passam a se reproduzir. Nos últimos bilhões de anos, esta abordagem tem sido tremendamente bem-sucedida, gerando seres humanos em foguetes espaciais a partir de moléculas autorreplicantes no caldo pré-biótico.

Mas esta variação também é fonte de problemas para o sistema de justiça, baseado em parte na premissa de que todos os homens são iguais perante a lei. Este mito incorporado da igualdade humana sugere que todas as pessoas são igualmente capazes de tomar decisões, controlar os impulsos e compreender as consequências. Embora admirável, a noção simplesmente não é verdadeira.

Alguns argumentam que, embora o mito tenha suas falhas, ainda pode ser útil sustentá-lo. O argumento sugere que, quer a igualdade seja realista ou não, ela produz um "tipo particularmente admirável de ordem, um contrafatual que paga dividendos na justiça e na estabilidade".³³ Em outras palavras, os pressupostos podem estar errados e ainda assim ter sua utilidade.

Eu discordo. Como vimos em todo este livro, as pessoas não chegam ao palco com as mesmas capacidades. Sua genética e história pessoal modelam seu cérebro a fins bem diferentes. Na realidade, a lei reconhece isto em parte, porque há uma pressão grande demais para fingir que *todos* os cérebros são iguais. Considere a idade. Os adolescentes têm diferentes habilidades na tomada de decisão e no controle de impulsos dos adultos; o cérebro de uma criança simplesmente não é parecido com um cérebro adulto.[34] Assim, a lei americana traça uma forte linha entre os 17 e os 18 anos para reconhecer grosseiramente isto. E a Suprema Corte dos Estados Unidos determinou em *Roper versus Simmons* que não devem receber a pena de morte os que tinham menos de 18 anos quando cometeram um crime.[35] A lei também reconhece que o QI importa. Assim, a Suprema Corte tomou uma decisão semelhante, de que os mentalmente retardados não podem ser executados por crimes capitais.

Então a lei já reconhece que todos os cérebros não são criados iguais. O problema é que a versão atual da lei usa divisões imperfeitas: se você tem 18 anos, podemos te matar; se estiver a um dia de seu aniversário de 18 anos, você está seguro. Se seu QI for 70, você pega a cadeira elétrica; se for 69, fica confortavelmente nos colchões da prisão. (Como as pontuações de QI flutuam em diferentes dias e sob diferentes condições de teste, é melhor você esperar pelas circunstâncias certas se estiver próximo do limite.)

Não tem sentido fingir que todos os cidadãos maiores de idade e sem retardo mental são iguais, porque eles não são. Com genes e experiências distintos, as pessoas podem ser tão diferentes por dentro como são por fora. À medida que a neurociência se aprimorar, teremos uma capacidade melhor de compreender as pessoas ao longo de um espectro, em vez de usar categorias binárias e rudimentares. E isto nos permitirá criar sentenças e reabilitação para o indivíduo em vez de manter a fantasia de que todos os cérebros reagem aos mesmos incentivos e merecem as mesmas punições.

SENTENCIANDO COM BASE NA CAPACIDADE DE MODIFICAÇÃO

A personalização da lei pode seguir diferentes direções; vou sugerir uma aqui. Voltemos ao caso de sua filha escrevendo com o lápis de cor nas paredes. Em uma hipótese, ela está fazendo isso por travessura; na outra, enquanto dorme. Sua intuição lhe diz que você castigaria apenas o caso de vigília e não o de sonambulismo. Mas por quê? Proponho que sua intuição incorpore um *insight* importante sobre o propósito do castigo. Neste caso, o que importa não é tanto sua intuição sobre a imputabilidade (embora ela claramente não seja imputável enquanto dorme), mas sobre a capacidade de modificação. A ideia será castigar apenas quando o comportamento *pode ser modificado*. Ela não pode modificar seu comportamento no caso do sonambulismo, e portanto o castigo seria cruel e infrutífero.

Especulo que um dia poderemos basear as decisões de punições na neuroplasticidade. Algumas pessoas têm cérebros que reagem melhor ao condicionamento clássico (castigo e recompensa), enquanto outras — devido a psicose, sociopatia, mau desenvolvimento frontal, ou outros problemas — são refratárias à mudança. Considere uma punição como uma sentença severa de quebrar pedras: se isto pretende desincentivar os prisioneiros a voltar, não há propósito nesta punição onde não houver plasticidade cerebral adequada para recebê-la. Se houver esperança de usar o condicionamento clássico para efetuar uma mudança no comportamento que permitiria a reintegração social, então a punição é adequada. Se não se puder modificar um criminoso condenado de forma útil mediante punição, ele simplesmente deve ser isolado.

Alguns filósofos sugeriram que a punição pode se basear no número de opções disponíveis para um agente. Uma mosca, digamos, é incapaz, do ponto de vista neurológico, de decidir entre opções complexas, enquanto um humano (e especialmente um ser humano inteligente) tem muitas opções e portanto mais controle. Podemos elaborar um sistema de punição, então, em que o grau de castigo acompanhe o grau de opções disponíveis para o agente. Mas eu não creio que esta seja a melhor abordagem, porque alguém pode ter poucas opções, mas ainda assim ser modificável. Considere o filhote de cachorro sem treinamento. Ele nem mesmo considera ganir e arranhar a porta quando quer ir ao banheiro; a decisão não é tomada, porque ele não desenvolveu a noção desta opção. Todavia, você repreende o cachorro a fim de modificar seu sistema nervoso central para o comportamento adequado. O mesmo é válido para uma criança que rouba em lojas. Ela não compreende as questões de propriedade e economia. Você a castiga não porque sente que ela tem muitas opções, mas porque compreende que ela pode ser modificada. Você está fazendo um favor a ela: está socializando-a.

Esta proposta procura alinhar a punição com a neurociência. A ideia é substituir intuições populares sobre a imputabilidade por uma abordagem mais justa. Embora agora fosse dispendioso, as sociedades do futuro poderão produzir experimentalmente um indicador para medir a neuroplasticidade – isto é, a capacidade de modificar os circuitos. Para os que são modificáveis, como um adolescente que ainda precisa de mais desenvolvimento frontal, uma punição severa (quebrar pedras o verão todo) seria adequada. Mas alguém com danos no lobo frontal, que nunca desenvolverá a capacidade de socialização, deve ser incapacitado pelo Estado em uma instituição diferente. O mesmo se aplica aos mentalmente retardados ou esquizofrênicos; a ação punitiva pode saciar a sede de vingança de alguém, mas não tem sentido para a sociedade.

Passamos os cinco primeiros capítulos explorando até que ponto não somos os únicos a pilotar o barco. Vimos que as pessoas têm pouca capacidade de decisão ou de explicar suas ações, motivações e crenças, e que o leme é conduzido pelo cérebro inconsciente, modelado por inumeráveis gerações de seleção evolutiva e uma vida inteira de experiências. O presente capítulo examinou as consequências sociais disto: até que ponto a inacessibilidade do cérebro importa no plano da sociedade? Como pilotar o modo como pensamos a imputabilidade e o que devemos fazer com as pessoas que se comportam de forma muito diferente?

Atualmente, quando um criminoso está diante de um juiz, a justiça pergunta: *Esta pessoa é imputável?* No caso de Whitman, de Alex, de um paciente de Tourette ou de um sonâmbulo, o sistema diz não.

Mas se você não tem um problema biológico evidente, o sistema diz sim. Esta não pode ser uma maneira sensata de estruturar um sistema de justiça, dada a certeza de que a tecnologia continuará a melhorar a cada ano e moverá a posição da linha "de falha". Talvez seja cedo demais para dizer se algum aspecto do comportamento humano um dia será compreendido como algo além de nossa volição. Mas, nesse meio-tempo, a marcha da ciência continuará a empurrar o lugar onde desenhamos nossa linha no espectro entre a volição e a não volição.

Como diretor da Iniciativa em Neurociência e Justiça do Baylor College of Medicine, corri o mundo dando palestras sobre estas questões. A maior batalha que tenho de travar é a percepção equivocada de que uma compreensão maior da biologia do comportamento das pessoas e das diferenças internas implique o perdão a criminosos e que não os tiraremos mais das ruas. Isto é uma inverdade. A explicação biológica não isentará os criminosos. A ciência do cérebro melhorará o sistema de justiça, não impedirá suas funções.[36] Para o funcionamento tranquilo da sociedade, ainda retiraremos das ruas aqueles criminosos que se provam demasiado agressivos, com baixa empatia e um fraco controle de seus impulsos. Eles ainda serão levados aos cuidados do governo.

Mas a mudança importante será no *modo* como puniremos a vasta gama de atos criminosos – com sentenças racionais e novas ideias para a reabilitação. A ênfase mudará da punição para o reconhecimento dos problemas (tanto neurais como sociais) e a abordagem significativa a eles.[37] Como exemplo, aprendemos neste capítulo que o sistema de equipe de rivais dá uma nova esperança para uma estratégia de reabilitação.

Além disso, à medida que compreendermos melhor o cérebro, podemos nos concentrar na formação de incentivos sociais, estimulando o bom comportamento e desencorajando o inadequado. A lei eficaz requer modelos de comportamento eficazes: a compreensão não só de como *gostaríamos* que as pessoas se comportassem, mas como *realmente* se comportam. À medida que explorar as relações entre a neurociência, a economia e a tomada de decisão, a política social poderá ser mais bem estruturada para alavancar com mais eficácia estas descobertas.[38] Isto reduzirá nossa ênfase na punição em troca de uma política proativa e preventiva.

Meu argumento neste capítulo não foi de redefinir a imputabilidade, é de removê-lo do jargão jurídico. A imputabilidade é um conceito retrógrado que exige a tarefa impossível de desembaraçar a complexa teia da genética e do ambiente que constrói a trajetória de uma vida humana. Considere, por exemplo, que todos sabemos que assassinos seriais sofreram maus-tratos quando crianças.[39] Isso os torna menos imputáveis? Quem se importa? É a pergunta errada. Saber que eles sofreram maus-tratos nos estimula a evitar os maus-tratos infantis, mas nada muda no modo como lidamos com o assassino serial parado diante de um juiz. Ainda precisamos isolá-lo. Precisamos tirá-lo das ruas, independentemente de seus infortúnios do passado. Os maus-tratos quando criança não podem servir como uma desculpa biológica significativa; o juiz deve agir em prol da segurança da sociedade.

O conceito e a palavra para substituir *imputabilidade* é *modificabilidade*, um termo progressista que pergunta: o que podemos fazer a partir daqui? A reabilitação está disponível? Se for assim, ótimo. Se não, a punição de uma sentença de prisão modificará o comportamento futuro? Em caso afirmativo, mandemo-lo para a prisão. Se a punição não for útil, então coloque a pessoa sob o controle do Estado para os fins de incapacitação, e não de castigo.

Meu sonho é desenvolver uma política social baseada em provas que seja compatível com a neurobiologia, em vez de uma política baseada na mudança e em intuições provavelmente ruins. Algumas pessoas se perguntam se não seria injusto levar uma abordagem científica às sentenças – afinal, onde está a humanidade? Mas esta preocupação sempre deve se coadunar com a questão: qual é a alternativa? Na atual situação, os feios recebem sentenças mais longas do que os atraentes; os psiquiatras não têm capacidade de adivinhar que criminosos sexuais reincidirão; e nossas prisões estão superlotadas de viciados em drogas que poderiam ser tratados de forma mais útil pela reabilitação em vez do encarceramento. Assim, o sistema de sentenças atual realmente é melhor do que uma abordagem científica e baseada nas provas? A neurociência está começando a arranhar a superfície de questões que antigamente pertenciam ao domínio de filósofos e psicólogos, questões sobre como as pessoas tomam decisões e se elas são verdadeiramente "livres". Não são indagações despropositadas, mas darão forma ao futuro da teoria jurídica e ao sonho de uma jurisprudência de fundamentação biológica.[40]

7

A VIDA DEPOIS DA MONARQUIA

"Quanto aos homens, aquela miríade de pequenos lagos separados com sua própria vida corpuscular abundante, o que eram eles senão uma maneira de a água ir além do alcance dos rios?"

– Loren Eiseley, "The Flow of the River", *The Immense Journey*

DO DESTRONAMENTO À DEMOCRACIA

Depois de Galileu descobrir os satélites de Júpiter em seu telescópio caseiro em 1610, os críticos religiosos desprezaram sua nova teoria heliocêntrica, considerando-a um destronamento do homem. Não suspeitavam de que este era o primeiro de vários destronamentos. Cem anos depois, o estudo de camadas sedimentares pelo agricultor escocês James Hutton derrubou a idade da Terra estimada pela Igreja, tornando-a 800 mil vezes mais antiga. Não muito tempo depois, Charles Darwin relegou o ser humano a apenas outro ramo do pululante reino animal. No início do século XX, a mecânica quântica alterou irreparavelmente nossa noção do tecido da realidade. Em 1953, Francis Crick e James Watson decifraram a estrutura do DNA, substituindo o misterioso fantasma da vida por algo que podemos escrever em sequências de quatro letras e armazenar num computador.

E no século passado a neurociência mostrou que não é a mente consciente que pilota o barco. Apenas quatrocentos anos depois de nossa queda do centro do universo, vivemos a queda do centro de nós mesmos. No primeiro capítulo vimos que o acesso consciente à maquinaria que temos por baixo é lento e, em geral, nem acontece. Aprendemos então que o modo de vermos o mundo não reflete necessariamente o que está lá fora: a visão é uma construção do cérebro, e sua única tarefa é gerar uma narrativa útil a nossas escalas de interação (digamos, com frutas maduras, ursos e parceiros). As ilusões de ótica revelam um conceito mais profundo: nossos *pensamentos* são gerados por maquinaria à qual não temos acesso direto. Vimos que as rotinas úteis tornam-se gravadas no circuito do cérebro e que, depois que estão lá, não temos mais acesso a elas. A consciência parece estabelecer metas para o que deve ser gravado no circuito e pouco faz além disso.

No Capítulo 5 aprendemos que a mente contém multidões, o que explica por que você pode se xingar, rir de si e fazer pactos consigo mesmo. E no Capítulo 6 vimos que o cérebro pode operar de forma bem diferente quando é modificado por derrames, tumores, narcóticos ou qualquer variedade de eventos que alterem a biologia. Isto abala nossas concepções simples de imputabilidade.

Na esteira de todo o progresso científico, uma questão problemática vem à mente de muitos: o que resta ao homem depois de todos esses destronamentos? Para alguns pensadores, a imensidão do universo tornou-se mais aparente, e o mesmo se deu com a irrelevância da humanidade – começamos a perder importância praticamente ao ponto de desaparecer. Ficou claro que as escalas de tempo monumentais das civilizações representavam apenas um lampejo na longa história da vida pluricelular no planeta, e a história da vida é apenas um lampejo na história do próprio planeta. E este planeta, na vastidão do universo, é apenas um pontinho de matéria flutuando afastado de outros pontos na velocidade cósmica pela curvatura desolada do espaço. Daqui a duzentos milhões de anos, este planeta vigoroso e produtivo será consumido na expansão do Sol. Como escreveu Leslie Paul em *Annihilation of Man*:

> Toda vida morrerá, toda mente cessará, e será como se nunca tivesse acontecido. Este, para ser franco, é o destino para o qual a evolução viaja, este é o fim "benevolente" da furiosa vida e da furiosa morte. (...) Toda a vida não passa de um fósforo riscado no escuro e soprado novamente. O resultado (...) é privá-la completamente de significado.[1]

Depois de construir muitos tronos e cair de todos eles, o homem olhou em volta; perguntou-se se tinha por acaso sido gerado em um processo cósmico cego e sem intenção prévia, e esforçou-se para salvar algum propósito. Como escreveu o teólogo E. L. Mascall:

A dificuldade vivida pelo homem ocidental civilizado no mundo de hoje é a de convencer-se de que tem algum status especial atribuído no universo. (...) Muitos distúrbios psicológicos muito comuns, que são uma característica dolorosa de nosso tempo, podem, creio eu, ser situados nesta causa.²

Filósofos como Heidegger, Jaspers, Shestov, Kierkegaard e Husserl tentaram se voltar para a falta de significado com que os destronamentos parecem ter nos deixado. Em seu livro de 1942 *O mito de Sísifo*, Albert Camus introduziu sua filosofia do absurdo, em que o homem busca significado em um mundo fundamentalmente desprovido dele. Neste contexto, Camus propõe que a única questão verdadeira na filosofia é se cometemos ou não suicídio. (Ele concluiu que *não* devemos cometer suicídio; devemos viver para nos revoltar contra o absurdo da vida, embora nunca venhamos a ter esperanças. É possível que ele tenha sido forçado a esta conclusão porque o contrário teria obstruído a vendagem de seu livro, a não ser que ele seguisse a própria receita – um ardil espinhoso.)

Sugiro que os filósofos podem ter levado demasiado a sério a notícia dos destronamentos. Será que não resta realmente nada para a humanidade depois da perda de todos esses tronos? A situação pode bem ser a contrária: ao examinarmos com atenção cada vez maior, descobriremos ideias muito mais amplas do que aquelas que hoje temos em nossas telas de radar, da mesma maneira que começamos a descobrir a beleza do mundo microscópico e a escala incompreensível do cosmo. O destronamento tende a se abrir a algo maior do que nós, ideias mais maravilhosas do que imaginamos originalmente. Cada descoberta nos ensina que essa realidade supera em muito a imaginação e as conjecturas humanas. Esses avanços reduziram o poder da intuição e da tradição como oráculos de nosso futuro, substituindo-os por conceitos mais produtivos, realidades maiores e novos níveis de assombro.

No caso da descoberta de Galileu de que não somos o centro do universo, agora sabemos algo muito maior: que nosso sistema solar é um entre bilhões de trilhões. Como disse anteriormente, mesmo que a vida surja somente em um planeta em um bilhão, significa que pode haver milhões e milhões de planetas fervilhando de atividade no cosmo. Para minha mente, isto é uma ideia maior e mais luminosa do que ficar sentado num centro solitário, cercado por lâmpadas astrais frias e distantes. O destronamento levou a uma compreensão mais ampla e mais profunda, e o que perdemos no egocentrismo contrabalançamos com surpresa e pasmo.

Da mesma forma, a compreensão da idade da Terra descortinou um panorama antes inimaginável, o que por sua vez abriu a possibilidade de compreender a seleção natural. A seleção natural é usada diariamente em laboratórios de todo o mundo para escolher colônias de bactérias na pesquisa de combate às doenças. A mecânica quântica nos deu o transistor (o coração de nossa indústria eletrônica), lasers, imagens de ressonância magnética, diodos e memória em *flash drives* USB – e pode em breve nos dar as revoluções da computação quântica, tunelamento e teletransporte. Nossa compreensão do DNA e da base molecular da herança nos permitiu atacar as doenças de maneiras que eram impensáveis há meio século. Considerando seriamente as descobertas da ciência, nós erradicamos a varíola, viajamos à Lua e lançamos a revolução da informação. Triplicamos a expectativa de vida e, abordando as doenças no nível molecular, logo levaremos a expectativa média de vida para além de cem anos. Os destronamentos costumam equivaler a progresso.

No caso do destronamento da mente consciente, ganhamos melhores vias para compreender o comportamento humano. Por que achamos as coisas belas? Por que somos ruins na lógica? Quem está xingando quem quando ficamos chateados conosco? Por que as pessoas se deixam levar pelo canto de sereia das hipotecas de juros ajustáveis? Como podemos dirigir um carro tão bem mas somos incapazes de descrever o processo?

Esta melhor compreensão do comportamento humano pode se traduzir diretamente em política social aprimorada. Como exemplo, é importante compreender o cérebro para estruturar incentivos. Lembre-se, pelo Capítulo 5, que as pessoas negociavam consigo mesmas, fazendo uma série interminável de contratos de Ulisses. Isto leva a ideias como o plano de dieta proposto no referido capítulo: quem quer emagrecer pode depositar um bom dinheiro em um contrato de caução. Se atingir a meta de perda de peso em um prazo determinado, recupera o dinheiro; caso contrário, perderá tudo. Esta estrutura permite que as pessoas, em um momento de reflexão sóbria, recrutem o apoio contra a tomada de decisão de curto prazo – afinal, elas sabem que seu eu futuro será tentado a comer com impunidade. Compreender este aspecto da natureza humana permite que este tipo de contrato seja introduzido em vários ambientes – por exemplo, conseguir que um funcionário desvie uma pequena parcela de seu salário mensal para uma conta de aposentadoria individual. Ao tomar a decisão com o futuro em vista, ele pode evitar a tentação de gastar depois.

Nossa compreensão mais profunda do cosmo interior também nos dá uma visão mais clara dos conceitos filosóficos. Considere a virtude. Durante milênios, os filósofos perguntaram o que ela é e o que podemos fazer para melhorá-la. O sistema de equipe de rivais nos dá novas vias aqui. Podemos interpretar os elementos rivais no cérebro como análogos a um *motor* e *freios*: alguns elementos o estão impelindo para um comportamento, enquanto outros tentam detê-lo. À primeira vista, pode-se pensar que a virtude consiste em não querer fazer coisas ruins. Mas, em um sistema mais nuançado, uma pessoa virtuosa pode ter fortes impulsos libidinosos, desde que também tenha suficiente poder de freio para vencê-los. (Também acontece de que um agente virtuoso tenha tentações mínimas e portanto não precise de bons freios, mas pode-se sugerir que a pessoa mais virtuosa é aquela que travou a batalha mais intensa para resistir à tentação, e não a que nunca foi tentada.) Este tipo de abordagem só é possível quando temos uma visão clara da rivalidade sob a superfície, e não se acreditarmos que as pessoas só possuem uma mente (como em *mens rea*, "A mente culpada"). Com as novas ferramentas, podemos considerar uma batalha mais nuançada entre diferentes regiões do cérebro e para que lado pende essa batalha. E isso abre novas oportunidades para a reabilitação de nosso sistema de justiça: quando compreendermos como o cérebro realmente opera e por que o controle de impulsos falha em uma fração da população, poderemos desenvolver novas estratégias diretas para fortalecer a tomada de decisão de longo prazo e pender a batalha a seu favor.

Além disso, uma compreensão do cérebro pode nos levar a um sistema de sentenças mais esclarecido. Como vimos no capítulo anterior, poderemos substituir o problemático conceito da imputabilidade por um sistema correcional prático e prospectivo (*O que esta pessoa poderá fazer a partir daqui?*), em vez de um sistema retrospectivo (*Quanto disso foi por culpa dela?*). Um dia, a justiça poderá abordar os problemas neurais e comportamentais da mesma maneira que a medicina estuda problemas nos pulmões ou nos ossos. Este realismo biológico não eliminará os criminosos, mas introduzirá sentenças racionais e reabilitação customizada ao adotar uma abordagem prospectiva em vez de retrospectiva.

Uma compreensão melhor da neurobiologia pode levar a uma política social melhor. Mas o que significa para a compreensão de nossa própria vida?

CONHECE-TE A TI MESMO

"Conhece-te pois; não pretendas esquadrinhar a Deus.
O verdadeiro estudo do homem é o homem."

— Alexander Pope

Em 28 de fevereiro de 1571, na manhã de seu aniversário de 38 anos, o ensaísta francês Michel de Montaigne decidiu fazer uma mudança radical na trajetória de sua vida. Abandonou a carreira na vida pública, montou uma biblioteca com mil livros numa torre nos fundos de sua grande propriedade rural e passou o resto da vida escrevendo ensaios sobre o tema complexo, fugaz e multiforme que mais o interessava: *ele mesmo*. Sua primeira conclusão foi de que uma busca para conhecer a nós mesmos é uma missão de tolos, porque o self muda continuamente e se mantém além de uma descrição firme. Isto não o impediu de procurar, porém, e sua pergunta tem ressoado pelos séculos: *Que sais-je?* (Que sei eu?)

Foi e ainda é uma boa pergunta. Nossa exploração do cosmo interior certamente nos desilude de nossas concepções iniciais, descomplicadas e intuitivas de conhecer a nós mesmos. Vemos que o autoconhecimento requer tanto trabalho de fora (na forma da ciência) como de dentro (introspecção). Não quero dizer com isto que não podemos melhorar na introspecção. Afinal, podemos aprender a prestar atenção ao que realmente estamos vendo lá fora, como faz um pintor, e podemos atentar mais a nossos sinais interiores, como faz um iogue. Mas existem limites para a introspecção. Considere apenas o fato de que seu sistema nervoso periférico emprega cem milhões de neurônios para controlar as atividades de seu intestino (chama-se sistema nervoso entérico). Cem milhões de neurônios, e nenhuma introspecção de sua parte pode alterar isto. E você, muito provavelmente, não iria querer. É melhor operar como a maquinaria automática e otimizada que é, orientando comida por seus intestinos e proporcionando os sinais químicos para controlar a fábrica da digestão sem pedir sua opinião a esse respeito.

Além da falta de acesso, pode até haver prevenção de acesso. Meu colega Read Montague certa vez especulou que podemos ter algoritmos que nos protegem de nós mesmos. Por exemplo, os computadores têm setores de inicialização inacessíveis ao sistema operacional – eles são importantes demais para a operação do computador para que qualquer outro sistema de nível mais alto encontre portas e tenha acesso, em quaisquer circunstâncias. Montague observou que, sempre que tentamos pensar demais em nós mesmos, tendemos a um "apagão" – e talvez seja assim porque estávamos chegando perto demais do setor de inicialização. Como escreveu Ralph Waldo Emerson um século antes, "tudo nos intercepta de nós mesmos". Grande parte de quem somos continua fora de nossa opinião ou escolha. Imagine tentar mudar seu senso de beleza ou atração. O que aconteceria se a sociedade lhe pedisse para desenvolver e manter atração por alguém do gênero a que você atualmente não se sente atraído? Ou alguém bem longe da faixa etária a que você se sente atraído? Ou fora de sua espécie? Você poderia fazer isso? Duvido. Seus impulsos mais fundamentais são costurados no tecido de seu circuito neural e lhe são inacessíveis. Você acha certas coisas mais atraentes do que outras, e não sabe por quê.

Como seu sistema nervoso entérico e seu senso de atração, quase a totalidade de seu universo interior lhe é estranha. As ideias que lhe ocorrem, seus pensamentos durante um devaneio, o conteúdo bizarro dos pesadelos – tudo isso lhe é entregue de cavernas intracranianas invisíveis.

Assim, o que tudo isto significa para a admoestação grega – conhece-te a ti mesmo – inscrita com destaque no átrio do tempo de Apolo, em Delfos? Podemos nem sequer conhecer a nós mesmos mais profundamente pelo estudo de nossa neurobiologia? Sim, mas com algumas advertências. Diante dos mistérios profundos apresentados pela física quântica, o físico Neils Bohr certa vez sugeriu que só poderíamos alcançar uma compreensão da estrutura do átomo mudando a definição de "compreender". Não se pode tirar fotos de um átomo, é verdade, mas pode-se agora prever experimentos sobre seu comportamento a 14 casas decimais. Os pressupostos perdidos foram substituídos por algo mais amplo.

Da mesma forma, conhecer a si mesmo pode exigir uma mudança da definição de "conhecer". Autoconhecer-se requer agora entender que o *você* consciente só ocupa uma salinha na mansão do cérebro, e que ela tem pouco controle sobre a realidade construída para você. A invocação conhece-te a ti mesmo precisa ser considerada de novas maneiras.

Digamos que você quisesse saber mais sobre a ideia grega de se autoconhecer e me pedisse para explicar com mais detalhes. Provavelmente não seria útil se eu dissesse: "Tudo o que precisa saber está em cada uma destas letras: γ ν ώ θ ι σ ε α υ τ ό ν." Se você não lê grego, os elementos não passam de formas arbitrárias. E mesmo que você *leia* grego, há muito mais na ideia do que apenas letras – você iria querer conhecer a cultura da qual ela surgiu, a ênfase na introspecção, a sugestão de um caminho para a iluminação.[3] Compreender a frase requer mais do que aprender as letras. E esta é a situação em que estamos quando olhamos os trilhões de neurônios e seus sextilhões de proteínas e bioquímicos móveis. O que significa conhecer a nós mesmos a partir dessa perspectiva totalmente desconhecida? Como veremos daqui a pouco, precisamos de dados neurobiológicos, mas também precisamos nos autoconhecer um pouco mais.

A biologia é uma abordagem incrível, mas é limitada. Pense em baixar uma sonda médica pela goela de seu amante enquanto ele lê poesia para você. Dê uma boa olhada nas cordas vocais dele, escorregadias e brilhantes, contraindo-se e expandindo em espasmos. Você pode estudar isto até ficar com náuseas (talvez bem antes do que pensa, dependendo de sua tolerância à biologia), mas não ficará mais perto de entender por que você adora uma conversa na cama à noite. Sozinha, em sua forma crua, a biologia dá apenas um *insight* parcial. É o melhor que podemos fazer agora, mas está longe de ser completa. Agora vejamos em maiores detalhes.

O QUE SIGNIFICA SER CONSTRUÍDO DE PARTES FÍSICAS

Um dos exemplos mais famosos de dano cerebral vem de um chefe de uma turma de operários de ferrovia de 25 anos chamado Phineas Gage. O *Boston Post* contou sobre ele em um curto artigo em 21 de setembro de 1848, sob o título "Horrível Acidente":

Ontem, enquanto Phineas P. Gage, um mestre ferroviário em Cavendish, preparava uma detonação, a pólvora explodiu, levando um instrumento que ele usava naquela hora, de cerca de três centímetros [diâmetro] e 1,10 de extensão, a atravessar sua cabeça. O ferro entrou pela lateral do rosto, despedaçou o maxilar superior, passando atrás do olho esquerdo e saindo pelo alto da cabeça.

A vara de ferro caiu no chão a 25 metros de distância. Embora Gage não fosse o primeiro a ter o crânio perfurado e uma parte do cérebro lesionada por um projétil, foi o primeiro a não morrer por isto. Na realidade, Gage nem mesmo perdeu a consciência. O primeiro médico a chegar, o dr. Edward H. Williams, não acreditou na declaração de Gage do que tinha acabado de acontecer, mas "pensou que ele [Gage] estivesse enganado". Mas Williams logo entendeu a gravidade do que acontecera quando "o sr. G. levantou-se e vomitou; o esforço para vomitar expulsou cerca de meia xícara do cérebro, que caiu no chão".

O cirurgião de Harvard que estudou seu caso, o dr. Henry Jacob Bigelow, observou que "a principal característica deste caso é sua improbabilidade. (...) [É] sem paralelo nos anais da cirurgia".[4] O artigo do *Boston Post* resumiu essa improbabilidade com apenas mais uma frase: "A circunstância mais singular ligada a este caso melancólico é que ele estava vivo às duas horas desta tarde e de plena posse de suas faculdades mentais, sem dor."[5]

Só a sobrevivência de Gage teria dado um caso clínico interessante; tornou-se um caso famoso devido a algo mais que veio à luz. Dois meses depois do acidente, seu médico contou que Gage estava "se sentindo melhor em cada aspecto (...) andando pela casa de novo; diz ele não sentir dor na cabeça". Mas, prevendo um problema maior, o médico também notou que Gage "parece estar em vias de recuperação, se puder ser controlado".

O que ele quis dizer com "se puder ser controlado"? Acontece que o Gage anterior ao acidente fora descrito como um "grande favorito" em sua equipe, e seus subordinados o louvavam como "o chefe mais eficiente e capaz do trabalho". Mas, depois da alteração no cérebro, "consideraram a mudança em sua mente tão acentuada que não podiam mais lhe devolver seu cargo". Como escreveu em 1868 o médico encarregado de Gage, o dr. John Martyn Harlow:

> O equilíbrio, por assim dizer, entre suas faculdades intelectuais e propensões animais parece ter sido destruído. Ele é vacilante, irreverente, condescendendo ocasionalmente na blasfêmia mais grosseira (o que não era um hábito seu), manifestando pouca deferência por seus colegas, impaciente com restrições ou conselhos que conflitem com seus desejos, às vezes teimosamente obstinado, no entanto inconstante e volúvel, elaborando muitos planos de operações futuras, que assim que arranjados são abandonados em favor de outros que parecem mais viáveis. Uma criança em sua capacidade intelectual e manifestações, ele tem as paixões animais de um homem forte. Antes da lesão, embora não tenha sido educado em escolas, ele possuía uma mente equilibrada e era considerado pelos que o conheciam um homem de negócios sagaz e inteligente, muito enérgico e persistente na execução de todos os seus planos de operação. Neste aspecto sua mente mudou tão radicalmente que os amigos e colegas disseram que ele "não era mais o Gage".[6]

Nos 143 anos que se passaram, testemunhamos muitos outros experimentos trágicos da natureza – derrames, tumores, degeneração e cada variedade de lesão cerebral – e estes produziram muitos outros casos como o de Phineas Gage. A lição de todos esses casos é a mesma: a condição de seu cérebro é essencial para quem você é. O *você* que todos os seus amigos conhecem e amam não pode existir se os transistores e parafusos de seu cérebro não estiverem no lugar. Se você não acredita nisso, entre em qualquer ala neurológica de qualquer hospital. Os danos a partes até pequenas do cérebro podem levar à perda de capacidades incrivelmente específicas: a capacidade de dar nomes a animais, ou de ouvir música, administrar o comportamento de risco, distinguir cores ou arbitrar em decisões simples. Já vimos exemplos disto com a paciente que perdeu a capacidade de ver movimento (Capítulo 2) e os jogadores de Parkinson e cleptomaníacos frontotemporais que perderam a capacidade de administrar a tomada de risco (Capítulo 6). Sua essência mudou com as alterações em seu cérebro.

Tudo isso leva a uma questão central: será que temos uma alma separada de nossa biologia física – ou somos simplesmente uma rede biológica enormemente complexa que produz mecanicamente nossas esperanças, aspirações, sonhos, desejos, humor e paixões?[7] A maioria das pessoas no planeta vota na alma extrabiológica, enquanto a maioria dos neurocientistas prefere a última opção: uma essência que é uma propriedade natural e surge de um vasto sistema físico, nada mais além disso. Saberíamos que resposta está correta? Não teríamos certeza, mas casos como o de Gage certamente parecem ter peso na questão.

O ponto de vista *materialista* declara que somos feitos, fundamentalmente, apenas de matéria física. Nesta perspectiva, o cérebro é um sistema cuja operação é regida pelas leis da química e da física – e assim todos os nossos pensamentos, emoções e decisões são produzidos por reações naturais, seguindo leis locais para o mais baixo potencial de energia. Somos nosso cérebro, suas substâncias, e qualquer mexida nos controles de nosso sistema neural muda *quem você é*. Uma versão comum do materialismo é chamada *reducionismo*; esta teoria gera a esperança de que possamos entender fenômenos complexos como a felicidade, a avareza, o narcisismo, compaixão, malícia, cautela e assombro, *reduzindo* sucessivamente os problemas a suas partes biológicas de pequena escala.

À primeira vista, a perspectiva reducionista parece absurda a muita gente. Sei disso porque peço a opinião de estrangeiros quando me sento a seu lado nos aviões. E eles em geral dizem algo como: "Olha, tudo isso... como eu passei a amar minha mulher, por que escolhi meu trabalho e todo o resto – não tem nada a ver com a química de meu cérebro. É só *quem eu sou*." E eles têm razão em pensar que a ligação entre sua essência como pessoa e uma confederação esponjosa de células é no mínimo distante. As decisões dos passageiros vêm *deles*, e não de um monte de substâncias progredindo por ciclos pequenos e invisíveis. Não é?

Mas o que acontece quando damos com casos como o de Phineas Gage? Ou quando acendemos os refletores sobre outras influências no cérebro – muito mais sutis do que uma vara de ferro – que mudam a personalidade da pessoa?

Pense nos fortes efeitos das pequenas moléculas que chamamos de narcóticos. Essas moléculas alteram a consciência, afetam a cognição e dirigem o comportamento. Somos escravos destas moléculas. Tabaco, álcool e cocaína são autoadministrados universalmente com o propósito de alterar o humor. Mesmo que não soubéssemos nada de neurobiologia, a simples existência dos narcóticos nos daria toda a prova de que precisamos de que nosso comportamento e psicologia podem ser recrutados no nível molecular. Tome como exemplo a cocaína. Esta droga interage com uma rede específica do cérebro, que registra os eventos de recompensa – qualquer coisa, de matar a sede com um chá gelado, ganhar um sorriso da pessoa certa, resolver um problema difícil, a ouvir "Bom trabalho!". Ao vincular resultados positivos aos comportamentos que levam a eles, este amplo circuito neural (conhecido como sistema mesolímbico da dopamina) aprende a otimizar o comportamento no mundo. Ajuda-nos a conseguir comida, bebida e parceiros, e ajuda a nos orientar nas decisões da vida diária.*

Fora de contexto, a cocaína é uma molécula totalmente desinteressante: 17 átomos de carbono, 21 de hidrogênio, um de nitrogênio e quatro de oxigênio. O que torna a cocaína a *cocaína* é o fato de

---

* A arquitetura básica deste circuito de recompensa é altamente conservadora por toda a evolução. O cérebro de uma abelha usa os mesmos programas de recompensa de seu cérebro, rodando o mesmo software em um pedaço muito mais compacto de hardware. (Ver Montague et al., "Bee foraging".)

esta forma acidental por acaso combinar-se como chave e fechadura na maquinaria microscópica dos circuitos de recompensa. O mesmo acontece com todas as quatro principais classes de drogas viciantes: álcool, nicotina, psicoestimulantes (como as anfetaminas) e opiatos (como a morfina): por uma ou outra via, todas se ligam ao circuito de recompensa.[8] As substâncias que podem dar um ânimo ao sistema mesolímbico da dopamina têm efeitos de autorreforço, e os usuários roubarão lojas e assaltarão velhinhos para continuar obtendo essas formas moleculares específicas. Estas substâncias, operando sua magia em escalas mil vezes menores do que a espessura de um fio de cabelo humano, fazem com que os usuários sintam-se invencíveis e eufóricos. Ao se ligarem no sistema da dopamina, a cocaína e suas primas recrutam o sistema de recompensa, dizendo ao cérebro que isso é o melhor que poderia estar acontecendo. Os circuitos antigos são sequestrados.

As moléculas de cocaína são centenas de milhões de vezes menores do que a vara de ferro que atravessou o cérebro de Phineas Gage, e no entanto a lição é a mesma: quem você é depende da soma total de sua neurobiologia.

E o sistema de dopamina é apenas um entre centenas de exemplos. Os níveis exatos de dezenas de outros neurotransmissores – por exemplo, a serotonina – é fundamental para quem você acredita ser. Se você sofre de depressão clínica, provavelmente lhe receitarão um medicamento conhecido como inibidor de recaptação seletiva de serotonina (abreviado como SSRI – selective serotonin reuptake inhibitor) – algo como fluoxetina, sertralina, paroxetina ou citalopram. Tudo o que você precisa saber sobre a ação destas drogas está contido nas palavras "inibidor de recaptação": normalmente, os canais chamados transportadores captam a serotonina do espaço entre os neurônios; a inibição destes canais leva a uma concentração mais elevada da serotonina no cérebro. E a concentração maior tem consequências diretas na cognição e na emoção. As pessoas que fazem uso destes remédios podem ir do choro na beira da cama a se levantar, tomar banho, recuperar o emprego e resgatar relações saudáveis com as pessoas de sua vida. Tudo por causa de uma sintonia sutil do sistema de neurotransmissores.⁹ Se esta história não fosse tão comum, sua estranheza seria mais apreciada.

Não são apenas os neurotransmissores que influenciam sua cognição. O mesmo acontece com os hormônios, as pequenas moléculas invisíveis que surfam pela corrente sanguínea e provocam comoção em cada porto que visitam. Se você injetar estrogênio numa fêmea de rato, ela começará uma busca sexual; a testosterona em um rato macho provoca agressividade. No capítulo anterior aprendemos sobre o lutador Chris Benoit, que tomava doses maciças de testosterona e assassinou a mulher e o filho em uma fúria de hormônio. E no Capítulo 4 vimos que o hormônio vasopressina está ligado à fidelidade. Em outro exemplo, pense nas flutuações hormonais que acompanham os ciclos menstruais normais. Recentemente, uma amiga minha estava no auge de suas alterações de humor menstruais. Ela abriu um sorriso amarelo e disse: "Sabe de uma coisa, não sou eu mesma por alguns dias do mês." Sendo neurocientista, ela refletiu por um momento e acrescentou: "Ou talvez *esta* seja a verdadeira eu, e eu na verdade seja outra pessoa por 27 dias do mês." Nós rimos. Ela não tinha medo de se ver como a soma total de suas substâncias num dado momento. Compreendia que o que consideramos *ela* é algo como uma versão na média.

Tudo isso aumenta uma estranha noção de um self. Devido às flutuações inacessíveis de nosso caldo biológico, alguns dias nos vemos mais irritadiços, bem-humorados, falantes, calmos, energizados ou de raciocínio claro. Nossa vida interna e atos externos são dirigidos por coquetéis biológicos aos quais não temos acesso imediato nem conhecimento direto.

E não se esqueça de que a longa lista de influências em sua vida mental se estende bem além das substâncias químicas – inclui também os pormenores do circuito. Pense na epilepsia. Se uma convulsão epilética se concentra em um determinado ponto do lobo temporal, a pessoa não terá convulsões motoras, mas algo mais sutil. O efeito é parecido com uma convulsão cognitiva, marcada por mudanças de personalidade, hiper-religiosidade (uma obsessão pela religião e uma sensação de certeza religiosa), a falsa sensação de uma presença externa e, com frequência, ouvir vozes que são atribuídas a um deus.[10] Parte dos profetas, mártires e líderes da história parece ter tido epilepsia do lobo temporal.[11] Pense em Joana d'Arc, a menina de 16 anos que conseguiu mudar a maré da Guerra dos Cem Anos porque acreditava ouvir as vozes de São Miguel Arcanjo, Santa Catarina de Alexandria, Santa Margarete e São Gabriel (e convenceu os soldados franceses disto). Como descreveu a própria experiência, "aos 13 anos eu tinha uma voz de Deus auxiliando-me a me governar. Na primeira vez, fiquei apavorada. A voz apareceu-me por volta do meio-dia: era verão e eu estava no jardim de meu pai". Mais tarde ela contou: "Como Deus ordenou que eu fosse, eu devo ir. E como Deus ordenou, mesmo que eu tivesse cem pais e cem mães, e fosse filha de um rei, eu teria ido." Embora seja impossível diagnosticar retrospectivamente, seus relatos típicos, religiosidade crescente e vozes contínuas certamente são compatíveis com a epilepsia do lobo temporal. Quando a atividade cerebral é ativada no local certo, as pessoas ouvem vozes. Se um médico prescreve um medicamento antiepilético, as crises desaparecem e as vozes também. Nossa realidade depende do que nossa biologia está aprontando.

As influências em nossa vida cognitiva também incluem minúsculas criaturas não humanas: micro-organismos como vírus e bactérias manejam o comportamento de formas extremamente específicas, travando batalhas invisíveis dentro de nós. Aqui está meu exemplo preferido de um organismo microscópico que assume o controle do comportamento de uma máquina gigante: o vírus da raiva. Depois de uma mordida de um mamífero em outro, este vírus mínimo em forma de projétil sobe aos nervos e entra no lobo temporal do cérebro. Ali ele se insinua nos neurônios locais e, alterando os padrões locais de atividade, induz o hospedeiro infectado a agressão, raiva e a uma propensão a morder. O vírus também se move para as glândulas salivares e, desta maneira, é transmitido pela mordida ao hospedeiro seguinte. Ao dirigir o comportamento do animal, o vírus garante sua disseminação a outros hospedeiros. Pense nisso: o vírus, com míseros 75 bilionésimos de metro de diâmetro, sobrevive recrutando o corpo imenso de um animal 25 milhões de vezes maior do que ele. Seria como você descobrir uma criatura de 45 mil quilômetros de altura e fazer algo muito inteligente para curvar a vontade dela à sua.[12] A lição crítica é que pequenas mudanças invisíveis dentro do cérebro podem levar a mudanças imensas no comportamento. Nossas escolhas são inseparavelmente combinadas aos pormenores mais ínfimos de nossa maquinaria.[13]

Como último exemplo da dependência de nossa biologia, observe que mutações mínimas em genes individuais também determinam a mudança de comportamento. Pense na doença de Huntington, em que danos progressivos no córtex frontal levam a mudanças na personalidade, como agressividade, hipersexualidade, comportamento impulsivo e desconsideração para com as normas sociais – tudo acontecendo anos antes que apareça o sintoma mais reconhecível, o movimento espástico dos membros.[14] A questão aqui é que a doença de Huntington é causada por uma mutação em um único gene. Como resume Robert Sapolsky: "Altere um gene entre dezenas de milhares e, aproximadamente na metade da vida de uma pessoa, ocorrerá uma transformação drástica da personalidade."[15] Diante de tais exemplos, podemos concluir outra coisa senão que nossa essência depende das minúcias de nossa biologia? Poderia você dizer a um paciente de Huntington para usar seu "livre-arbítrio" e parar de agir de forma tão estranha?

Vemos que as moléculas invisíveis que chamamos narcóticos, neurotransmissores, hormônios, vírus e genes podem colocar suas mãozinhas no volante de nosso comportamento. Assim que sua bebida é batizada, que espirram em seu sanduíche ou que seu genoma pega uma mutação, seu barco navega num rumo diferente. Você pode se esforçar ao máximo pelo contrário, mas as alterações em sua maquinaria levam a mudanças em você. Dados estes fatos, não está nada claro que temos a opção de "escolher" quem gostaríamos de ser. Como coloca a especialista em neuroética Martha Farah, se um comprimido antidepressivo "pode nos ajudar a tolerar os problemas do dia a dia e se um estimulante pode nos ajudar a cumprir nossos prazos e manter nossos compromissos no trabalho, então não deveriam os temperamentos imperturbáveis e caracteres conscienciosos também ser características do corpo das pessoas? E se for assim, haveria algo nas pessoas que *não* é característica de seu corpo?"[16]

Quem você passa a ser depende tanto de uma vasta rede de fatores, que presumivelmente continuará impossível relacionar individualmente moléculas e comportamento (falaremos mais sobre isso daqui a pouco). Todavia, apesar da complexidade, seu mundo é diretamente ligado a sua biologia. Se existe algo como uma alma, é no mínimo emaranhada irreversivelmente com os detalhes microscópicos. Não importa o que mais esteja acontecendo com nossa misteriosa existência, nossa ligação com a biologia está além de qualquer dúvida. Deste ponto de vista, você pode entender por que o reducionismo biológico tem um lugar firme na moderna ciência do cérebro. Mas o reducionismo não conta toda a história.

DA COR DE SEU PASSAPORTE ÀS PROPRIEDADES EMERGENTES

A maioria das pessoas ouviu falar do Projeto Genoma Humano, em que nossa espécie conseguiu decodificar a sequência de bilhões de letras de nosso livro de códigos genético. O projeto foi um marco, saudado com a fanfarra que merecia.

O que nem todos sabem é que o projeto, em certo sentido, foi um fracasso. Depois que sequenciamos o código todo, não encontramos as respostas inovadoras e esperadas sobre os genes que são exclusivos da humanidade; em vez disso, descobrimos uma receita de bolo imensa para a construção do básico de nosso organismo biológico. Descobrimos que outros animais têm essencialmente o mesmo genoma que nós; isto porque são feitos do mesmo material básico, só que em configurações diferentes. O genoma humano não é tremendamente diferente do genoma do sapo, embora o homem seja tremendamente diferente dos sapos. Pelo menos, homens e sapos *parecem* bem diferentes. Mas tenha em mente que ambos requerem as receitas para construir olhos, baço, pele, ossos, coração e assim por diante. Assim, os dois genomas não são tão diferentes. Imagine ir a fábricas diferentes e examinar diâmetros e tamanho dos parafusos usados. Isto lhe diria pouco sobre a função do produto final – digamos, uma torradeira ou um secador de cabelos. Ambos têm elementos semelhantes configurados em diferentes funções.

O fato de que não aprendemos o que pensamos poder saber não é uma crítica ao Projeto Genoma Humano; teve de ser feito, como um primeiro passo. Mas *é* um reconhecimento de que níveis sucessivos de redução estão condenados a nos dizer muito pouco sobre as questões que importam ao homem.

Voltemos ao exemplo de Huntington, em que um único gene determina se você desenvolverá ou não a doença. Parece uma história de sucesso do reducionismo. Mas observe que a doença de Huntington é um dos muito poucos exemplos que podemos desencavar com este fim. A redução de uma doença a uma *única* mutação é extraordinariamente rara: a maioria das doenças é poligênica, o que quer dizer que resultam de contribuições sutis de dezenas e até centenas de genes diferentes. E à medida que a ciência desenvolve técnicas melhores, descobrimos não só a importância das regiões que codificam genes, mas também das áreas entre elas – o que antigamente se pensava ser DNA "lixo". A maioria das doenças parece resultar de uma confluência de numerosas mudanças menores que se combinam de maneiras extremamente complexas.

Mas a situação é muito pior do que um problema de múltiplos genes: só podemos compreender as contribuições do genoma no contexto da interação com o ambiente. Pense na esquizofrenia, uma doença cujo gene é caçado por equipes de pesquisadores há décadas. Será que eles encontraram algum gene que tenha correlação com a doença? Certamente encontraram. Centenas, na verdade. A posse de qualquer um destes genes pode prever quem desenvolverá esquizofrenia quando jovem adulto? Muito pouco. Uma mutação genética isolada é tão preditiva da esquizofrenia quanto a cor de seu passaporte.

O que seu passaporte tem a ver com a esquizofrenia? Acontece que o estresse social de ser imigrante em um novo país é um dos fatores críticos para o desenvolvimento da esquizofrenia.[17] Em estudos multinacionais, o risco mais elevado estava presente em grupos de imigrantes que diferem da população local em cultura e aparência. Em outras palavras, um nível mais baixo de aceitação social pela maioria tem correlação com uma probabilidade maior de um surto esquizofrênico. De maneiras que não são compreendidas hoje, parece que a rejeição social reiterada perturba o funcionamento normal dos sistemas de dopamina. Mas mesmo estas generalizações não contam toda a história, porque, dentro de um só grupo de imigrantes (digamos, coreanos na América), é mais provável que se tornem psicóticos os que se sentem piores com relação a suas diferenças étnicas. Os que são orgulhosos e se sentem à vontade com sua herança estão mentalmente mais seguros.

Esta notícia é surpreendente para muitos. Seria a esquizofrenia genética ou não? A resposta é que a genética tem *seu papel*. Se a genética produz elementos básicos com uma forma ligeiramente estranha, todo o sistema pode operar de maneira incomum quando colocado em determinados ambientes. Em outros ambientes, a forma desses elementos pode não ter importância. Dito isto, no que uma pessoa se transforma depende de muito mais do que sugestões moleculares escritas no DNA.

Lembra o que dissemos antes, sobre ter uma probabilidade 828% maior de cometer um crime violento se você porta o cromossomo Y? A declaração é factual, mas a questão importante a fazer é esta: por que nem *todos* os homens são criminosos? Isto é, só 1% dos homens é encarcerado.[18] O que está acontecendo?

A resposta é que só conhecer os genes não basta para saber muito sobre o comportamento. Pense no trabalho de Stephen Suomi, um pesquisador que criou macacos em ambientes naturais na Maryland rural. Neste ambiente, ele pode observar o comportamento social dos macacos desde o nascimento.[19] Uma das primeiras coisas que percebeu foi que os macacos começam a expressar diferentes personalidades a partir de uma idade surpreendentemente nova. Ele viu que praticamente todo comportamento social se desenvolvia, era praticado e aperfeiçoado durante os jogos com iguais dos quatro aos seis meses de idade. Esta observação teria sido interessante em si, mas Suomi conseguiu combinar as observações comportamentais com exames de sangue regulares de hormônios e metabólitos, bem como a análise genética.

O que ele descobriu entre os bebês macacos era que 20% deles exibiam ansiedade social. Reagiam a situações sociais novas e um tanto estressantes com um comportamento incomumente temeroso e ansioso, e isto tinha correlação com longas elevações dos hormônios de estresse em seu sangue.

Na outra extremidade do espectro, 5% dos filhotes eram francamente agressivos. Exibiam comportamento impulsivo e inadequadamente beligerante. Esses macacos tinham baixos níveis de um metabólito do sangue relacionado com a quebra do neurotransmissor serotonina.

Após investigação, Suomi e sua equipe descobriram que havia dois possíveis "sabores" diferentes de genes (chamados de alelos pelos geneticistas) para uma proteína envolvida com o transporte da serotonina[20] – chamemos de formas longa e curta. Os macacos com a forma curta exibiam um fraco controle da violência, enquanto aqueles com a forma longa mostravam controle de comportamento normal.

Mas isto era apenas uma parte da história. O desenvolvimento da personalidade de um macaco também dependia de seu ambiente. Havia duas maneiras de os macacos serem criados: por suas mães (um bom ambiente) ou pelos pares (relações de ligação inseguras). Os macacos com a forma curta acabaram sendo agressivos quando criados pelos pares, mas se saíam muito melhor quando criados pelas mães. Para os que tinham a forma longa do gene, o ambiente de criação não parecia importar muito; eles se adaptavam bem aos dois casos.

Existem pelo menos duas maneiras de interpretar estes resultados. A primeira é que o alelo longo é um "gene bom" que confere flexibilidade contra um ambiente de infância ruim (canto inferior esquerdo da tabela a seguir). O segundo é que um bom relacionamento materno de algum modo confere flexibilidade para os macacos que de outra forma seriam sementes ruins (canto superior direito). Estas duas interpretações não são excludentes e as duas resumem-se à mesma lição importante: é preciso uma combinação de genética e ambiente para o resultado final.

	Criados com pares	Criados com a mãe
Alelo curto	agressivo	bem
Alelo longo	bem	bem

Com o sucesso dos estudos com macacos, começou o estudo das interações gene-ambiente no homem.[21] Em 2001, Avshalom Caspi e colaboradores se perguntaram se existiriam genes para a depressão. Quando saíram à caça, descobriram que a resposta era "mais ou menos". Aprenderam que existem genes que o *predispõem*; se você realmente sofre de depressão, depende dos acontecimentos de sua vida.[22]

Os pesquisadores descobriram isto ao entrevistar atentamente dezenas de pessoas para descobrir que tipo de eventos traumáticos importantes transpiraram em sua vida: perda de um ente querido, um grave acidente de carro e semelhantes. De cada participante, também analisaram a genética – especificamente, a forma de um gene envolvido na regulação dos níveis de serotonina no cérebro. Como as pessoas portam duas cópias do gene (uma de cada pai), existem três combinações possíveis que alguém pode portar: curto/curto, curto/longo ou longo/longo. O resultado incrível foi que a combinação curto/curto predispunha os participantes à depressão clínica, mas somente se viveram um número maior de acontecimentos ruins na vida. Se tiveram a sorte de uma boa vida, a combinação curto/curto não lhes conferia maior probabilidade de se tornarem clinicamente deprimidos. Mas, se eles tivessem a falta de sorte de se meter em programas sérios, inclusive eventos que estivessem inteiramente fora de seu controle, era duas vezes mais provável que desenvolvessem depressão do que alguém com a combinação longo/longo.

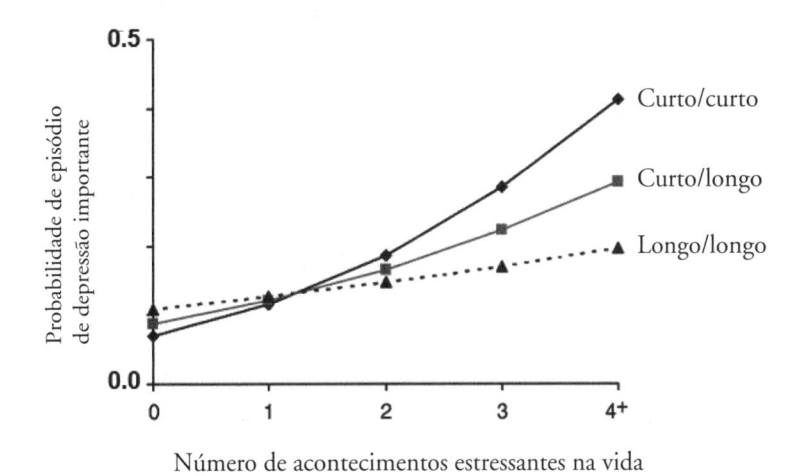

Número de acontecimentos estressantes na vida

Predisposições nos genes. Por que as experiências estressantes levam à depressão em algumas pessoas, mas não em outras? Pode ser uma questão de predisposição genética. De Caspi et al., *Science*, 2003.

Um segundo estudo abordou uma preocupação profunda da sociedade: os que tiveram pais abusivos tendem a ser eles mesmos abusivos. Muitas pessoas acreditam nesta declaração, mas será mesmo verdadeira? E importa que tipo de genes a criança porta? O que atraiu a atenção dos pesquisadores foi o fato de que algumas crianças que sofreram maus-tratos tornaram-se violentas quando adultas e outras, não. Quando todos os fatores óbvios foram controlados, permaneceu o fato de que os maus-tratos na infância, por si sós, não previam no que um indivíduo se transformaria. Inspirado para compreender a diferença entre aquelas que perpetuam a violência e os que não o fazem, Caspi e colaboradores descobriram que uma pequena mudança na expressão de um determinado gene diferenciava essas crianças.[23] As crianças com baixa expressão do gene tinham uma probabilidade maior de desenvolver distúrbios de conduta e se tornarem criminosos violentos quando adultas. Porém, esse resultado era muito mais provável se as crianças sofressem maus-tratos. Se abrigassem as formas "ruins" do gene, mas tivessem sido poupadas de abusos, não era provável que se tornassem violentas. E se abrigassem as formas "boas", mesmo uma infância de maus-tratos severos não as impeliria necessariamente a perpetuar o ciclo de violência.

Um terceiro exemplo vem da observação de que fumar *cannabis* (marijuana) quanto adolescente aumenta a probabilidade de desenvolver psicose quando adulto. Mas esta ligação só é verdadeira para algumas pessoas, e não para outras. A esta altura, você pode deduzir a conclusão: uma variação genética subjaz a suscetibilidade de alguém a isso. Com uma combinação de alelos, há uma forte ligação entre o uso de cannabis e a psicose quando adulto; com uma combinação diferente, a ligação é fraca.[24]

Da mesma maneira, os psicólogos Angela Scarpa e Adrian Raine mediram diferenças na função cerebral entre pessoas com o diagnóstico de distúrbio de personalidade antissocial – uma síndrome caracterizada por uma completa desconsideração para com os sentimentos e direitos dos outros, e que prevalece entre a população criminosa. Os pesquisadores descobriram que o distúrbio de personalidade antissocial tem a mais elevada probabilidade de ocorrência quando anormalidades cerebrais foram *combinadas* com uma história de experiências ambientais adversas.[25] Em outras palavras, se você tem certos problemas no cérebro mas é criado em um bom lar, pode ficar bem. Se seu cérebro está bem e seu lar é terrível, você ainda pode ficar bem. Mas se você tem um dano cerebral brando *e* teve um lar ruim, está lançando os dados para uma sinergia muito infeliz.

Estes exemplos demonstram que não é só a biologia, nem só o ambiente que determina o produto final de uma personalidade.[26] Quando se trata da questão natureza e criação, a resposta quase sempre inclui as duas coisas.

Como vimos no capítulo anterior, você não escolhe nem sua natureza, nem sua criação e muito menos a interação entre as duas.

A VIDA DEPOIS DA MONARQUIA 231

Você herda uma planta genética e nasce em um mundo sobre o qual não tem poder de decisão durante todos os seus anos de formação. Este é o motivo para as pessoas chegarem com maneiras bem diferentes de ver o mundo, personalidades dessemelhantes e capacidades variadas de tomada de decisão. Não existem opções; as cartas são estas. A questão do capítulo anterior era destacar a dificuldade de atribuir culpabilidade nessas circunstâncias. Neste capítulo, destacamos o fato de que a maquinaria que nos torna quem somos não é simples e a ciência não está prestes a compreender como formar mentes a partir de suas partes. Sem dúvida, a mente e a biologia estão ligadas — mas não de uma forma que nos dê qualquer esperança de compreender com uma abordagem puramente reducionista.

O reducionismo é enganador por dois motivos. Primeiro, como acabamos de ver, a complexidade insondável das interações gene-ambiente nos deixa longe de compreender como se desenvolverá qualquer indivíduo — com sua vida de experiências, conversas, maus-tratos, alegrias, alimentos ingeridos, drogas recreativas, remédios receitados, pesticidas, experiência educacional e assim por diante. É simplesmente complexo demais e presume-se que assim continuará.

Segundo, embora seja verdade que estamos ligados a nossas moléculas, proteínas e neurônios — como nos dizem inquestionavelmente hormônios, drogas e micro-organismos —, não se segue, pela lógica, que o homem é mais bem descrito apenas por seus componentes. A ideia reducionista extrema de que *não passamos* de células das quais somos compostos não é um bom ponto de partida para qualquer um que tente entender o comportamento humano. Só porque um sistema é feito de partes, e só porque essas partes são fundamentais para o funcionamento do sistema, não quer dizer que as partes representem o nível correto de descrição.

Então por que o reducionismo pegou, antes de mais nada? Para compreender isto, precisamos apenas examinar suas origens históricas. Em séculos recentes, homens e mulheres pensantes observaram o crescimento da ciência determinista na forma das equações deterministas de Galileu, Newton e outros. Estes cientistas puxaram molas, rolaram esferas e largaram pesos, e cada vez mais puderam prever com equações simples o que os objetos fariam. No século XIX, Pierre-Simon Laplace propôs que, se alguém pudesse saber a posição de cada partícula no universo, calcularia todo o futuro (e giraria as equações na outra direção para conhecer o passado). A história de sucesso é o cerne do reducionismo, que propõe essencialmente que tudo o que é grande pode ser compreendido ao se discernirem suas partes cada vez menores. Nesta perspectiva, todas as flechas da compreensão apontam para os níveis menores: o homem pode ser compreendido em termos da biologia, a biologia na linguagem da química, e a química nas equações da física atômica. O reducionismo tem sido o motor da ciência desde antes do Renascimento.

Mas o reducionismo não é o ponto de vista correto para tudo e certamente não explicaria a relação entre o cérebro e a mente. Isto devido a uma característica conhecida como *emergência*.[27] Quando você agrega um grande número de componentes, o todo pode se tornar algo maior do que a soma. Nenhum dos componentes de metal de um avião tem a propriedade de *voar*, mas, quando são unidos da maneira correta, o resultado ganha o ar. Não lhe adiantaria muito ter uma barra fina de metal se você estivesse tentando controlar um jaguar, mas várias delas em paralelo têm a propriedade de *conter*. O conceito de propriedades emergentes implica que podemos introduzir algo novo que não é inerente a nenhuma de suas partes.

Como outro exemplo, imagine que você fosse um engenheiro de trânsito que precisasse entender o fluxo de tráfego de sua cidade: onde os carros tendem a engarrafar, onde as pessoas aceleram e onde ocorrem as tentativas mais perigosas de ultrapassagem. Não levaria muito tempo para você perceber que uma compreensão destas questões exigiria um modelo da psicologia dos próprios motoristas. Você perderia o emprego se propusesse estudar o tamanho dos parafusos e a eficiência em combustão das velas de ignição dos motores. Estes são os níveis errados de descrição para compreender os engarrafamentos.

Não quero dizer com isso que as pequenas partes não importem; elas *importam*. Como vimos com o cérebro, o vício em narcóticos, mudanças no nível de neurotransmissores ou mutações genéticas podem alterar radicalmente a essência de uma pessoa. Da mesma maneira, se você modificar parafusos e velas de ignição, os motores funcionarão de uma forma diferente, os carros poderão acelerar ou reduzir sua velocidade e outros carros poderão bater neles. Assim, a conclusão é clara: embora o fluxo de tráfego dependa da integridade das partes, não é, de nenhuma maneira significativa, *equivalente* às partes. Se quiser saber por que o programa de TV *Os Simpsons* é engraçado, não vá ao ponto de estudar os transistores e capacitores no fundo de seu televisor de plasma. Você pode elucidar as partes eletrônicas em detalhes e provavelmente aprenderá uma ou duas coisas sobre eletricidade, mas não estará mais perto de compreender o humor. Ver *Os Simpsons* depende inteiramente da integridade dos transistores, mas os componentes não são em si engraçados. Da mesma maneira, embora a mente dependa da integridade dos neurônios, os neurônios não são eles mesmos pensantes.

E isto nos obriga a reconsiderar como desenvolver uma narrativa científica do cérebro. Se trabalharmos numa física completa de neurônios e suas substâncias, a mente seria elucidada? Provavelmente não. O cérebro presumivelmente não infringe as leis da física, mas isto não significa que as equações que descrevem interações bioquímicas detalhadas nos darão o nível correto de descrição. Como coloca o teórico da complexidade Stuart Kauffman, "um casal apaixonado andando pelas margens do Sena é, na realidade, um casal apaixonado andando pelas margens do Sena, e não meras partículas em movimento."

Uma teoria significativa da biologia humana não pode ser reduzida a química e física, mas deve ser compreendida em seu próprio vocabulário de evolução, competição, recompensa, desejo, reputação, avareza, amizade, confiança, fome e assim por diante – da mesma maneira que o fluxo de tráfego será compreendido não no vocabulário de parafusos e velas de ignição, mas em termos de limites de velocidade, horas do rush, violência no trânsito e gente querendo chegar em casa o mais cedo possível quando seu dia de trabalho se encerra.

Há outro motivo para que os componentes neurais não sejam suficientes para uma plena compreensão da experiência humana: seu cérebro não é o único participante biológico do jogo de determinar quem você é. O cérebro mantém uma constante comunicação de duas vias com os sistemas endócrino e imunológico, que podem ser considerados "o sistema nervoso maior". O sistema nervoso maior é, por sua vez, inseparável dos ambientes químicos que influenciam seu desenvolvimento – inclusive a nutrição, tinta a base de chumbo, poluentes atmosféricos e assim por diante. E você faz parte de uma rede social complexa que altera sua biologia a cada interação e que seus atos, por sua vez, podem mudar. Assim, é interessante contemplar as fronteiras: como devemos definir o *você*? Onde você começa e onde termina? A única solução é pensar no cérebro como a concentração mais densa da *condição você*. É o pico da montanha, mas não toda a montanha. Quando falamos de "o cérebro" e comportamento, é um rótulo fácil para algo que inclui contribuições de um sistema sociobiológico muito mais amplo.* O cérebro não é tanto o assento da mente, mas seu eixo.

Assim, vamos resumir onde estamos. Seguir uma rua de mão única na direção do muito pequeno é um erro cometido pelos reducionistas e é a armadilha que queremos evitar. Sempre que você encontrar uma declaração fácil como "você é seu cérebro", não interprete que a neurociência entenderá os cérebros só como constelações imensas de átomos ou vastas selvas de neurônios. O futuro da compreensão da mente está na decodificação dos padrões de atividade que vivem *acima da* matéria úmida, padrões que são dirigidos tanto por maquinações internas como por interações com o mundo. Os laboratórios de todo o planeta tentam entender a relação entre a matéria física e a experiência subjetiva, mas estão muito longe de solucionar o problema.

---

* Em *Lifelines*, o biólogo Steven Rose observa que "a ideologia reducionista não só impede que os biólogos reflitam corretamente sobre os fenômenos que desejamos entender: ela tem duas consequências sociais importantes: serve para transferir os problemas sociais ao indivíduo (...) em vez de explorar origens na sociedade e determinantes de um fenômeno; e, segundo, desvia a atenção e financiamento do social para o molecular".

No início da década de 1950, o filósofo Hans Reichenbach declarou que a humanidade estava diante de uma narrativa completa, científica e objetiva do mundo – uma "filosofia científica".[28] Isto já faz 60 anos. Chegamos a esse ponto? Ainda não. Na realidade, temos um longo caminho pela frente. Para algumas pessoas, o jogo é agir como se a ciência estivesse prestes a entender tudo. Na verdade, há uma grande pressão sobre os cientistas – aplicada por agências de financiamento e a mídia popular – para fingir que os maiores problemas estão prestes a ser resolvidos a qualquer momento. Mas a verdade é que enfrentamos um campo de pontos de interrogação, e este campo se estende até desaparecer de vista. Isto sugere um pedido de sinceridade na exploração destas questões. Como exemplo, o campo da mecânica quântica inclui o conceito de *observação*: quando um observador mede a localização de um fóton, o estado da partícula colapsa a uma dada posição, enquanto um instante atrás ela se encontrava em uma infinidade de possíveis estados. De que se trata a *observação*? Será que a mente humana interage com a matéria do universo?[29] Esta é uma questão totalmente irresolvida na ciência, e uma questão que proporcionará um terreno comum para a física e a neurociência. A maioria dos cientistas aborda os dois campos separadamente, e a triste verdade é que os pesquisadores que tentam olhar mais intimamente as ligações entre eles terminam marginalizados. Muitos cientistas farão troça de quem diz algo como "a mecânica quântica é misteriosa, e a consciência é misteriosa; assim, elas devem ser a mesma coisa". Este menosprezo é ruim para a área. Para ser claro, não estou afirmando que *existe* uma ligação entre a mecânica quântica e a consciência. Estou dizendo que *pode* haver uma ligação, e que é incabível um desprezo prematuro no espírito da pesquisa científica e do progresso. Quando as pessoas se fixam na ideia de que a função cerebral pode ser inteiramente explicada pela física clássica, é importante reconhecer que esta é simplesmente uma asserção – é difícil saber que peças do quebra-cabeça estão ausentes em qualquer época da ciência.

Como exemplo, mencionarei o que chamarei de "teoria do rádio" do cérebro. Imagine que você é um bosquímano de Kalahari e encontra um rádio transistorizado na areia. Você pode pegá-lo, mexer nos controles e de repente, para sua surpresa, ouve vozes saindo dessa caixinha estranha. Se você for curioso e de mente científica, pode tentar entender o que está acontecendo. Pode retirar a tampa traseira e descobrir um pequeno ninho de fios. Agora digamos que você comece um estudo atento e científico do que causa as vozes. Você percebe que, sempre que puxa um fio verde, as vozes param. Quando você devolve o fio a seu contato, as vozes recomeçam. O mesmo acontece com o fio vermelho. Arrancar o fio preto faz com que as vozes fiquem distorcidas e a retirada do amarelo reduz o volume a um sussurro. Você passa cuidadosamente por todas as combinações e chega a uma conclusão clara: as vozes dependem inteiramente da integridade do circuito. Mude o circuito e você prejudica as vozes.

Orgulhoso de suas novas descobertas, você dedica a vida a desenvolver uma ciência do modo com que certas configurações de fios criam a existência de vozes mágicas. A certa altura, um jovem lhe pergunta *como* simples alças de sinais elétricos podem engendrar música e conversas, e você admite que não sabe – mas insiste em que sua ciência vai resolver este problema a qualquer momento.

Suas conclusões são limitadas pelo fato de que você não entende absolutamente nada de ondas de rádio e, mais geralmente, de radiação eletromagnética. O fato de que existem estruturas em cidades distantes chamadas torres de rádio – enviando sinais e perturbando ondas invisíveis que viajam à velocidade da luz – lhe é tão estranho que você nem mesmo pode sonhar com isso. Você não pode sentir o gosto das ondas de rádio, não pode vê-las, nem pode cheirá-las e não tem nenhum motivo premente para ser criativo o bastante para fantasiar com elas. E se você *sonhou* com ondas de rádio invisíveis que carregam vozes, quem poderia você convencer de sua hipótese? Você não tem tecnologia para demonstrar a existência das ondas e todos observam, com muita justiça, que o ônus de convencê-los é seu.

Assim você se tornaria um materialista do rádio. Concluiria que de algum modo a configuração correta de fios engendra música clássica e conversas inteligentes. Você não perceberia que está deixando de fora uma enorme peça do quebra-cabeça.

Não estou afirmando que o cérebro parece um rádio – isto é, que somos receptáculos captando sinais de outro lugar, e que nosso circuito neural precisa estar bem encaixado para fazer isso –, estou observando que *pode* ser verdade. Não há nada em nossa ciência atual que exclua isto. Sabendo tão pouco como sabemos a essa altura da história, devemos guardar conceitos como este no grande arquivo de ideias que ainda não podemos aprovar ou reprovar. Assim, embora alguns cientistas venham a projetar experimentos em torno da hipótese excêntrica, as ideias sempre precisam ser propostas e alimentadas como possibilidades antes que as evidências pesem a favor de uma ou outra.

Os cientistas falam da parcimônia (como "a explicação mais simples é provavelmente a correta", também conhecida como navalha de Occam), mas não devemos nos deixar seduzir pela aparente elegância do argumento da parcimônia; esta linha de raciocínio fracassou no passado pelo menos tantas vezes quantas teve sucesso. Por exemplo, é mais parcimonioso pressupor que o Sol gira em torno da Terra, que os átomos são a menor escala a operar segundo as mesmas regras que seguem os objetos em escalas maiores e que percebemos o que realmente está lá fora. Todas essas posições foram defendidas por muito tempo pelo argumento da parcimônia, e todas estavam erradas. Na minha opinião, o argumento da parcimônia na realidade não é argumento nenhum – em geral funciona apenas para calar uma discussão mais interessante. Se a história serve de guia, nunca é uma boa ideia pressupor que um problema científico está resolvido.

Neste momento da história, a maioria da comunidade da neurociência adota o materialismo e o reducionismo, valendo-se do modelo de que somos compreensíveis como um conjunto de células, vasos sanguíneos, hormônios, proteínas e fluidos – seguindo as leis básicas da química e da física. A cada dia os neurocientistas entram no laboratório e trabalham sob o pressuposto de que uma boa compreensão dos componentes resultará numa compreensão do todo. Esta abordagem reduza-às-menores-partes é o mesmo método de sucesso que a ciência tem empregado na física, na química e na engenharia reversa de dispositivos eletrônicos.

Mas não temos nenhuma garantia real de que esta abordagem funcionará na neurociência. O cérebro, com sua experiência privada e subjetiva, é diferente de qualquer dos problemas que atacamos até agora. Qualquer neurocientista que lhe diga que temos o problema quase resolvido com uma abordagem reducionista não entende a complexidade do problema. Tenha em mente que toda geração antes de nós trabalhou sob o pressuposto de que possuía todas as principais ferramentas para compreender o universo, e elas estavam todas erradas, sem exceção. Imagine só tentar construir uma teoria do arco-íris antes de entender de ótica, ou tentar entender o raio antes de conhecer a eletricidade, ou abordar a doença de Parkinson antes de descobrir os neurotransmissores. Será razoável que sejamos os primeiros com sorte suficiente para nascer na geração perfeita, aqueles em que o pressuposto de uma ciência abrangente finalmente é verdadeiro? Ou parece mais provável que daqui a cem anos as pessoas olharão para nós, do passado, e se perguntarão como era ser ignorante do que eles sabem? Como o cego do Capítulo 4, não vivemos um buraco de escuridão onde faltam informações – em vez disso, não entendemos que falte alguma coisa.[30]

Não estou afirmando que o materialismo é incorreto, nem mesmo que tenho esperanças de que seja incorreto. Afinal, até um universo materialista seria perturbador de tão maravilhoso. Imagine por um momento que não somos nada além do produto de bilhões de anos de moléculas se unindo e girando pela seleção natural, que somos compostos apenas de vias de fluidos e substâncias que deslizam pelas estradas dentro de bilhões de células dançantes, que trilhões de conversas sinápticas zumbem em paralelo, que esta grande fábrica de circuitos microfinos opera algoritmos com que a ciência moderna nem sonha e que esses programas neurais geram nossa tomada

A VIDA DEPOIS DA MONARQUIA 239

de decisão, nossos amores, desejos, medos e aspirações. Para mim, essa compreensão seria uma experiência espiritual, melhor do que qualquer coisa proposta nos textos sagrados de alguém. O que existe além dos limites da ciência é uma questão em aberto para as gerações futuras; mas, mesmo que se revele apenas materialismo estrito, já será o bastante.

Arthur C. Clarke gostava de apontar que qualquer tecnologia suficientemente avançada é indistinguível da magia. Não vejo o destronamento do centro de nós mesmos como deprimente; considero-o mágico. Vimos neste livro que tudo o que está contido nos sacos biológicos de fluidos que chamamos de *nós* já está bem além de nossa intuição, além de nossa capacidade de pensar em escalas tão grandes de interação, além de nossa introspecção de que isto se classifica como "algo além de nós". A complexidade do sistema que *somos* é tão grande que é indistinguível da tecnologia mágica de Clarke. É como diz o chiste: se nosso cérebro fosse simples o bastante para ser compreendido, não seríamos inteligentes o bastante para compreendê-lo.

Da mesma maneira que o cosmo é maior do que imaginamos, nós mesmos somos algo maior do que intuímos por introspecção. Agora estamos obtendo os primeiros vislumbres da vastidão do espaço interior. Este cosmo interno, oculto e íntimo coordena suas próprias metas, imperativos e lógica. É um órgão que parece alheio e exótico a nós, e no entanto seus padrões detalhados de conexão esculpem a paisagem de nossa vida interior. Que obra-prima desconcertante é nosso cérebro, e que sorte temos de pertencer a uma geração com tecnologia e vontade de voltar nossa atenção para ele. Esta é a coisa mais maravilhosa que descobrimos no universo, e somos nós.

APÊNDICE

Dramatis Personae

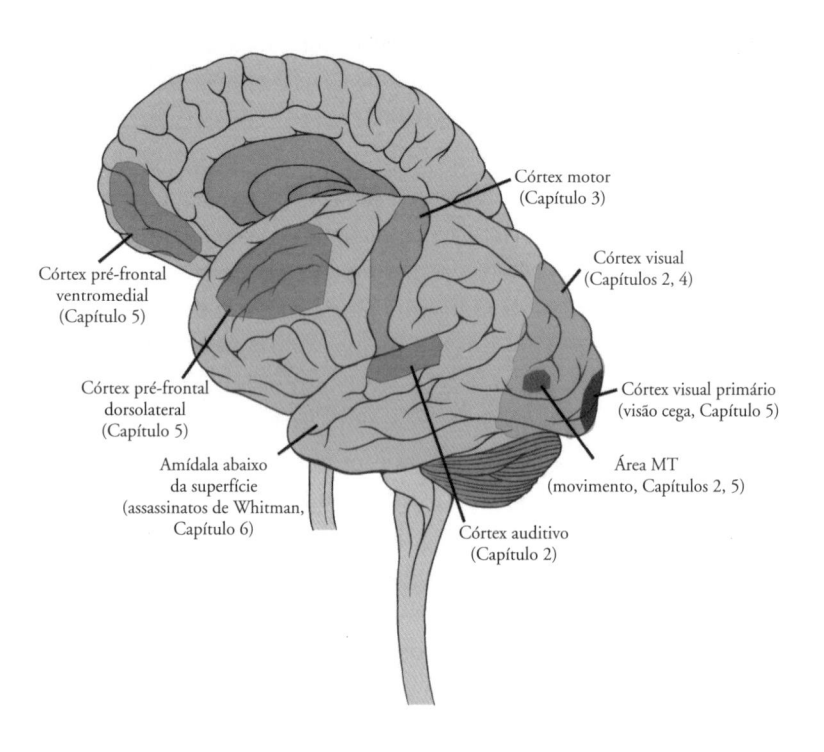

Córtex motor (Capítulo 3)

Córtex visual (Capítulos 2, 4)

Córtex pré-frontal ventromedial (Capítulo 5)

Córtex pré-frontal dorsolateral (Capítulo 5)

Amídala abaixo da superfície (assassinatos de Whitman, Capítulo 6)

Córtex visual primário (visão cega, Capítulo 5)

Área MT (movimento, Capítulos 2, 5)

Córtex auditivo (Capítulo 2)

AGRADECIMENTOS

Muitas pessoas me inspiraram a escrever este livro. Algumas tinham átomos que percorreram vias separadas antes que meus átomos se unissem – e posso ter herdado parte de seus átomos, porém, mais importante, eu tive a sorte de herdar as ideias que deixaram como mensagens numa garrafa. Também tive a felicidade de partilhar a existência contemporaneamente com uma rede de pessoas tremendamente inteligentes, a começar por meus pais, Arthur e Cirel, continuando com meu orientador de pós-graduação, Read Montague, e sustentada por mentores como Terry Sejnowski e Francis Crick do Salk Institute. Desfruto da inspiração diária de colegas, alunos e amigos como Jonathan Downar, Brett Mensh, Chess Stetson, Don Vaughn, Abdul Kudrath e Brian Rosenthal, para citar alguns. Agradeço a Dan Frank e Nick Davies por seu *feedback* editorial e a Tina Borja e todos os alunos de meu laboratório pelas leituras linha por linha, entre eles Tommy Spague, Steffie Tomson, Ben Bumann, Brent Parsons, Mingbo Cai e Daisy Thomson-Lake. Agradeço a Jonathan D. Cohen por um seminário seu que deu forma a parte de meu raciocínio no Capítulo 5. Sou grato a Shaunagh Darling Robertson por propor o título *Incógnito*. Sou grato por lançar meus livros do sólido leito rochoso da Wylie Agency, que incluem o talentoso Andrew Wylie, a excepcional Sarah Chalfant e todos os colegas qualificados. Agradeço a Jamie Byng por seu entusiasmo infinito e profundo apoio. Por fim, minha gratidão para minha esposa Sarah por seu amor, humor e encorajamento. Outro dia vi uma placa que simplesmente dizia FELICIDADE – e percebi que pensar em Sarah era minha manchete mental instantânea. No fundo do dossel da floresta de meu cérebro, felicidade e Sarah se tornaram sinônimos sinápticos, e por sua presença em minha vida eu sou inteiramente grato.

Por todo o livro você encontrará o narrador nós em vez de eu. É assim por três motivos. Primeiro, como acontece com qualquer livro que sintetize um grande corpo de conhecimento, colaboro com milhares de cientistas e historiadores ao longo dos séculos. Segundo, a leitura de um livro deve ser uma colaboração ativa entre leitor e escritor. Terceiro, nosso cérebro é composto de conjuntos vastos, complexos e cambiantes de subpartes, a cuja maioria não temos acesso; este livro foi escrito ao longo de alguns anos por várias pessoas diferentes, todas chamadas David Eagleman, mas que de algum modo eram diferentes a cada hora que passava.

NOTAS

As obras com título completo na Bibliografia aparecem aqui com o título reduzido.

Capítulo 1. Tem alguém na minha cabeça, mas não sou eu

1 Música: "Tremendous Magic", *Time*, 4 de dezembro de 1950.
2 Algo que sempre achei inspirador: no ano em que Galileu morreu – 1642 –, Isaac Newton nasceu no mundo e completou a obra de Galileu, descrevendo as equações por trás das órbitas planetárias em torno do Sol.
3 Tomás de Aquino, *Summa theologiae*.
4 Especificamente, Leibniz imaginou uma máquina que usaria esferas (representando números binários) que seriam guiadas pelo que agora reconhecemos como primos dos cartões perfurados. Embora Charles Babbage e Ada Lovelace tenham o crédito geral pelo trabalho nos conceitos de separação de programas, o computador moderno não é essencialmente diferente do que Leibniz imaginou: "Este cálculo [binário] pode ser implementado por uma máquina (sem rodas) da seguinte maneira, facilmente e sem esforço. Um recipiente deve receber buracos que possam ser abertos e fechados. Devem ser abertos nos lugares que correspondam a 1 e continuarem fechados naqueles que correspondam a 0. Pelas portas abertas, pequenos cubos ou esferas devem cair em trilhos; pelos outros, nada. A série de portas deve ser mudada de uma coluna a outra, segundo necessário." Ver Leibniz, *De Progressione Dyadica*. Agradeço a George Dyson por esta descoberta na literatura.
5 Leibniz, *New Essays on Human Understanding*, publicado em 1765. Por "corpúsculos insensíveis", Leibniz refere-se à crença partilhada por Newton, Boyle, Locke e outros de que os objetos materiais são feitos de minúsculos corpúsculos insensíveis, que fazem surgir o caráter sólido dos objetos.
6 Herbart, *Psychology as a Science*.
7 Michael Heidelberger, *Nature from Within*.
8 Johannes Müller, *Handbuch der Physiologie des Menschen, dritte verbesserte Auflage*, 2 vols. (Coblenz: Hölschei, 1837-1840).
9 Cattell, "The time taken up", 220-242.
10 Cattell, "The psychological laboratory", 37-51.

11 Ver http://www.iep.utm.edu/f/freud.htm.
12 Freud e Breuer, *Studien über Hysterie*.

Capítulo 2. O testemunho dos sentidos

1 Eagleman, "Visual illusions".
2 Sherrington, *Man on His Nature*. Ver também Sheets-Johnstone, "Consciousness: a natural history".
3 MacLeod e Fine, "Vision after early blindness".
4 Eagleman, "Visual illusions".
5 Ver eagleman.com/incognito para demonstrações interativas do pouco que percebemos do mundo. Para uma análise excelente da cegueira para mudanças, ver Rensink, O'Regan e Clark, "To see or not to see"; Simons, "Current approaches to change blindness"; e Blackmore, Brelstaff, Nelson e Troscianko, "Is the richness of our visual world an illusion?".
6 Levin e Simons, "Failure to detect changes to attended objects".
7 Simons e Levin, "Failure to detect changes to people".
8 Macknik, King, Randi et. al., "Attention and awareness in stage magic".
9 O conceito de um desenho em 2,5D foi introduzido pelo falecido neurocientista David Marr. Originalmente, ele propôs este conceito como uma fase intermediária na jornada para o desenvolvimento de um modelo completo em 3D do sistema visual, mas desde então ficou claro que o modelo 3D completo nunca se realiza em cérebros reais e não é necessário para entender o mundo. Ver Marr, *Vision*.
10 O'Regan, "Solving the real mysteries of visual perception", e Edelman, *Representation and Recognition in Vision*. Observe que um grupo reconheceu o problema já em 1978, mas anos foram necessários para que fosse mais amplamente reconhecido: "A principal função da percepção é manter nossa estrutura interna em bom registro com a da vasta memória externa, o ambiente externo em si", observaram Reitman, Nado e Wilcox in "Machine perception", 72.
11 Yarbus, "Eye movements".
12 Este fenômeno é conhecido como rivalidade binocular. Para análises, ver Blake e Logothetis, "Visual competition", e Tong, Meng e Blake, "Neural bases".
13 O espaço de fotorreceptores ausentes ocorre porque o nervo ótico passa por este ponto da retina, sem deixar espaço para células sensíveis à luz. Chance, "Ophthalmology", e Eagleman, "Visual illusions".
14 Helmholtz, *Handbuch*.
15 Ramachandran, "Perception of shape".

16 Kersten, Knill, Mamassian e Bulthoff, "Illusory motion".
17 Mather, Verstraten e Anstis, *Motion Aftereffect*, e Eagleman, "Visual illusions".
18 Dennett, *Consciousness Explained*.
19 Baker, Hess e Zihl, "Residual motion"; Zihl, von Cramon e Mai, "Selective disturbance"; e Zihl, von Cramon, Mai e Schmid, "Disturbance of movement vision".
20 McBeath, Shaffer e Kaiser, "How baseball outfielders".
21 Acontece que esses pilotos de caça usam durante missões de busca o mesmo algoritmo usado por peixes e moscas-das-flores. Pilotos: O'Hare, "Introduction"; peixes: Lanchester e Mark, "Pursuit and prediction"; e moscas-das-flores: Collett e Land, "Visual control".
22 Kurson, *Crashing Through*.
23 Devemos observar que alguns cegos podem converter o mundo que sentem em desenhos de duas ou três dimensões. Mas presumivelmente desenhar as linhas convergentes de um corredor é para eles um exercício cognitivo, diferente do modo como os que enxergam têm uma experiência sensorial imediata.
24 Noë, *Action in Perception*.
25 P. Bach-y-Rita, "Tactile sensory substitution studies".
26 Bach-y-Rita, Collins, Saunders, White, Scadden, "Vision substitution".
27 Para visão geral e síntese desses estudos, ver Eagleman, *Live-Wired*. Hoje o monitor tátil costuma vir de uma grade de eletrodos colocada diretamente na língua. Ver Bach-y-Rita, Kaczmarck, Tyler e Garcia-Lara, "Form perception".
28 Eagleman, *Live-Wired*.
29 C. Lenay, O. Gapenne, S. Hanneton, C. Marque e C. Genouel, "Sensory substitution: Limits and perspectives", em *Touching for Knowing, Cognitive Psychology of Haptic Manual Perception* (Amsterdã: John Benjamins, 2003), 275-92, e Eagleman, *Live-Wired*.
30 O BrainPort é produzido pela Wicab, Inc., empresa fundada pelo pioneiro da plasticidade, Paul Bach-y-Rita.
31 Bach-y-Rita, Collins, Saunders, White e Scadden, "Vision substitution"; Bach-y-Rita, "Tactile sensory substitution studies"; Bach-y-Rita, Kaczmarek, Tyler e Garcia-Lara, "Form perception"; M. Ptito, S. Moesgaard, A. Gjedde e R. Kupers, "Cross-modal plasticity revealed by electrotactile stimulation of the tongue in the congenitally blind", *Brain*, 128 (2005), 606-14; e Bach-y-Rita, "Emerging concepts of brain function", *Journal of Integrative Neuroscience* 4 (2005), 183-205.

32 Yancey Hall, "Soldiers may get 'sight' on tips of their tongues", *National Geographic News*, 1º de maio de 2006.
33 B. Levy, "The blind climber who 'sees' with his tongue", *Discover*, 23 de junho de 2008.
34 Hawkins, *On Intelligence,* e Eagleman, *Live-Wired.*
35 Gerald H. Jacobs, Gary A. Williams, Hugh Cahill e Jeremy Nathans, "Emergence of novel color vision in mice engineered to express a human cone photopigment", *Science* 23 (2007): vol. 315, nº 5819, pp. 1723-25. Para uma opinião depreciativa sobre a interpretação de resultados, ver Walter Makous, "Comment on 'Emergence of novel color vision in mice engineered to express a human cone photopigment", em que ele argumenta que é impossível concluir muito sobre qualquer coisa da experiência interior do camundongo, precondição para afirmar que eles experimentam a visão em cores em vez de diferentes níveis de claro e escuro. Qualquer que seja a experiência interior do camundongo, fica claro que seu cérebro integrou as informações dos novos fotopigmentos e agora pode discriminar características que antes não podia. É importante observar que esta técnica agora é possível em macacos rhesus, um método que deve abrir a porta para fazermos as perguntas perceptuais detalhadas e corretas.
36 Jameson, "Tetrachromatic color vision".
37 Llinas, *I of the Vortex.*
38 Brown, "The intrinsic factors". Embora fosse conhecido nos anos 1920 por seus experimentos pioneiros na neurofisiologia, Brown ficou ainda mais conhecido na década de 1930 pelas expedições de alpinismo mundialmente famosas e descobertas de novas rotas para o cume do Monte Branco.
39 Bell, "Levels and loops".
40 McGurk e MacDonald, "Hearing lips", e Schwartz, Robert-Ribes e Escudier, "Ten years after Summerfield".
41 Shams, Kamitani, Shimojo, "Illusions".
42 Gebhard e Mowbray, "On discriminating"; Shipley, "Auditory flutterdriving"; Welch, Duttonhurt e Warren, "Contributions".
43 Tresilian, "Visually timed action"; Lacquaniti, Carrozzo e Borghese, "Planning and control of limb impedance"; Zago et al., "Internal models"; McIntyre, Zago, Berthoz e Lacquaniti, "Does the brain model Newton's laws?"; Mehta e Schaal, "Forward models; Kawato, "Internal models"; Wolpert, Ghahramani e Jordan, "An internal model", e Eagleman, "Time perception is distorted during visual slow motion". Society for Neuroscience, resumo, 2004.

44 MacKay, "Towards an information-flow model"; Kenneth Craik, *The Nature of Explanation* (Cambridge, Grã-Bretanha: Cambridge University Press, 1943); Grush, "The emulation theory". Ver também Kawato, Furukawa e Suzuki, "A hierarchical neural-network model"; Jordan e Jacobs, "Hierarchical mixtures of experts"; Miall e Wolpert, "Forward models"; e Wolpert e Flanagan, "Motor prediction".
45 Grossberg, "How does a brain...?"; Mumford, "On the computational architecture"; Ullman, "Sequence seeking"; e Rao, "An optimal estimation approach".
46 MacKay, "The epistemological problem".
47 Ver Blakemore, Wolpert e Frith, "Why can't you tickle yourself?", para saber mais sobre as cócegas. De forma mais geral, as violações das expectativas sensoriais podem informar um cérebro sobre a responsabilidade – isto é, eu causei a ação ou foi outra pessoa? As alucinações esquizofrênicas podem surgir de uma falha na combinação das expectativas sobre os atos motores de uma pessoa com os sinais sensoriais resultantes. Por não conseguir distinguir os próprios atos daqueles de agentes independentes, o paciente atribui suas vozes interiores a outros. Para mais sobre esta ideia, ver Frith e Dolan, "Brain mechanisms".
48 Symonds e MacKenzie, "Bilateral loss of vision".
49 Eagleman e Sejnowski, "Motion integration", e Eagleman, "Human time perception".
50 Eagleman e Pariyadath, "Is subjective duration...?".

Capítulo 3. A mente: O hiato
1 Macuga et al., "Changing lanes".
2 Schacter, "Implicit memory".
3 Ebbinghaus, *Memory: A Contribution to Experimental Psychology*.
4 Horsey, *The art of chicken sexing*; Biederman e Shiffrar, "Sexing day-old chicks"; Brandom, "Insights and blindspots of reliabilism"; e Hamad, "Experimental analysis".
5 Allan, "Learning perceptual skills".
6 Cohen, Eichenbaum, Deacedo e Corkin, "Different memory systems", e Brooks e Baddeley, "What can amnesic patients learn?".
7 Em outro exemplo de ligação das coisas no nível inconsciente, os participantes receberam uma bebida gasosa e suas cadeiras foram balançadas para induzir enjoo de movimento. Como consequência, os participantes criaram aversão a bebidas gasosas, embora soubessem muito bem (conscientemente)

que a bebida não tinha nada a ver com o movimento nauseante. Ver Arwas, Rolnick e Lubow, "Conditioned taste aversion".
8 Greenwald, McGhee e Schwartz, "Measuring individual differences".
9 O teste de associação implícita pode ser feito online: https://implicit.harvard.edu/implicit/demo/selectatest.html.
10 Wojnowicz, Ferguson, Dale e Spivey, "The self-organization of explicit attitudes". Ver também Freeman, Ambady, Rule e Johnson, "Will a category cue attract you?".
11 Jones, Pelham, Carvallo e Mirenberg, "How do I love thee?".
12 Ibid.
13 Pelham, Mirenberg e Jones, "Why Susie sells", e Pelham, Carvallo e Jones, "Implicit egotism".
14 Abel, "Influence of names".
15 Jacoby e Witherspoon, "Remembering without awareness".
16 Tulving, Schacter e Stark, "Priming effects". Esses efeitos são mantidos mesmo que eu o distraia tanto que tenhamos certeza de que você não pode lembrar explicitamente que palavras são; você ainda é igualmente competente para completar as palavras. Ver Graf e Schacter, "Selective effects".
17 A ideia do *priming* tem uma farta história na literatura e no entretenimento. Em *The Subliminal Man*, de J. G. Ballard (1963), um personagem chamado Hathaway é o único que suspeita de que dezenas de placas gigantescas em branco no alto das rodovias são na verdade máquinas de publicidade subliminar, estimulando as pessoas a assumirem mais empregos e comprarem mais produtos. Uma encarnação mais cômica do Homem Subliminar pode ser encontrada no personagem do comediante Kevin Nealon do *Saturday Night Live*, que diz, durante uma entrevista num talk show, "Eu sempre gostei de ver esse programa (nauseante). É divertido ser convidado a este programa (tortura). É como um segundo lar para mim (*Titanic*)".
18 Graf e Schacter, "Implicit and explicit memory".
19 Ver Tom, Nelson, Srzentic e King, "Mere exposure". Para uma abordagem mais fundamental demonstrando que o cérebro pode absorver o que viu mesmo sem prestar atenção, ver Gutnisky, Hansen, Iliescu e Dragoi, "Attention alters visual plasticity".
20 Por ironia, ninguém sabe quem disse isto primeiro. A citação já foi atribuída a Mae West, P. T. Barnum, George M. Cohan, Will Rogers e W. C. Fields, entre outros.
21 Hasher, Goldstein e Toppino, "Frequency and the conference of referential validity".
22 Begg, Anas e Farinacci, "Dissociation of processes in belief".

NOTAS 249

23 Cleeremans, *Mechanisms of Implicit Learning*.
24 Bechara, Damasio, Tranel e Damasio, "Deciding advantageously".
25 Damasio, "The somatic marker hypothesis"; Damasio, *Descartes' Error*; e Damasio, *The Feeling of What Happens*.
26 Eagleman, *Live-Wired*.
27 Montague, *Your Brain is (Almost) Perfect*.
28 Se observar os atletas atentamente, você perceberá que eles costumam empregar rituais físicos para entrar na zona – por exemplo, batendo a bola exatamente três vezes, entortando o pescoço para a esquerda, depois fazendo o arremesso. Com a previsibilidade, esses rituais facilitam sua entrada num estado menos consciente. Com o mesmo propósito, os rituais repetitivos e previsíveis são usados costumeiramente nos serviços religiosos – por exemplo, orar em círculos, contar rosários e cantar ajudam a relaxar o alvoroço da mente consciente.

Capítulo 4. Os pensamentos que podemos ter

1 Blaise Pascal, *Pensées*, 1670.
2 Todos esses sinais (de rádio, micro-ondas, raios X, raios gama, transmissões de celulares, transmissões de TV e assim por diante) são exatamente iguais aos que saem de sua lanterna – mas de comprimento de onda diferente. Alguns leitores já sabiam disto; para os que não sabiam, o caráter espantoso deste simples fato científico motiva sua inclusão.
3 Jakob von Uexkull introduziu a ideia do *umwelt* em 1909 e a explorou por toda a década de 1940. Depois disso, a ideia desapareceu por décadas até ser redescoberta e ressuscitada pelo semiótico Thomas A. Sebeok em 1979; Jakob von Uexkull, "A stroll through the worlds of animals and men". Ver também Giorgio Agamben, capítulo 10, "Umwelt", em seu livro *The open: Man and Animal*, trad. Kevin Attell (Palo Alto: Stanford University Press, 2004); publicado originalmente na Itália em 2002 como *L'aperto: l'uomo e l'animale*.
4 K. A. Jameson, S. Highnote e L. Wasserman, "Richer color experience in observers with multiple photopigment opsin genes", *Psychonomic Bulletin & Review*, 8, nº 2 (2001): 244-61; e Jameson, "Tetrachromatic color vision".
5 Para mais sobre a sinestesia, ver Cytowic e Eagleman, *Wednesday is Indigo Blue*.
6 Acha que você pode ter sinestesia? Faça os testes gratuitos online em www.synesthete.org. Ver Eagleman et al., "A standardized test battery for the study of synesthesia".

7 Nosso laboratório voltou-se para os detalhes da sinestesia – do comportamento à neuroimagem à genética – para usá-la como via para compreensão como leves diferenças no cérebro podem levar a grandes diferenças na percepção da realidade. Ver www.synesthete.org.
8 Em outras palavras, as formas têm uma localização no espaço mental que podem ser situadas. Se você não é um sinesteta de sequência espacial, imagine seu carro estacionado na vaga diante de você. Embora você não o veja fisicamente ali como uma alucinação, não terá problemas para apontar o volante, a janela do motorista, o para-choque traseiro e assim por diante. O carro tem coordenadas tridimensionais em seu espaço mental. O mesmo acontece com formas numéricas disparadas automaticamente. Ao contrário das alucinações, elas não se sobrepõem ao mundo visual externo; têm vida no espaço mental. Na realidade, até os cegos podem experimentar a sinestesia de forma numérica; ver Wheeler e Cutsforth, "The number forms of a blind subject". Para uma maior discussão da sinestesia de sequência espacial, ver Eagleman, "The objectification of overlearned sequences", e Cytowic e Eagleman, *Wednesday is Indigo Blue.*
9 Eagleman, "The objectification of overlearned sequences".
10 Uma especulação interessante é a de que todos os cérebros são sinestésicos – mas a maioria de nós permanece inconsciente das fusões sensoriais sob a superfície da consciência. Todos parecem possuir linhas numéricas implícitas para sequências. Quando indagados, podemos concordar que a linha numérica para inteiros aumenta quando se vai da esquerda para a direita. Os sinestetas de sequência espacial diferem em sua experiência explícita nas três dimensões como configurações automáticas, coerentes e concretas. Ver Eagleman, 2009, "The objectification of overlearned sequences", e Cytowic e Eagleman, *Wednesday is Indigo Blue.*
11 Nagel, *The View from Nowhere.*
12 Ver Cosmides e Tooby, *Cognitive Adaptations,* para uma visão geral, e *The Blank Slate,* de Steven Pinker, para uma excelente leitura mais aprofundada.
13 Johnson e Morton, "CONSPEC and CONLERN".
14 Meltzoff, "Understanding the intentions of others".
15 Pinker, *The Blank Slate.*
16 Wason e Shapiro, "Reasoning", e Wason, "Natural and contrived experience".
17 Cosmides e Tooby, *Cognitive Adaptions.*
18 Barkow, Cosmides e Tooby, *The Adapted Mind.*
19 Cosmides e Tooby, "Evolutionary psychology: A primer", 1997; http://www.psych.ucsb.edu/research/cep/primer.html.
20 James, *The Principles of Psychology.*

21 Tooby e Cosmides, *Evolutionary Psychology: Foundational Papers* (Cambridge, MA: MIT Press, 2000).
22 Singh, "Adaptive significance" e "Is thin really beautiful", e Yu e Shepard, "Is beauty in the eye?".
23 De modo mais geral, as mulheres de cintura mais fina do que esta faixa são consideradas mais agressivas e ambiciosas, enquanto as de cintura mais grossa são vistas como gentis e fiéis.
24 Ramachandran, "Why do gentlemen...?".
25 Penton-Voak et al., "Female preference for male faces changes cyclically".
26 Vaughn e Eagleman, "Faces briefly glimpsed".
27 Friedman, McCarthy, Förster e Denzler, "Automatic effects". Pode até ser que outros conceitos relacionados com o álcool (como a sociabilidade) também possam ser ativados por *priming* de palavras relacionadas com álcool – como apenas ver (e não beber) uma taça de vinho pode levar a um conversa mais fácil e a mais contato visual. Uma possibilidade mais especulativa e desafiadora é a de que ver anúncios publicitários de álcool em outdoors de estradas pode levar a uma diminuição no desempenho do motorista.
28 A ovulação oculta (assim como a fertilização interna, ao contrário da postura externa de ovos) pode ter surgido como um mecanismo que estimula os machos a permanecerem atentos a suas parceiras o tempo todo, diminuindo portanto a possibilidade de deserção.
29 Roberts, Havlicek e Flegr, "Female facial attractiveness increases".
30 Simetria de orelhas, seios e dedos durante a ovulação: Manning, Scutt, Whitehouse, Leinster e Walton, "Asymmetry"; Scutt e Manning, "Symmetry"; para o tom de pele mais claro, ver Van den Berghe e Frost, "Skin color preference".
31 G. F. Miller, J. M. Tybur e B. D. Jordan, "Ovulatory cycle effects on tip earnings by lap-dancers: Economic evidence for human estrus?", *Evolution and Human Behavior*, 28 (2007): 375-381.
32 Liberles e Buck, "A second class". Como o homem também porta os genes para esta família de receptores, este é o caminho mais promissor para descobrir alguma coisa quando se procura por um papel dos feromônios na espécie humana.
33 Pearson, "Mouse data".
34 C. Wedekind, T. Seebeck, F. Bettens e A. J. Paepke, "MHC-dependent mate preferences in humans", *Proceeding of the Royal Society of London Series B: Biological Sciences* 260, nº 1359 (1995): 245-49.
35 Varendi e Porter, "Breast odour".

36 Stern e McClintock, "Regulation of ovulation by human pheromones". Embora se acredite amplamente que mulheres que moram juntas sincronizam os ciclos menstruais, parece que isto não é verdade. Estudos atentos dos relatos originais (e subsequentes estudos de larga escala) mostram que as flutuações estatísticas podem dar a *percepção* de sincronia, mas não passam de mero acaso. Ver Zhengwei e Schank, "Women do not synchronize".
37 Moles, Kieffer I. e D'Amato, "Deficit in attachment behavior".
38 Lim et al., "Enhanced partner preference".
39 H. Walum, L. Westberg, S. Henningsson, J. M. Neiderhiser, D. Reiss, W. Igl, J. M. Ganiban et al., "Genetic variation in the vasopressin receptor 1a gene (AVPR1A) associates with pair-bonding behavior in humans". *PNAS* 105, nº 37 (2008): 14153-56.
40 Winston, *Human Instinct*.
41 Fisher, *Anatomy of Love*.

Capítulo 5. O cérebro é uma equipe de rivais
1 Ver Marvin Minsky, *Society of Mind, 1986*.
2 Diamond, *Guns, Germs, and Steel*.
3 Para um exemplo concreto das vantagens e desvantagens de uma arquitetura de "sociedade", ver o conceito de arquitetura de subsunção do roboticista Rodney Brooks (Brooks, "A robust layered"). A unidade básica de organização na arquitetura de subsunção é o módulo. Cada módulo se especializa em uma tarefa independente e de nível inferior, como controlar um sensor ou acionador. Os módulos operam de forma independente, cada um fazendo sua própria tarefa. Cada módulo tem um sinal de input e output. Quando o input de um módulo ultrapassa um limiar predeterminado, é ativado o output do módulo. Os inputs vêm de sensores ou de outros módulos. Cada módulo também aceita um sinal de supressão e um de inibição. Um sinal de supressão cancela o sinal de input normal. Um sinal de inibição leva o output a ser inteiramente inibido. Estes sinais permitem que os comportamentos se anulem mutuamente para que o sistema produza um comportamento coerente. Para este fim, os módulos são organizados em camadas. Cada camada pode implementar um comportamento, como *vagar* ou *seguir um objeto móvel*. As camadas são hierárquicas: camadas mais elevadas podem inibir o comportamento das inferiores, por inibição ou supressão. Isto confere a cada nível seu próprio grau de controle. Esta arquitetura combina estreitamente percepção e ação, produzindo uma máquina altamente reativa. Mas a desvantagem é que todos os padrões de comportamento nestes sistemas são pré-programados. Os agentes de subsunção são rápidos, mas

dependem inteiramente que o mundo lhes diga o que fazer; seu arco é puramente reflexo. Em parte, os agentes de subsunção têm um comportamento pouco inteligente porque lhes falta um modelo interno do mundo a partir do qual tirar conclusões. Rodney Brooks argumenta que isto é uma vantagem: por lhe faltar representação, a arquitetura evita o tempo necessário para ler, escrever, utilizar e manter os modelos de mundo. Mas, de certo modo, o cérebro humano *investe* tempo, e tem maneiras mais inteligentes de fazer isso. Argumento que o cérebro humano só será simulado se formos além da linha de montagem de especialistas sequestrados e passarmos à ideia de uma democracia da mente baseada em conflitos, onde as várias partes dão seus votos sobre os mesmos temas.

4 Por exemplo, esta abordagem é comumente usada nas redes neurais artificiais: Jacobs, Jordan, Nowlan e Hinton, "Adaptive mixtures".

5 Minsky, *Society of Mind*.

6 Ingle, "Two visual systems", discutido num contexto maior em Milner e Goodale, *The Visual Brain*.

7 Para a importância do conflito no cérebro, ver Edelman, *Computing the Mind*. Um cérebro ideal pode ser composto de agentes conflitantes; ver Livnat e Pippenger, "An optimal brain"; Tversky e Shafir, "Choice under conflict"; Festinger, *Conflict, Decision, and Dissonance*. Ver também Cohen, "The vulcanization", e McClure et al., "Conflict monitoring".

8 Miller, "Personality", citado em Livnat e Pippenger, "An optimal brain".

9 Para uma análise das descrições de processo dual, ver Evans, "Dual-processing accounts".

10 Ver Tabela 1 de ibid.

11 Freud, *Além do princípio de prazer* (1920). As ideias de seu modelo de três partes da psique foram ampliadas três anos depois em seu *Das Ich und das Es*, disponível em Freud, *The Standard Edition*.

12 Ver, por exemplo: Mesulam, *Principles of Behavioral and Cognitive Neurology*; Elliott, Dolan e Frith, "Dissociable functions"; e Faw, "Pre-frontal executive committee". Existem muitas sutilezas da neuroanatomia e debates neste campo, mas esses pormenores não são centrais a meu argumento e portanto serão relegados a essas referências.

13 Alguns autores referiram-se a esses sistemas, secamente, como processos de Sistema 1 e de Sistema 2 (ver, por exemplo, Stanovich, *Who is rational?*, ou Kahneman e Frederick, "Representativeness revisited"). Para nossos fins, empregamos o que esperamos que venha a ser o uso mais intuitivo (embora imperfeito) de sistemas emocional e racional. Esta opção é comum na área;

ver, por exemplo, Cohen, "The vulcanization", e McClure et al., "Conflict monitoring".

14 Neste sentido, as reações emocionais podem ser consideradas processamento de informação – em tudo tão complexas quanto um problema matemático, mas ocupadas com o mundo interno e não com o exterior. O produto de seu processamento – estados do cérebro e reações corporais – pode proporcionar um plano de ação simples para o organismo: faça isto, não faça aquilo.
15 Greene et al., " The neural bases of cognitive conflict".
16 Ver Niedenthal, "Embodying emotion", e Haidt, "The new synthesis".
17 Frederick, Loewenstein e O'Donoghue, "Time discounting".
18 McClure, Laibson, Loewenstein e Cohen, "Separate neural systems". Especificamente, quando escolheram recompensas de longo prazo com retorno mais alto, os córtices pré-frontal e parietal posterior foram mais ativos.
19 R. J. Shiller, "Infectious exuberance", *Atlantic Monthly*, julho/agosto de 2008.
20 Freud, "The future of an illusion", *The Standard Edition*.
21 Illinois, *Daily Republican*, Belvidere, IL, 2 de janeiro de 1920.
22 Arlie R. Slabaugh, *Christmas Tokens and Medals* (Chicago: edição do autor, 1966), ANA Library Catalogue nº RM85.C5S5.
23 James Surowiecki, "Bitter money and christmas clubs", *Forbes.com*, 14 de fevereiro de 2006.
24 Eagleman, "America on deadline".
25 Thomas C. Schelling, *Choice and Consequence* (Cambridge, MA: Harvard University Press, 1984); Ryan Spellecy, "Reviving Ulysses contracts", *Kennedy Institute of Ethics Journal* 13, nº 4 (2003): 373-92; Namita Puran, "Ulysses contracts: Bound to treatment or free to choose?", *York Scholar* 2 (2005): 42-51.
26 Não existem garantias de que os conselhos de ética suponham corretamente a vida mental do futuro paciente; mas os contratos de Ulisses sempre sofrem do conhecimento imperfeito do futuro.
27 Peguei esta frase emprestada de meu colega Jonathan Downar, que afirmou: "Se você não pode depender do seu córtex pré-frontal dorsolateral, pegue emprestado o de outro." Embora eu adore a frase original, simplifiquei-a para o presente fim.
28 Para um resumo detalhado de décadas de estudos com cérebro dividido, ver Tramo et al., "Hemispheric Specialization". Para um resumo destinado ao público leigo, ver Michael Gazzaniga, "The split-brain revisited".
29 Jaynes, *The Origin of Consciousness*.

30 Ver, por exemplo, Rauch, Shin e Phelps, "Neurocircuitry models". Para uma investigação da relação entre lembranças pavorosas e a percepção do tempo, ver Stetson, Fiesta e Eagleman, "Does time really...?".

31 Há aqui outro aspecto a considerar sobre a memória e a hipótese da reinvenção incessante: os neurocientistas não consideram a memória um fenômeno apenas, mas um conjunto de muitos subtipos diferentes. Na escala maior, existem as memórias de curto e longo prazos. A de curto prazo envolve se lembrar de um número de telefone o suficiente para discá-lo. Na categoria de longo prazo, há uma memória declarativa (por exemplo, o que você comeu no café da manhã e em que ano se casou) e não declarativa (como andar de bicicleta); para uma visão geral, ver Eagleman e Montague, "Models of learning". Estas divisões foram introduzidas porque os pacientes às vezes podem ter danos em um subtipo sem prejuízo de outros – uma observação que levou os neurocientistas à esperança de classificar a memória em vários silos. Mas é provável que o quadro final da memória não tenha uma divisão em classes naturais tão elegante; de acordo com o tema deste capítulo, diferentes mecanismos de memória *coincidirão* em seus domínios. (Ver, por exemplo, Poldrack e Packard, "Competition", para uma análise de sistemas de memória separáveis "cognitivo" e de "hábito" que dependem do lobo temporal medial e dos gânglios basais, respectivamente.) Qualquer circuito que contribua para a memória, mesmo um pouco, será fortalecido e poderá fazer sua contribuição. Se for verdade, isto estará um tanto longe de explicar um longo mistério a jovens residentes que ingressam na clínica neurológica: por que os casos reais dos pacientes raras vezes equivalem às descrições dos livros didáticos? Os livros assumem uma classificação elegante, enquanto os cérebros reais reinventam incessantemente estratégias de sobreposição. Consequentemente, os cérebros reais são vigorosos – e também são resistentes às classificações antropocêntricas.

32 Para uma análise de diferentes modelos de detecção de movimento, ver Clifford e Ibbotson, "Fundamental mechanisms".

33 São muitos os exemplos desta inclusão de soluções múltiplas na neurociência moderna. Considere, por exemplo, o efeito colateral de movimento, mencionado no Capítulo 2. Se você fitar uma queda-d'água por mais ou menos um minuto e desviar os olhos para outra coisa – digamos, as pedras na lateral –, terá a impressão de que as pedras estacionárias estão se deslocando para cima. Esta ilusão resulta de uma adaptação do sistema; essencialmente, o cérebro visual percebe que está obtendo poucas informações novas de todo o movimento para baixo e começa a ajustar seus parâmetros internos a fim de eliminar este movimento. Assim, agora algo estacionário

começa a dar a impressão de que se move para cima. Durante décadas, os cientistas debateram se a adaptação acontece no nível da retina, nos primeiros estágios do sistema visual, ou nos últimos estágios deste sistema. Anos de experimentos cuidadosos finalmente resolveram este debate, dissolvendo-o: não existe uma única resposta à questão, porque ela é mal formulada. Existe adaptação em muitos níveis diferentes do sistema visual (Mather, Pavan, Campana e Casco, "Motion aftereffect"). Algumas áreas se adaptam rapidamente, outras lentamente, outra ainda numa velocidade intermediária. Esta estratégia permite que algumas partes do cérebro sigam sensivelmente as mudanças no fluxo de dados que recebem, enquanto outras não alterarão seu jeito obstinado sem provas duradouras. Voltando à questão da memória discutida anteriormente, também se teoriza que a Mãe Natureza descobriu vários métodos de guardar lembranças em várias escalas de tempo diferentes, e é a interação de todas estas escalas de tempo que torna as lembranças mais antigas mais estáveis do que as mais novas. O fato de que as lembranças mais antigas são mais estáveis é conhecido como lei de Ribot. Para saber mais da ideia de explorar diferentes escalas de tempo de plasticidade, ver Fusi, Drew e Abbott, "Cascade models".

34 Num contexto biológico maior, a estrutura de equipe de rivais coaduna-se bem com a ideia de que o cérebro é um sistema darwiniano, em que os estímulos do mundo ressoam com alguns padrões aleatórios de circuito neural, e não com outros. Estes circuitos que por acaso reagem aos estímulos do mundo são fortalecidos, e outros circuitos aleatórios continuam a vagar até encontrarem algo com o que ressoem. Se nunca encontram nada que os "excite", eles morrem. Para elaborar isto no sentido contrário, os estímulos do mundo "apanham" circuitos no cérebro: por acaso interagem com alguns circuitos, e não com outros. A estrutura de equipe de rivais é compatível com o darwinismo neural e enfatiza que a seleção darwiniana de circuitos neurais tenderá a fortalecer circuitos *múltiplos* – de proveniência muito diferente – que ressoem com um estímulo ou tarefa. Estes circuitos são as múltiplas facções no congresso do cérebro. Para perspectivas do cérebro como um sistema darwiniano, ver Gerald Edelman, *Neural Darwinism*; Calvin, *How Brains Think*; Dennett, *Consciousness Explained*; ou Hayek, *The Sensory Order*.

35 Ver Weiskrantz, "Outlooks" e *Blindsight*.

36 Tecnicamente, os répteis não enxergam muito fora do alcance imediato da língua, a não ser algo que se mexa loucamente. Assim, se você estiver repousando numa espreguiçadeira a três metros de um lagarto, é bem provável que nem exista para ele.

37 Ver, por exemplo, Crick e Koch, "The unconscious homunculus", para o uso da expressão *sistemas zumbis*.

38 Uma descoberta recente mostra que o efeito Stroop pode desaparecer depois de sugestão pós-hipnótica. Amir Raz e colaboradores selecionaram um grupo de participantes hipnotizáveis usando uma bateria de testes completamente independentes. Sob hipnose, os participantes foram instruídos de que numa tarefa posterior teriam de atentar a apenas uma cor. Nestas condições, quando os participantes foram testados, a interferência de Stroop essencialmente desapareceu. A hipnose não é um fenômeno bem compreendido no nível do sistema nervoso; nem se sabe por que alguns participantes são mais suscetíveis a ela do que outros, e qual é o exato papel da atenção, ou dos padrões de recompensa, na explicação de seus efeitos. Todavia, os dados suscitam intrigantes questões sobre a redução de conflito entre variáveis internas, como um desejo de fugir em oposição a um desejo de ficar e lutar. Ver Raz, Shapiro, Fan e Posner, "Hypnotic suggestion".

39 Bem, "Self-perception theory"; Eagleman, "The where and when of intention".

40 Gazzaniga, "The split-brain revisited".

41 Eagleman, Person e Montague, "A computational role for dopamine". Neste artigo, construímos um modelo baseado nos sistemas de recompensa do cérebro e corremos este modelo no mesmo jogo de computador. Espantosamente, o modelo simples capturou as características importantes das estratégias humanas, o que sugeriu que as decisões das pessoas eram impelidas por mecanismos subjacentes surpreendentemente simples.

42 M. Shermer, "Patternicity: Finding meaningful patterns in meaningless noise", *Scientific American*, dezembro de 2008.

43 Para simplificar, relatei a hipótese de atividade aleatória do conteúdo do sonho, tecnicamente conhecida como modelo da síntese-ativação (Hobson e McCarley, "The brain as a dream state generatos"). Na verdade, são muitas as teorias dos sonhos. Freud afirmou que os sonhos são uma tentativa disfarçada de satisfação dos desejos; mas isto pode ser improvável diante de, digamos, os sonhos recorrentes do distúrbio de estresse pós-traumático. Posteriormente, nos anos 1970, Jung propôs que os sonhos compensam aspectos da personalidade desprezados na vida em vigília. Aqui o problema é que os temas dos sonhos parecem ser os mesmos em toda parte, todas as culturas e gerações – temas como se perder, preparar refeições, ou estar atrasado para uma prova –, e é um tanto difícil explicar o que essas coisas têm a ver com negligência da personalidade. Mas gostaria de destacar que apesar da popularidade da hipótese da síntese-ativação nos círculos da neurobio-

logia, há muito no conteúdo dos sonhos que permanece profundamente inexplicado.
44 Crick e Koch, "Constraints".
45 Tinbergen, "Derived activities".
46 Kelly, *The Psychology of Secrets*.
47 Pennebaker, "Traumatic experience".
48 Petrie, Booth e Pennebaker, "The immunological effects".
49 Para ficar claro, a estrutura da equipe de rivais, sozinha, não resolve todo o problema da IA. A dificuldade seguinte é aprender a controlar as subpartes, alocar dinamicamente controle a subsistemas especialistas, arbitrar batalhas, atualizar o sistema com base nos sucessos e fracassos recentes, desenvolver um metaconhecimento de como as partes agirão quando confrontadas com tentações no futuro próximo e assim por diante. Nossos lobos frontais desenvolveram-se por milhões de anos usando os truques mais refinados da biologia e ainda não desvendamos a charada de seus circuitos. Entretanto, compreender a arquitetura correta desde o início é a melhor maneira de progredir.

Capítulo 6. Por que a questão não é a imputabilidade
1 Lavergne, *A Sniper in the Tower*.
2 Relatório ao governador, catástrofe de Charles J. Whitman, Aspectos clínicos, 8 de setembro de 1966.
3 S. Brown e E. Shafer, "An Investigation into the functions of the occipital and temporal lobes of the monkey's brain", *Philosophical Transactions of the Royal Society of London: Biological Sciences* 179 (1888): 303-27.
4 Kluver e Bucy, "Preliminary analysis". Esta constelação de sintomas, em geral acompanhados de hipersexualidade e hiperoralidade, é conhecida como síndrome de Kluver-Bucy.
5 K. Bucher, R. Myers e C. Southwick, "Anterior temporal cortex and maternal behaviour in monkey", *Neurology* 20 (1970): 415.
6 Burns e Swerdlow, "Right orbitofrontal tumor".
7 Mendez et al., "Psychiatric symptoms associated with Alzheimer's disease"; Mendez et al., "Acquired sociopathy and frontotemporal dementia".
8 M. Leann Dodd, Kevin J. Klos, James H. Bower, Yonas E. Geda, Keith A. Josephs e J. Eric Ahlskog, "Pathological gambling caused by drugs used to treat Parkinson disease", *Archives of Neurology* 62, nº 9 (2005): 1377-81.
9 Para fundamentos sólidos e exposição clara dos sistemas de recompensa, ver Montague, *Your Brain Is (Almost) Perfect*.

10 Rutter, "Environmentally mediated risks"; Caspi e Moffitt, "Gene-environment interactions".
11 A mente culpada é conhecida como *mens rea*. Se você cometer o ato criminoso (*actus reus*) mas provavelmente não tiver *mens rea*, você não é culpável.
12 Broughton et al., "Homicidal somnambulism".
13 Na época da redação deste livro, havia 68 casos de sonambulismo homicida nos tribunais da América do Norte e da Europa, o primeiro registrado no século XVII. Embora possamos supor que uma fração destes casos é de alegações desonestas, nem todos eles são. Estas mesmas considerações de parassonias entraram nos tribunais mais recentemente com o sexo durante o sono – por exemplo, estupro ou infidelidade enquanto se dorme – e vários foram absolvidos com base nestas alegações.
14 Libet, Gleason, Wright e Pearl, "Time", p. 623; Haggard e Eimer, "On the relation"; Kornhuber e Deecke, "Change"; Eagleman, "The where and when of intention"; Eagleman e Holcombe, "Causality"; Soon et al., "Unconscious determinants of free decisions".
15 Nem todos concordam que o simples teste de Libet constitui um teste significativo do livre-arbítrio. Como observa Paul McHugh: "Que mais se esperaria quando se estuda um ato volúvel sem nenhuma consequência ou significado para o agente?"
16 Lembre-se, o comportamento criminoso não trata inteiramente só dos genes do agente. O diabetes e a doença pulmonar são influenciados por alimentos ricos em açúcar e poluição elevada do ar, bem como por predisposição genética. Da mesma maneira, a biologia e o ambiente interagem na criminalidade.
17 Bingham, Prefácio.
18 Ver Eagleman e Downar, *Cognitive Neuroscience*.
19 Eadie e Bladin, *A Disease Once Sacred*.
20 Sapolsky, "The frontal cortex".
21 Scarpa e Raine, "The psychophysiology", e Kiehl, "A cognitive neuroscience perspective on psychopathy".
22 Sapolsky, "The frontal cortex".
23 Singer, "Keiner kann anders, als er ist".
24 Observe que "anormal" não tem significado apenas estatístico – isto é, não o modo normal de comportamento. O fato de que a maioria das pessoas se comporta de determinada maneira nada significa se o ato é correto em um sentido moral maior. É apenas uma declaração sobre as leis, os costumes e maneiras locais de um grupo de pessoas numa determinada época – exatamente as mesmas restrições frouxas pelas quais um "crime" é sempre definido.

25 Ver Monahan, "A jurisprudence", ou Denno, "Consciousness".

26 Um desafio para as explicações biológicas do comportamento é que as pessoas da esquerda ou direita pressionarão por suas próprias agendas. Ver Laland e Brown, *Sense and Nonsense,* como também O'Hara, "How neuroscience might advance the law". A cautela é de importância equivalente, porque as histórias biológicas do comportamento humano foram mal utilizadas no passado em apoio a certos programas. Porém, o uso impróprio no passado não implica que os estudos biológicos devam ser abandonados; implica apenas que devem ser aprimorados.

27 Ver, por exemplo, Bezdjian, Raine, Baker e Lynam, "Psychopathic personality", ou Raine *The Psychopathology of Crime.*

28 Note que a lobotomia era considerada um procedimento de sucesso para pacientes não criminosos em grande parte devido aos relatos inflamados das famílias. Não se avaliou o quanto as fontes eram tendenciosas. Pais levavam filhos problemáticos, ruidosos e dramáticos, e depois da cirurgia era mais fácil lidar com as crianças. Os problemas mentais eram substituídos pela docilidade. Assim, o *feedback* era positivo. Uma mulher contou sobre a lobotomia de sua mãe: "Antes, ela era absoluta e violentamente suicida. Depois da lobotomia transorbital, não havia nada. Parou de imediato. Era apenas paz. Não sei como explicar a você; foi como virar uma moeda. Com essa rapidez. Assim, o que quer que o [dr. Freeman] tenha feito, fez alguma coisa certa."

À medida que aumentava a popularidade da cirurgia, o limite de idade foi decrescendo. O paciente mais novo a receber o tratamento foi um menino de 12 anos chamado Howard Dully. A madrasta descreveu o comportamento que, para ela, requeria a operação: "Ele se opõe a ir para a cama, mas depois dorme bem. Ele devaneia muito e quando perguntamos sobre isso, ele diz 'Não sei'. Ele acende a luz do quarto quando o sol está a pino lá fora." E ele entrou na faca.

29 Ver, por exemplo, Kennedy e Grubin, "Hot-headed *or impulsive*?" e Stanford e Barratt, "Impulsivity".

30 Ver LaConte et al., "Modulating", e Chiu et al., "Real-time fMRI". Stephen LaConte foi pioneiro no desenvolvimento de *feedback* em tempo real no imageamento de ressonância magnética nuclear (fMRI) e é o gênio deste trabalho. Pearl Chiu é especialista em psicologia e vícios, e lidera os experimentos atuais para usar esta tecnologia na cura do vício do tabagismo.

31 Imagine um mundo de fantasia em que possamos reabilitar com um êxito de 100 por cento. Significaria então que os sistemas de punição desapa-

receriam? Não de todo. Podemos argumentar que a punição ainda seria necessária por dois motivos: dissuasão de futuros criminosos e a satisfação do impulso natural de castigar.
32 Eagleman, "Unsolved mysteries".
33 Goodenough, "Responsibility and punishment".
34 Baird e Fugelsang, "The emergence of consequential thought".
35 Eagleman, "The death penalty".
36 Greene e Cohen, "For the law".
37 Há importantes nuances e sutilezas aos argumentos apresentados neste curto capítulo, e foram desenvolvidos mais detalhadamente em outros lugares. Para os interessados em maiores detalhes, ver em Initiative on Neuroscience and Law (www.neulaw.org), que reúne neurocientistas, advogados, especialistas em ética e formuladores de políticas com o objetivo de construir uma política social baseada em evidências. Para leituras adicionais, ver Eagleman, "Neuroscience and the law", ou Eagleman, Correro e Singh, "Why neuroscience matters".
38 Para mais sobre estruturação de incentivos, ver Jones, "Law, evolution, and the brain", ou Chorvat e McCabe, "The brain and the law".
39 Mitchell e Aamodt, "The incidence of child abuse in serial killers".
40 Eagleman, "Neuroscience and the law".

Capítulo 7. A vida depois da monarquia
1 Paul, *Annihilation of Man*.
2 Mascall, *The Importance of Being Human*.
3 Quanto à história da expressão, o poeta romano Juvenal sugeriu que "conhece-te a ti mesmo" descendia diretamente do céu (*de caelo*); eruditos mais sóbrios atribuem-na a Quílon de Esparta, Heráclito, Pitágoras, Sócrates, Sólon de Atenas, Tales de Mileto, ou simplesmente a um provérbio popular.
4 Bigelow, "Dr. Harlow's case".
5 *Boston Post*, 21 de setembro de 1848, creditando a um artigo anterior do *Ludlow Free Soil Union* (um jornal de Vermont). A versão do texto citado corrige uma confusão no artigo original em que a palavra "diâmetro" foi incorretamente substituída por "circunferência". Ver também Macmillan, *An Odd Kind of Fame*.
6 Harlow, "Recovery".
7 Para esclarecer, não me convenço com as histórias religiosas tradicionais da alma. O que quero dizer com a questão de uma "alma" é algo mais parecido com a essência que vive acima ou fora dos processos biológicos atualmente compreendidos.

8 Pierce e Kumaresan, "The mesolimbic dopamine system".
9 Em modelos animais, os pesquisadores desativaram receptores da serotonina e demonstraram mudanças na ansiedade e no comportamento, em seguida restauraram os receptores e o comportamento normal. Para um exemplo, ver Weisstaub, Zhou e Lira, "Cortical 5-HT2A".
10 Waxman e Geschwind, "Hypergraphia".
11 Ver Trimble e Freeman, "An investigation", para estudos da religiosidade em pacientes com epilepsia do lobo temporal, e Devinsky e Lai, "Spirituality", para uma visão geral de epilepsia e religiosidade. Ver d'Orsi e Tinuper, "I heard voices", para a perspectiva de que a epilepsia de Joana d'Arc era de um tipo descrito recentemente: epilepsia parcial idiopática com características auditivas (IPEAF). Ver Freemon, "A differential diagnosis", para um diagnóstico histórico de Maomé em que ele conclui, "Embora não seja possível uma conclusão inequívoca a partir do conhecimento existente, as convulsões psicomotoras ou parciais complexas da epilepsia do lobo temporal seriam o diagnóstico mais defensável".
12 Tenho me perguntado com frequência se a promoção do comportamento sexual no homem seria o mecanismo mais evidente para um vírus sexualmente transmitido para promover a sobrevivência do indivíduo. Não sei de nenhum dado em apoio a isto, mas parece um foco de investigação óbvio.
13 Há muitos outros exemplos de pequenos beliscões biológicos provocando grandes mudanças. Pacientes com encefalite de herpes simplex em geral sofrem lesões em áreas específicas do cérebro, e aparecem no consultório médico com problemas para usar e compreender o significado das palavras – por exemplo, verbos irregulares no pretérito, como *ia* e *fui*. Se você um dia intuiu que algo tão impalpável como verbos irregulares no pretérito não está diretamente relacionado com os nós microscópicos, pense melhor. E a doença de Creutzfeldt-Jakob, um problema causado por proteínas anormalmente dobradas chamadas príons, quase sempre termina em uma demência global caracterizada por descaso por si mesmo, apatia e irritabilidade. Estranhamente, as vítimas têm problemas específicos com a escrita, a leitura e desorientação esquerda-direita. Quem teria pensado que seu senso de esquerda e direita dependia da estrutura de dobra exata de proteínas que são duas mil vezes menores do que a espessura de um fio de cabelo? Mas é assim.
14 Cummings, "Behavioral and psychiatric symptoms".
15 Sapolsky, "The frontal cortex".
16 Ver Farah, "Neuroethics".
17 Segundo uma hipótese da relação entre esquizofrenia e imigração, o fracasso social contínuo perturba a função da dopamina no cérebro. Para análises,

ver Selten, Cantor-Graae e Kahn, "Migration", ou Weiser et al., "Elaboration". Agradeço a meu colega Jonathan Downar por trazer esta literatura a minha atenção.
18 Em 2008, os EUA tinham 2,3 milhões de pessoas atrás das grades, liderando o mundo na porcentagem de cidadãos na prisão. Apesar dos benefícios para a sociedade de encarcerar criminosos violentos reincidentes, muitos dos que estão presos – como viciados em drogas – podiam ser tratados de uma forma mais frutífera do que com o encarceramento.
19 Suomi, "Risk, resilience".
20 A alteração genética em questão está na região promotora do gene transportador da serotonina (5-HTT).
21 Uher e McGuffin, "The moderation", e Robinson, Grozinger e Whitfield, "Sociogenomics".
22 Caspi, Sugden, Moffitt et al., "Influence of life stress on depression".
23 Caspi, McClay, Moffitt et al., "Role of genotype". A alteração genética que eles encontraram era na região promotora do gene que codifica para a monoamina oxidase A (MAOA). A MAOA é uma molécula que modifica dois sistemas neurotransmissores fundamentais para a regulação do humor e das emoções: noradrenalina e serotonina.
24 Caspi, Moffitt, Cannon et al., "Moderation". Neste caso, a ligação é uma pequena alteração no gene que codifica a catecol-O-metiltransferase (COMT).
25 Scarpa e Raine, "The psychophysiology of antisocial behaviour".
26 É possível que a compreensão das interações gene-ambiente possa fundamentar abordagens preventivas? Aqui está uma experiência de pensamento: deveríamos modificar os genes depois de os entendermos? Vimos que nem todos que sofrem de maus-tratos na infância seguem o caminho da violência na idade adulta. Historicamente, os sociólogos têm se concentrado em experiências sociais que possam proteger algumas crianças (por exemplo, podemos resgatar a criança do lar abusivo e criá-la em um ambiente seguro e amoroso?). Mas o que ainda não foi explorado é um papel protetor dos genes – isto é, genes que possam proteger contra afrontas ambientais. Embora esta ideia seja hoje ficção científica, não demorará muito para que alguém proponha uma terapia genética para tais situações: uma vacina contra a violência.

Mas há uma desvantagem neste tipo de intervenção: a variação genética é benéfica. Precisamos de variação para produzir artistas, atletas, contadores, arquitetos e assim por diante. Como observa Stephen Suomi, a "variação vista em certos genes em macacos rhesus e humanos mas aparentemente não em outras espécies primatas pode contribuir para sua extraordinária adaptabilidade e flexibilidade no nível da espécie". Em outras palavras, temos uma profunda ignorância de que combinações genéticas acabam por ser mais benéficas para uma sociedade – e esta ignorância nos dá o mais firme argumento contra a intervenção genética. Além do mais, dependendo do ambiente em que uma pessoa se encontra, o mesmo conjunto de genes pode causar a excelência, em vez do crime. Os genes que predispõem para a agressividade podem produzir um empreendedor ou CEO talentoso; os genes que predispõem para a violência podem gerar um herói do futebol, admirado e pago com um belo salário pela população.

27 Kauffman, *Reinventing the Sacred*.

28 Reichenbach, *The Rise of Scientific Philosophy*.

29 Um possível ponto de partida no desenho de uma relação entre a neurociência e a mecânica quântica está no fato de que o tecido encefálico está a aproximadamente 300 graus Kelvin e em constante interação com seu ambiente próximo – estas características não são sensíveis a interessantes comportamentos quânticos macroscópicos como o entrelaçamento. Todavia, o hiato entre os dois campos começa a se fechar, com cientistas dos dois lados tomando iniciativas para estreitar o golfo. Além disso, agora está claro que a fotossíntese opera com princípios mecânicos quânticos nesta mesma faixa de temperatura, o que revela ainda mais a probabilidade de a Mãe Natureza, tendo deduzido como explorar estes truques numa arena, virá a explorá-los em outra. Para mais sobre a possibilidade de efeitos quânticos no cérebro, ver Koch e Hepp, "Quantum mechanics", ou Macgregor, "Quantum mechanics and brain uncertainty".

30 Às vezes temos a sorte de ter uma pista do que está faltando. Por exemplo, Albert Einstein tinha certeza de que estávamos presos em nossos filtros psicológicos quando se trata de compreender a passagem do tempo. Einstein escreveu o seguinte à irmã e ao filho de sua melhor amiga, Michele Besso, depois da morte de Besso: "Michele me antecedeu um pouco ao deixar este mundo estranho. Isto não é importante. Para nós, que somos físicos convictos, a distinção entre passado, presente e futuro é apenas uma ilusão, embora persistente." Correspondência Einstein-Besso, organizada por Pierre Speziali (Paris: Hermann, 1972), 537-39.

BIBLIOGRAFIA

Abel, E. 2010. "Influence of names on career choices in medicine." *Names: A Journal of Onomastics,* 58 (2): 65-74.
Ahissar, M. e S. Hochstein. 2004. "The reverse hierarchy theory of visual perceptive learning." *Trends in Cognitive Sciences* 8 (10): 457-64.
Alais, D. e D. Burr. 2004. "The ventriloquist effect results from near-optimal bimodal integration." *Current Biology* 14: 257-62.
Allan, M. D. 1958. "Learning perceptual skills: The Sargeant system of recognition training." *Occupational Psychology* 32: 245-52.
Aquino, Tomás de. 1267-7,3. *Summa theologiae,* traduzida pelos padres da Província Dominicana Inglesa. Westminster: Christian Classics, 1981.
Arwas, S., A. Rolnick e R. E. Lubow. 1989. "Conditioned taste aversion in humans using motion-induced sickness as the US." *Behaviour Research and Therapy* 27 (3): 295-301.
Bach-y-Rita, P. 2004. "Tactile sensory substitution studies." *Annals of the New York Academy of Sciences* 1013: 83-91.
Bach-y-Rita, P., C. C. Collins, F. Saunders, B. White e L. Scadden. 1969. "Vision substitution by tactile image projection." *Nature* 221: 963-64.
Bach-y-Rita, P., K. A. Kaczmarek, M. E. Tyler e J. Garcia-Lara. 1998. "Form perception with a 49-point electrotactile stimulus array on the tongue." *Journal of Rehabilitation Research Development* 35: 427-30.
Baird, A. A. e J. A. Fugelsang. 2004. "The emergence of consequential thought: evidence from neuroscience." *Philosophical Transactions of the Royal Society of London B* 359: 1797-1804.
Baker, C. L. Jr., R. F. Hess e J. Zihl. 1991. "Residual motion perception in a 'motion-blind' patient, assessed with limited-lifetime random dot stimuli." *Journal of Neuroscience* 11 (2): 454-61.
Barkow, J., L. Cosmides e J. Tooby. 1992. *The Adapted Mind: Evolutionary Psychology and the Generation of Culture.* Nova York: Oxford University Press.

Bechara, A., A. R. Damasio, H. Damasio e S. W. Anderson. 1994. "Insensitivity to future consequences following damage to human prefrontal cortex." *Cognition* 50: 7-15.
Bechara, A., H. Damasio, D. Tranel, A. R. Damasio. 1997. "Deciding advantageously before knowing the advantageous strategy." *Science* 275: 1293-95.
Begg, I. M., A. Anas e S. Farinacci. 1992. "Dissociation of processes in belief: Source recollection, statement familiarity, and the illusion of truth." *Journal of Experimental Psychology* 121: 446-58.
Bell, A. J. 1999. "Levels and loops: The future of artificial intelligence and neuroscience." *Philosophical Transactions of the Royal Society of London B: Biological Sciences* 354 (1392): 2013-20.
Bem, D. J. 1972. "Self-Perception Theory." *Advances in Experimental Social Psychology* 6, org. de L. Berkowitz, 1-62. Nova York: Academic Press.
Benevento, L. A., J. Fallon, B. J. Davis e M. Rezak. 1977. "Auditory-visual interaction in single cells in the cortex of the superior temporal sulcus and the orbital frontal cortex of the macaque monkey." *Experimental Neurology* 57: 849-72.
Bezdjian, S., A. Raine, L. A. Baker e D. R. Lynam. 2010. "Psychopathic personality in children: Genetic and environmental contributions." *Psychological Medicine* 20: 1-12.
Biederman, I. e M. M. Shiffrar. 1987. "Sexing day-old chicks." *Journal of Experimental Psychology: Learning, Memory, and Cognition* 13: 640-45.
Bigelow, H. J. 1850. "Dr. Harlow's case of recovery from the passage of an iron bar through the head." *American Journal of the Medical Sciences* 20: 13-22. (Republicado em Macmillan, *An Odd Kind of Fame.*)
Bingham, T. 2004. Prefácio a uma edição especial sobre a lei e o cérebro. *Philosophical Transactions of the Royal Society of London* B 359: 1659.
Blackmore, S. J., G. Brelstaff, K. Nelson e T. Troscianko. 1995. "Is the richness of our visual world an illusion? Transsaccadic memory for complex scenes." *Perception* 24: 1075-81.
Blakemore, S. J., D. Wolpert e C. Frith. 2000. "Why can't you tickle yourself?" *Neuroreport* 3 (11): R11-6.
Blake, R. e N. K. Logothetis. 2006. "Visual competition." *Nature Reviews Neuroscience* 3: 13-21.
Brandom, R. B. 1998. "Insights and blindspots of reliabilism." *Monist* 81: 371-92.
Brooks, D. N. e A. D. Baddeley. 1976. "What can amnesic patients learn?" *Neuropsychologia* 14: 111-29.
Brooks, R. A. 1986. "A robust layered control system for a mobile robot." *IEEE Journal of Robotics and Automation*, abril 14-23: RA-2.

Brown, G. 1911. "The intrinsic factors in the act of progression in the mammal." *Proceedings of the Royal Society of London B* 84: 308-19.

Broughton, R., R. Billings, R. Cartwright, D. Doucette, J. Edmeads, M. Edwardh, F. Ervin, B. Orchard, R. Hill, G. Turrell. 1994. "Homicidal somnambulism A case study." *Sleep* (3): 253-64.

Bunnell, B. N. 1966. "Amygdaloid lesions and social dominance in the hooded rat." *Psychonomic Science* 6: 93-94.

Burger, J. M., N. Messian, S. Patel, A. del Prado e C. Anderson. 2004. "What a coincidence! The effects of incidental similarity on compliance." *Personality and Social Psychology Bulletin* 30: 35-43.

Burns, J. M. e R. H. Swerdlow. 2003. "Right orbitofrontal tumor with pedophilia symptom and constructional apraxia sign." *Archives of Neurology* 60 (3): 437-40.

Calvert, G. A., E. T. Bullmore, M. J. Brammer et al. 1997. "Activation of auditory cortex during silent lipreading." *Science* 276: 593-96.

Calvin, W. H. 1996. *How Brains Think: Evolving Intelligence, Then and Now*. Nova York: Basic Books.

Carter, R. 1998. *Mapping the Mind*. Berkeley: University of California Press.

Caspi. A., J. McClay, T. E. Moffitt et al. 2002. "Role of genotype in the cycle of violence in maltreated children." *Science* 297: 851.

Caspi, A., K. Sugden, T. E. Moffitt et al. 2003. "Influence of life stress on depression: Moderation by a polymorphism in the 5-HTT gene." *Science* 301: 386.

Caspi, A., T. E. Moffitt, M. Cannon et al. 2005. "Moderation of the effect of adolescent-onset cannabis use on adult psychosis by a functional polymorphism in the COMT gene: Longitudinal evidence of a gene environment interaction." *Biological Psychiatry* 57: 17-27.

Caspi, A. e T. E. Moffitt. 2006. "Gene – environment interactions in psychiatry: Joining forces with neuroscience." *Nature Reviews Neuroscience* 7: 583-90.

Cattell, J. M. 1886. "The time taken up by cerebral operations." *Mind* 11: 220-42.

Cattell, J. M. 1888. "The psychological laboratory at Leipsic." *Mind* 13: 37-51.

Chance, B. 1962. *Ophthalmology*. Nova York: Hafner.

Chiu, P., B. King Casas, P. Cinciripini, F. Versace, D. M. Eagleman, J. Lisinski, L. Lindsey e S. LaConte. 2009. "Real time fMRI modulation of craving and control brain states in chronic smokers." Resumo apresentado à Sociedade de Neurociência, Chicago, IL.

Chorvat, T. e K. McCabe. 2004. "The brain and the law." *Philosophical Transactions of the Royal Society of London B* 359: 1727-36.
Cleeremans, A. *1993. Mechanisms of Implicit Learning.* Cambridge, MA: MIT Press.
Clifford, C. W. e M. R. Ibbotson. 2002. "Fundamental mechanisms of visual motion detection: Models, cells and functions." *Progress in Neurobiology* 68 (6): 409-37.
Cohen, J. D. 2005. "The vulcanization of the human brain: A neural perspective on interactions between cognition and emotion." *Journal of Economic Perspectives* 19 (4): 3-24.
Cohen, N. J., H. Eichenbaum, B. S. Deacedo e S. Corkin. 1985. "Different memory systems underlying acquisition of procedural and declarative knowledge." *Annals of the New York Academy of Sciences* 444: 54-71.
Collett, T. S. e M. F. Land. 1975. "Visual control of flight behaviour in the hoverfly *Syritta pipiens." Journal of Comparative Physiology* 99: 1-66.
Cosmides, L. e J. Tooby. 1992. *Cognitive Adaptions for Social Exchange.* Nova York: Oxford University Press.
Crick, F. H. C. e C. Koch. 1998. "Constraints on cortical and thalamic projections: The no-strong-loops hypothesis." *Nature* 391 (6664): 245-50.
_____. 2000. "The unconscious homunculus." *The Neuronal Correlates of Consciouness,* org. de T. Metzinger, 103-110. Cambridge, MA: MIT Press.
Cui, X., D. Yang, C. Jeter, P. R. Montague e D. M. Eagleman. 2007. "Vividness of mental imagery: Individual variation can be measured objectively." *Vision Research* 47: 474-78.
Cummings, J. 1995. "Behavioral and psychiatric symptoms associated with Huntington's disease." *Advances in Neurology* 65: 179-88.
Cytowic, R. E. 1998. *The Man Who Tasted Shapes.* Cambridge, MA: MIT Press.
Cytowic, R. E. e D. M. Eagleman. 2009. *Wednesday Is Indigo Blue: Discovering the Brain of Synesthesia.* Cambridge, MA: MIT Press.
Damasio, A. R. 1985. "The frontal lobes." *Clinical Neuropsychology,* org. de K. M. Heilman e E. Valenstein, 339-75. Nova York: Oxford University Press.
_____. 1994. *Descartes' Error: Emotion, Reason and the Human Brain.* Nova York: Putnam.
_____. 1999. *The Feeling of What Happens: Body and Emotion in the Making of Consciousness.* Nova York: Houghton Mifflin Harcourt.
Damasio, A. R., B. J. Everitt e D. Bishop. 1996. "The somatic marker hypothesis and the possible functions of the prefrontal cortex." *Philosophical Transactions: Biological Sciences* 351 (1346): 1413-20.

D'Angelo, F. J. 1986. "Subliminal seduction: An essay on the rhetoric of the unconscious." *Rhetoric Review* 4 (2): 160-71.
de Gelder, B., K. B. Bocker, J. Tuomainen, M. Hensen e J. Vroomen. 1999. "The combined perception of emotion from voice and face: Early interaction revealed by human electric brain responses." *Neuroscience Letters* 260: 133-36.
Dennett, D. C. 1991. *Consciousness Explained.* Boston: Little, Brown and Company.
Dennett, D. C. 2003. *Freedom Evolves.* Nova York: Viking Books.
Denno, D. W. 2009. "Consciousness and culpability in American criminal law." *Waseda Proceedings of Comparative Law*, vol. 12, 115-26.
Devinsky, O. e G. Lai. 2008. "Spirituality and religion in epilepsy." *Epilepsy Behaviour* 12 (4): 636-43.
Diamond, J. 1999. *Guns, Germs, and Steel.* Nova York: Norton.
d'Orsi, G. e P. Tinuper. 2006. "'I heard voices...': From semiology, a historical review, and a new hypothesis on the presumed epilepsy of Joan of Arc." *Epilepsy and Behaviour* 9 (1): 152-57.
Dully, H. e C. Fleming. 2007. *My Lobotomy.* Nova York: Crown.
Eadie, M. e P. Bladin. 2001. *A Disease Once Sacred: A History of the Medical Understanding of Epilepsy.* Nova York: Butterworth-Heinemann.
Eagleman, D. M. 2001. "Visual illusions and neurobiology." *Nature Reviews Neuroscience* 2 (12): 920-26.
_____. 2004. "The where and when of intention." *Science* 303: 1144-46.
_____. 2005. "The death penalty for adolescents." Entrevista à Univision television. *Too Young To Die?*, 24 de maio.
_____. 2005. "Distortions of time during rapid eye movements." *Nature Neuroscience* 8 (7): 80-1.
_____. 2006. "Will the internet save us from epidemics?" *Nature* 441 (7093): 574.
_____. 2007. "Unsolved mysteries of the brain." *Discover*, agosto.
_____. 2008. "Human time perception and its illusions." *Current Opinion in Neurobiology* 18 (2): 131-36.
_____. 2008. "Neuroscience and the law." *Houston Lawyer* 16 (6): 36-40.
_____. 2008. "Prediction and postdiction: Two frameworks with the goal of delay compensation." *Brain and Behavioral Sciences* 31 (2): 20-06.
_____. 2009. "America on deadline." *New York Times.* 3 de dezembro.
_____. 2009. "Brain time." *Whats Next: Dispatches from the Future of Science*, org. de M. Brockman. Nova York: Vintage Books. (Reimpresso em Edge.org.)
_____. 2009. "The objectication of overlearned sequences: A large-scale analysis of spatial sequence synesthesia." *Cortex* 45 (10): 1266-77.

_____. 2009. "Silicon immortality: Downloading consciousness into computers." *What Will Change Everything?*, org. de J. Brockman. Nova York: Vintage Books. (Impresso originalmente em Edge.org.)

_____. 2009. *Sum: Tales from the Afterlives*. Edimburgo: Canongate Books.

_____. 2009. "Temporality, empirical approaches." *The Oxford Companion to Consciousness*. Oxford, Grã-Bretanha: Oxford University Press.

_____. 2010. "Duration illusions and predictability." *Attention and Time*, org. de J. T. Coull e K. Nobre. Nova York: Oxford University Press.

_____. 2010. "How does the timing of neural signals map onto the timing of perception?" *Problems of Space and Time in Perception and Action*, org. de R. Nijhawan. Cambridge, Grã-Bretanha: Cambridge University Press.

_____. 2010. "Synaesthesia." *British Medical Journal* 340: b4616.

_____. 2011. *Live-Wired: The Shape Shifting Plasticity of the Brain*. Oxford: Oxford University Press.

Eagleman, D. M. e S. Cheng. 2011. "Is synesthesia one condition or many? A large-scale analysis reveals subgroups." *Journal of Neurophysiology*.

Eagleman, D. M., M. A. Correro e J. Singh. 2010. "Why neuroscience matters for a rational drug policy." *Minnesota Journal of Law, Science and Technology*.

Eagleman, D. M. e J. Downar. 2011. *Cognitive Neuroscience: A Principles-Based Approach*. Nova York: Oxford University Press.

Eagleman, D. M. e M. A. Goodale. 2009. "Why color synesthesia involves more than color." *Trends in Cognitive Sciences* 13 (7): 288-92.

Eagleman, D. M. e A. O. Holcombe. 2002. "Causality and the perception of time." *Trends in Cognitive Sciences*. 6 (8): 323-25.

Eagleman, D. M., J. E. Jacobson e T. J. Sejnowski. 2004. "Perceived luminance depends on temporal context." *Nature* 428 (6985): 854-56.

Eagleman, D. M., A. D. Kagan, S. N. Nelson, D. Sagaram e A. K. Sarma. 2007. "A standardized test battery for the study of synesthesia." *Journal of Neuroscience Methods* 159: 139-45.

Eagleman, D. M. e P. R. Montague. 2002. "Models of learning and memory." *Encyclopedia of Cognitive Science*. Londres: Macmillan Press.

Eagleman, D. M. e V. Pariyadath. 2009. "Is subjective duration a signature of coding efficiency?" *Philosophical Transactions of the Royal Society* 364 (1525): 1841-51.

Eagleman, D. M., C. Person e P. R. Montague. 1998. "A computational role for dopamine delivery in human decision-making." *Journal of Cognitive Neuroscience* 10 (5): 613-30.

Eagleman, D. M. e T. J. Sejnowski. 2000. "Motion integration and postdiction in visual awareness." *Science* 287 (5460): 2036-38.

_____. 2007. "Motion signals bias position judgments: A unified explanation for the flash-lag, flash-drag, flash-jump and Frohlich effects." *Journal of Vision* (4): 1-12.

Eagleman, D. M., P. U. Tse, P. Janssen, A. C. Nobre, D. Buonomano, e A. O. Holcombe. 2005. "Time and the brain: How subjective time relates to neural time." *Journal of Neuroscience* 25 (45): 10369-71.

Ebbinghaus, H. (1885). 1913. *Memory: A Contribution to Experimental Psychology,* trad. de Henry A. Ruger & Clara E. Bussenius. Nova York: Teachers College, Columbia University.

Edelman, G. M. 1987. *Neural Darwinism. The Theory of Neuronal Group Selection.* Nova York: Basic Books.

Edelman, S. 1909. *Representation and Recognition in Vision.* Cambridge, MA: MIT Press.

_____. 2008. *Computing the Mind: How the Mind Really Works.* Oxford: Oxford University Press.

Elliott, R., R. J. Dolan e C. D. Frith. 2000. "Dissociable functions in tile medial and lateral orbitofrontal cortex: Evidence from human neuroimaging studies." *Cerebral Cortex* 10 (3): 308-17.

Emerson, R. W. (1883). 1984. *Emerson in His Journals.* Reimpressão, Cambridge, MA: Belknap Press da Harvard University Press.

Ernst, M. O. e M. S. Banks. 2002. "Humans Integrate visual and haptic information in a statistically optimal fashion." *Nature* 415: 429-33.

Evans, J. S. 2008. "Dual-processing accounts of reasoning, judgment, and social cognition." *Annual Review of Psychology* 25: 5-78.

Exner, S. 1875. "Experimentelle Untersuchung der einfachsten psychischen Processe." *Pfluger's Archive: European Journal of Physiology* 11: 403-32.

Farah, M. J. 2005. "Neuroethics: The practical and the philosophical." *Trends in Cognitive Sciences* 9: 34-40.

Faw, B. 2003. "Pre-frontal executive committee for perception, working memory, attention, long-term memory, motor control, and thinking: A tutorial review." *Consciousness and Cognition* 12 (1): 83-139.

Festinger, L. 1964. *Conflict, Decision, and Dissonance.* Palo Alto, CA: Stanford University Press.

Fisher, H. 1994. *Anatomy of Love: The Natural History of Mating, Marriage and Why We Stray.* Nova York: Random House.

Frederick, S., G. Loewenstein e T. O'Donoghue. 2002. "Time discounting and time preference: A critical review." *Journal of Economic Literature* 40: 351.

Freeman, J. B., N. Ambady, N. O. Rule e K. L. Johnson. 2008. "Will a category cue attract you? Motor output reveals dynamic competition across person construal." *Journal of Experimental Psychology: General* 137 (4): 673-90.

Freemon, F. R. 1976. "A differential diagnosis of the inspirational spells of Muhammad the prophet of Islam." *Epilepsia* 17 (4): 423-27.

Freud, S. 1927. *The Standard Edition of the Complete Psychological Works of Sigmund Freud.* Volume 21, *The Future of an Illusion.* Trad. James Strachey. Londres: Hogarth Press, 1968.

Freud, S. e J. Breuer. 1895. *Studien uber Hysterie (Studies on Hysteria).* Leipzig: Franz Deuticke.

Friedman, R. S., D. M. McCarthy, J. Forster e M. Denzler. 2005. "Automatic effects of alcohol cues on sexual attraction." *Addiction* 100 (5): 672-81.

Frith, C. e R. J. Dolan. "Brain mechanisms associated with top-down processes in perception." *Philosophical Transactions of the Royal Society of London B: Biological Sciences* 352 (1358): 1221-30.

Fuller, J. L., H. E. Rosvold e K. H. Pribram. 1957. "The effect of the affective and cognitive behavior in the dog of lesions of the pyriformamygdalahippocampal complex." *Journal of Comparative and Physiological Psychology* 50 (1): 89-96.

Fusi, S., P. J. Drew e L. F. Abbott. 2005. "Cascade models of synaptically stored memories." *Neuron* 45 (4): 599-611.

Garland, B., org. 2004. *Neuroscience and the Law: Brain, Mind, and the Scales of Justice.* Nova York: Dana Press.

Gazzaniga, M. S. 1998. "The split-brain revisited." *Scientific American* 279 (1): 35-9.

Gebhard, J. W. e G. H. Mowbray. 1959. "On discriminating the rate of visual flicker and auditory flutter." *American Journal of Experimental Psychology* 72: 521-528.

Gloor, P. 1960. *Amygdala.* Em *J. Field Handbook of Physiology,* org. de H. W. Magoun e V. E. Hall, vol. 2, 1395-1420. Washington: American Physiological Society.

Goldberg, E. 2001. *The Executive Brain: Frontal Lobes and the Civilized Mind.* Nova York: Oxford University Press.

Goodenough, O. R. 2004. "Responsibility and punishment: Whose mind? A response." *Philosophical Transactions of the Royal Society of London B* 359: 1805-09.

Goodwin, D. Kearns. 2005. *Team of Rivals: The Political Genius of Abraham Lincoln.* Nova York: Simon & Schuster.

Gould, S. J. 1994. "The evolution of life on Earth." *Scientific American* 271 (4): 91.
Graf, P. e D. L. Schacter. 1985. "Implicit and explicit memory for new associations in normal and amnesic subjects." *Journal of Experimental Psychology: Learning, Memory, and Cognition* 11: 501-518.
_____. 1987. "Selective effects of interference on implicit and explicit memory for new associations." *Journal of Experimental Psychology: Learning, Memory, and Cognition* 13: 45-53.
Greene, J. e J. Cohen. 2004. "For the law, neuroscience changes nothing and everything." *Philosophical Transactions of the Royal Society of London B* 359: 1775-85.
Greene, J., L. Nystrom, A. Engell, J. Darley e J. Cohen. 2004. "The neural bases of cognitive conflict and control in moral judgment." *Neuron* 44 (2): 389-400.
Greenwald, A. G., D. E. McGhee e J. K. L. Schwartz. 1998. "Measuring individual differences in implicit cognition: The implicit association test." *Journal of Personality and Social Psychology* 74: 1464-80.
Grossberg, S. 1980. "How does a brain build a cognitive code?" *Psychological Review* 87 (1): 1-51.
Grush, R. "The emulation theory of representation: Motor control, imagery, and perception." *Behavioral and Brain Sciences* 27: 377-442.
Gutnisky, D. A., B. J. Hansen, B. E. Iliescu e V. Dragoi. 2009. "Attention alters visual plasticity during exposure-based learning." *Current Biology* 19 (7): 555-60.
Haggard, P. e M. Eimer. 1999. "On the relation between brain potentials and the awareness of voluntary movements." *Experimental Brain Research* 126: 128-33.
Haidt, J. 2001. "The emotional dog and its rational tail: A social intuitionist approach to moral judgment." *Psychological Review* 108: 814-34.
_____. 2007. "The new synthesis in moral psychology." *Science* 316 (5827): 998.
Harlow, J. M. 1868. "Recovery from the passage of an iron bar through the head." *Publications of the Massachusetts Medical Society* 2: 327-47. (Republicado em Macmillan, *An Odd Kind of Fame.*)
Harnad, S. 1996. "Experimental analysis of naming behavior cannot explain naming capacity." *Journal of the Experimental Analysis of Behavior* 6: 262-64.
Hasher, L., D. Goldstein e T. Toppino. 1977. "Frequency and the conference of referential validity." *Journal of Verbal Learning and Verbal Behavior* 16: 107-12.

Hassin, R., J. S. Uleman e J. A. Bargh. 2004. *The New Unconscious*. Nova York: Oxford University Press.

Hawkins, J., com S. Blakeslee. 2005. *On Intelligence*. Nova York: Henry Holt.

Hayek, F. A. 1952. *The Sensory Order: An Inquiry into the Foundations of Theoretical Psychology*. Londres: Routledge & Kegan Paul.

Heidelberger, M. 2004. *Nature From Within: Gustav Theodor Fechner and His Psychophysical Worldview*, trad. de C. Klohr. Pittsburgh, PA: University of Pittsburgh Press.

Helmholtz, H. von. 1857-67. *Handbuch der physiologischen Optik*. Leipzig: Voss.

Herbart, J. F. 1961. *Psychology as a Science, Newly Founded On Experience, Metaphysics and Mathematics*. Em *Classics in Psychology*, org. de Thorne Shipley. Nova York: Philosophical Library.

Hobson, J. A. e R. McCarley. 1977. "The brain as a dream state generator: An activation-synthesis hypothesis of the dream process." *American Journal of Psychiatry* 134: 1335-48.

Holcombe, A. O., N. Kanwisher e A. Treisman. 2001. "The midstream order deficit." *Perception and Psychophysics* 63 (2): 322-29.

Honderich, T. 2002. *How Free Are You? The Determinism Problem*. Nova York: Oxford University Press.

Horsey, R. 2002. *The Art of Chicken Sexing*. University College London Working Papers in Linguistics.

Huxley, J. 1946. *Rationalist Annual*, 87. Londres: C. A. Watts.

Ingle, D. 1973. "Two visual systems in the frog." *Science* 181:1053-55.

Jacobs, R., M. I. Jordan, S. J. Nowlan e G. E. Hinton. 1991. "Adaptive mixtures of local experts." *Neural Computation* 3: 79-87.

Jacoby, L. L. e D. Witherspoon. 1982. "Remembering without awareness." *Canadian Journal of Psychology* 32: 300-24.

James, W. 1890. *Principles of Psychology*. Nova York: Henry Holt.

Jameson, K. A. 2009. "Tetrachromatic color vision." Em *The Oxford Companion to Consciousness*, org. de P. Wilken, T. Bayne e A. Cleeremans. Oxford: Oxford University Press.

Jaynes, J. 1976. *The Origin of Consciousness in the Breakdown of the Bicameral Mind*. Boston: Houghton Mifflin.

Johnson, M. H. e J. Morton. 1991. "CONSPEC and CONLERN: A two-process theory of infant face recognition." *Psychological Review* 98 (2): 164-81.

Jones, J. T., B. W. Pelham, M. Carvallo e M. C. Mirenberg. 2004. "How do I love thee? Let me count the Js: Implicit egotism and interpersonal attraction." *Journal of Personality and Social Psychology* 87 (5): 665-83.

Jones, O. D. 2004. "Law, evolution, and the brain: Applications and open questions." *Philosophical Transactions of the Royal Society of London Series B: Biological Sciences* 359: 1697-1707.
Jordan, M. I., e R. A. Jacobs. 1994. "Hierarchical mixtures of experts and the EM algorithm." *Neural Computation* 6: 181-214.
Jung, C. G. e A. Jaffé. 1965. *Memories, Dreams, Reflections.* Nova York: Random House.
Kahneman, D. e S. Frederick. 2002. "Representativeness revisited: Attribute substitution in intuitive judgment." Em *Heuristics and Biases,* org. de T. Gilovich, D. Griffin e D. Kahneman, 49-81. Nova York: Cambridge University Press.
Kauffman, S. A. 2008. *Reinventing the Sacred: A New View of Science, Reason, and Religion.* Nova York: Basic Books.
Kawato, M. 1999. "Internal models for motor control and trajectory planning." *Current Opinion in Neurobiology* 9: 718-27.
Kawato, M., K. Furukawa e R. Suzuki. 1987. "A hierarchical neural-network model for control and learning of voluntary movement." *Biological Cybernetics* 7: 169-185.
Kelly, A. E. 2002. *The Psychology of Secrets.* The Plenum Series in Social/Clinical Psychology. Nova York: Plenum.
Kennedy, H. G. e D. H. Grubin. 1990. "Hot-headed or impulsive?" *British Journal of Addiction* 8 (5): 639-643.
Kersten, D., D. C. Knill, P. Mamassian e I. Bülthoff. 1996. "Illusory motion from shadows." *Nature* 279 (6560): 31.
Key, W. B. 1981. *Subliminal seduction: Ad Medias Manipulation of a Not So Innocent America.* Nova York: New American Library.
Kidd, B. 1894. *Social Evolution.* Nova York e Londres: Macmillan.
Kiehl, K. A. 2006. "A cognitive neuroscience perspective on psychopathy: Evidence for paralimbic system dysfunction." *Psychiatry Research* 142 (2-3): 107-28.
Kitagawa, N. e S. Ichihara. 2002. "Hearing visual motion in depth." *Nature* 416: 171-174.
Kling, A. e L. Brothers. 1992. "The amygdala and social behavior." *Neurobiological Aspects of Emotion, Memory, and Mental Dysfunction,* org. de J. Aggleton. Nova York: Wiley-Liss.
Klüver, H. e P. C. Bucy. 1939. "Preliminary analysis of functions of the temporal lobes in monkeys." *Archives of Neurology and Psychiatry* 42: 979-1000.
Koch, C. e K. Hepp. 2006. "Quantum mechanics in the brain." *Nature* 440 (7084): 611.

Kornhuber, H. H. e L. Deecke. 1965. "Changes in brain potentials with willful and passive movements in humans: The readiness potential and reafferent potentials." *Pflüger's Archive* 284: 1-17.

Kosik, K. S. 2006. "Neuroscience gears up for duel on the issue of brain versus deity." *Nature* 439 (7073): 138.

Kurson, R. 2007. *Crashing Through.* Nova York: Random House.

LaConte, S., B. King Casas, J. Lisinski, L. Lindsey, D. M. Eagleman, P. M. Cinciripini, F. Versace e P. H. Chiu. 2009. "Modulating real time fMRI neurofeedback interfaces via craving and control in chronic smokers." Resumo apresentado à Organization for Human Brain Mapping, San Francisco, CA.

Lacquaniti, F., M. Carrozzo e N. A. Borghese. 1993. "Planning and control of limb impedance." *Multisensory Control of Movement,* org. de A. Berthoz. Oxford: Oxford University Press.

Laland, K. L. e G. R. Brown. 2002. *Sense and Nonsense: Evolutionary Perspectives on Human Behavior.* Nova York: Oxford University Press.

Lanchester, B. S. e R. F. Mark. 1975. "Pursuit and prediction in the tracking of moving food by a teleost fish *(Acanthaluteres spilomelanurus). Journal of Experimental Biology* 63 (3): 617-45.

Lavergne, G. M. 1997. *A Sniper in the Tower: The True Story of the Texas Tower Massacre.* Nova York: Bantam.

Leibniz, G. W. 1679. *De Progressione Dyadica, Pars I.* (Manuscrito datado de 1º de março de 1679, publicado em fac-símile (com tradução alemã) em *Herrn von Leibniz' Rechnung mit Null und Einz,* org. de Erich Hochstetter e Hermann-Josef Greve, 46-47. Berlim: Siemens Aktiengesellschaft, 1966. Trad. inglesa de Verena Huber-Dyson, 1995.

Leibniz, G. W. 1704, publicado em 1765. *Nouveaux essais sur l'entendement humain.* Publicado em inglês em 1997 como *New Essays on Human Understanding,* trad. de Peter Remnant e Jonathan Bennett. Cambridge, Grã-Bretanha: Cambridge University Press.

Levin, D. T. e D. J. Simons. 1997. "Failure to detect changes to attended objects in motion pictures." *Psychonomic Bulletin & Review* 4 (4): 11-06.

Lewis, J. W., M. S. Beauchamp e E. A. DeYoe. 2000. "A comparison of visual and auditory motion processing in human cerebral cortex." *Cerebral Cortex* 10 (9): 873-88.

Liberles, S. D. e L. B. Buck. 2006. "A second class of chemosensory receptors in the olfactory epithelium." *Nature* 442, 645-650.

Libet, B., Gleason, C. A., Wright, E. W. e Pearl, D. K. 1983. "Time of conscious intention to act in relation to onset of cerebral activity (readinesspotential): The unconscious initiation of a freely voluntary act." *Brain* 106: 623-642.

Libet, B. 2000. *The Volitional Brain: Towards a Neuroscience of Free Will*. Charlottesville, VA: Imprint Academic.

Lim, M., Z. Wang, D. Olazabal, X. Ren, E. Terwilliger e L. Young. 2004. "Enhanced partner preference in a promiscuous species by manipulating the expression of a single gene." *Nature* 429: 754-57.

Livnat, A. e N. Pippenger. 2006. "An optimal brain can be composed of conflicting agents." *Proceedings of the National Academy of Sciences* 103: 3198-3202.

Llinas, R. 2002. *I of the Vortex*. Boston: MIT Press.

Loe, P. R. e L. A. Benevento. 1969. "Auditory-visual interaction in single units in the orbito-insular cortex of the cat." *Electroencephalography and Clinical Neurophysiology* 26: 395-8.

Macaluso, E., C. D. Frith e J. Driver. 2000. "Modulation of human visual cortex by crossmodal spatial attention." *Science* 289: 1206-8.

Macgregor, R. J. 2006. "Quantum mechanics and brain uncertainty." *Journal of integrative Neuroscience* (3): 373-80.

Macknik, S. L., M. King, J. Randi et al. 2008. "Attention and awareness in stage magic: Turning tricks into research." *Nature Reviews Neuroscience* 9: 871-879.

MacKay, D. M. 1956. "The epistemological problem for automata." *Automata Studies*, org. de C. E. Shannon e J. McCarthy, 235-51. Princeton: Princeton University Press.

MacKay, D. M. 1957. "Towards an information-flow model of human behavior." *British Journal of Psychology* 47: 30-43.

MacLeod, D. I. A. e I. Fine. 2001. "Vision after early blindness." Abstract. *Journal of Vision* 1 (3): 470, 470a.

Macmillan, M. 2000. *An Odd Kind of Fame: Stories of Phineas Gage*. Cambridge: MIT Press.

Macuga, K. L., A. C. Beall, J. W. Kelly, R. S. Smith, J. M. Loomis. 2007. "Changing lanes: Inertial cues and explicit path information facilitate steering performance when visual feedback is removed." *Experimental Brain Research* 178 (2): 141-50.

Manning, J. T., D. Scutt, G. H. Whitehouse, S. J. Leinster, J. M. Walton. 1996. "Asymmetry and the menstrual cycle in women." *Ethology and Sociobiology* 17: 129-43.

Marlowe, W. B., E. L. Mancall e J. J. Thomas. 1975. "Complete Kluver-Bucy syndrome in man." *Cortex* 11 (1): 53-59.

Marr, D. 1982. *Vision.* San Francisco: W. H. Freeman.
Mascall, E. L. 1958. *The Importance of Being Human.* Nova York: Columbia University.
Massaro, D. W. 1985. "Attention and perception: An information-integration perspective. *Acta Psychologica* (Amsterdã) 60: 211-43.
Mather, C., A. Pavan, G. Campana, C. Casco. 2008. "The motion aftereffect reloaded." *Trends in Cognitive Sciences* 12 (12): 481-87.
Mather, G., F. Verstraten e S. Anstis. 1998. *The Motion Aftereffect: A Modern Perstective.* Cambridge: MIT Press.
McBeath, M. K., D. M. Shaffer e K. M. Kaiser. 1995. "How baseball outfielders determine where to run to catch fly balls." *Science* 268: 569-73.
McClure, S. M., D. I. Laibson, G. Loewenstein e J. D. Cohen. 2004. "Separate neural systems value immediate and delayed monetary rewards." *Science* 306 (5695): 503-07.
McClure, S. M., M. M. Botvinick, N. Yeung, J. D. Greene, e J. D. Cohen. 2007. "Conflict monitoring in cognition-emotion competition." *Handbook of Emotion Regulation,* org. de J. J. Gross. Nova York: The Guilford Press.
McGurk, H. e J. MacDonald. 1976. "Hearing lips and seeing voices." *Nature* 264: 746-48.
McIntyre, J., M. Zago, A. Berthoz e F. Lacquaniti. 2001. "Does the brain model Newton's laws?" *Nature Neuroscience* 4: 693-94.
Mehta, B. e S. Schaal. 2002. "Forward models in visuomotor control." *Journal of Neurophysiology* 88: 942-53.
Meltzoff, A. N. 1995. "Understanding the intentions of others: Re-enactment of intended acts by 18-month-old children." *Developmental Psychology* 31: 838-850.
Mendez, M. F., R. J. Martin, K. A. Amyth, P. J. Whitehouse. 1990. "Psychiatric symptoms associated with Alzheimer's disease." *Journal of Neuropsychiatry* 2: 28-33.
Mendez, M. F., A. K. Chen, J. S. Shapira e B. L. Miller. 2005. "Acquired sociopathy and frontotemporal dementia." *Dementia and Geriatric Cognitive Disorders* 20 (2-3): 99-104.
Meredith, M. A., J. W. Nemitz, B. E. Stein. 1987. "Determinants of multisensory integration in superior colliculus neurons. I. Temporal factors." *Journal of Neuroscience* 7: 3215-29.
Mesulam, M. 2000. *Principles of Behavioral and Cognitive Neurology.* Nova York: Oxford University Press.
Miall, R. C. e D. M. Wolpert. 1996. "Forward models for physiological motor control." *Neural Network* 9 (8): 1265-1279.

Miller, N. E. 1944. "Experimental studies in conflict." In *Personality and the Behavior Disorders*, org. J. Hunt, vol. 1, pp. 431-65.

Milner, D. e M. Goodale. 1995. *The Visual Brain in Action*. Oxford: Oxford University Press.

Minsky, M. 1986. *Society of Mind*. Nova York: Simon and Schuster.

Mitchell, H. e M. G. Aamodt. 2005. "The incidence of child abuse in serial killers." *Journal of Police and Criminal Psychology* 20 (1): 40-47.

Mocan, N. H. e R. K. Gittings. 2008. "The impact of incentives in human behavior: Can we make it disappear? The case of the death penalty." Working paper, National Bureau of Economic Research.

Moffitt, T. F. e B. Henry. 1991. "Neuropsychological studies of juvenile delinquency and juvenile violence." *Neuropsychology of Aggression*, org. de J. S. Milner. Boston: Kluwer.

Moles, A., Kieffer, B. L. e F. R. D'Amato. 2004. "Deficit in attachment behavior in mice lacking the mu-opioid receptor gene." *Science* 304 (5679): 1983-86.

Monahan, J. 2006. "A jurisprudence of risk assessment: Forecasting harm among prisoners, predators, and patients." *Virginia Law Review* 92 (33): 391-417.

Montague, P. R. 2008. *Your Brain Is (Almost) Perfect: How We Make Decisions*. Nova York: Plume.

Montague, P. R., P. Dayan, C. Person e T. J. Sejnowski. 1995. "Bee foraging in uncertain environments using predictive Hebbian learning." *Nature* 377: 725-28.

Morse, S. 2004. "New neuroscience, old problems." *Neuroscience and the Law: Brain, Mind, and the Scales of Justice*, org. de B. Garland. Nova York: Dana Press.

Mumford, D. 1992. "On the computational architecture of the neocortex. II. The role of cortico-cortical loops." *Biological Cybernetics* 66 (3): 241-51.

Nagel, T. 1986. *The View from Nowhere*. Nova York: Oxford University Press.

Nakayama, K. e C. W. Tyler. 1981. "Psychophysical isolation of movement sensitivity by removal of familiar position cues." *Vision Research* 21 (4): 427-33.

Niedenthal, P. M. 2007. "Embodying emotion." *Science* 316 (5827): 1002.

Noë, A. 2005. *Action in Perception*. Cambridge: MIT Press.

Norretranders, T. 1992. *The User Illusion: Cutting Consciousness Down to Size*. Nova York: Penguin Books.

O'Hara, E. A. e D. Yarn. 2002. "On apology and consilience." *Washington Law Review* 77: 1121.

O'Hara, E. A. 2004. "How neuroscience might advance the law." *Philosophical Transactions of the Society B* 359: 1677-84.

O'Hara, D. 1999. "Introduction to human performance in general aviation." *Human performance in general aviation,* org. de D. O'Hare, 3-10. Aldershot, Grã-Bretanha: Ashgate.

O'Regan, J. K. 1992. "Solving the real mysteries of visual perception: The world as an outside memory." *Canadian Journal of Psychology* 46: 461-88.

Pariyadath, V. e D. M. Eaglernan. 2007. "The effect of predictability on subjective duration." *PLoS One* 2 (11): e1264.

Paul, L. 1945. *Annihilation of Man.* Nova York: Harcourt Brace.

Pearson, H. 2006. "Mouse data hint at human pheromones: Receptors in the nose pick up subliminal scents." *Nature* 442: 95.

Pelham, B. W., M. Carvallo e J. T. Jones. 2005. "Implicit egotism." *Current Directions in Psychological Science* 14: 106-10.

Pelham, B. W., S. L. Koole, C. D. Hardin, J. J. Hetts, E. Seah e T. DeHart, 2005. "Gender moderates the relation between implicit and explicit self-esteem." *Journal of Experimental Social Psychology.* 41: 84-89.

Pelham, B. W., M. C. Mirenberg e J. T. Jones. 2002. "Why Susie sells seashells by the seashore: Implicit egotism and major life decisions." *Journal of Personality and Social Psychology* 82: 469-87.

Pennebaker J. W. 1985. "Traumatic experience and psychosomatic disease: Exploring the roles of behavioral inhibition, obsession, and confiding." *Canadian Psychology* 26: 82-95.

Penton-Voak, I. S., D. I. Perrett, D. Castles, M. Burt, T. Koyabashi e L. K. Murray. 1999. "Female preference for male faces changes cyclically." *Nature* 399: 741-42.

Petrie, K. P., R. J. Booth e J. W. Pennebaker. 1998. "The immunological effects of thought suppression." *Journal of Personality and Social Psychology* 1264-72.

Pierce, R. C. e V. Kumaresan. 2006. "The mesolimbic dopamine system: The final common pathway for the reinforcing effect of drugs of abuse?" *Neuroscience and Biobehavioral Reviews* 30: 215-38.

Pinker, S. 2002. *The Blank Slate: The Modern Denial of Human Nature.* Nova York: Viking Penguin.

Poldrack, R. A. e M. C. Packard. 2003. "Competition between memory systems: converging evidence from animal and human studies." *Neuropsychologia* 41: 245-51.

Prather, M. D., P. Lavenex, M. L. Mauldin-Jourdain et al. 2001. "Increased social fear and decreased fear of objects in monkeys with neonatal amygdala lesions." *Neuroscience* 106 (4): 653-58.

Raine, A. *The Psychopathology of Crime: Criminal Behavior as a Clinical Disorder*. Londres: Academic Press.
Ramachandran, V. S. 1988. "Perception of shape from shading." *Nature* 331 (6152): 163-66.
_____. 1997. "Why do gentlemen prefer blondes?" *Medical Hypotheses* 48 (1): 19-20.
Ramachandran, V. S. e P. Cavanagh. 1987. "Motion capture anisotropy." *Vision Research* 27 (1): 97-106.
Rao, R. P. 1999. "An optimal estimation approach to visual perception and learning." *Vision Research* 39 (11): 1963-89.
Rauch, S. L., L. M. Shin e E. A. Phelps. 2006. "Neurocircuitry models of posttraumatic stress disorder and extinction: human neuroimaging research – past, present, and future." *Biological Psychiatry* 60 (4): 376-82.
Raz, A., T. Shapiro, J. Fan e M. I. Posner. 2002. "Hypnotic suggestion and the modulation of Stroop interference." *Archives of General Psychiatry* 59 (12): 1155-61.
Reichenbach, H. 1951. *The Rise of Scientific Philosophy*. Berkeley: University of California Press.
Reitman, W., R. Nado e B. Wilcox. 1978. "Machine perception: What makes it so hard for computers to see?" *Perception and Cognition: Issues in the Foundations of Psychology,* org. de C. W. Savage, 65-87. Volume IX de Minnesota Studies in the Philosophy of Science. Minneapolis: University of Minnesota Press.
Rensink, R. A., J. K. O'Regan e J. J. Clark. 1997. "To see or nor to see: The need for attention to perceive changes in scenes." *Psychological Science* 8 (1): 368-73.
Relatório ao Governador. Charles J. Whitman Catastrophe, Medical Aspects. 8 de setembro de 1966. Austin History Center. http://www.ci.austin.tx.us/library/ahc/whitmat.
Rhawn, J. 2000. *Neuropsychiatry, Neuropsychology, Clinical Neuroscience*. Nova York: Academic Press.
Ritter, M. 2006. "Brain-scan lie detectors coming in near future." Transcrição. Fox News, 31 de janeiro.
Roberts, S. C., J. Havlicek e J. Flegr. 2004. "Female facial attractiveness increases during the fertile phase of the menstrual cycle." *Proceedings of the Royal Society of London B,* 271 : S270-72.
Robert, S., N. Gray, J. Smith, M. Morris e M. MacCulloch. 2004. "Implicit affective associations to violence in psychopathic murderers." *Journal of Forensic Psychiatry & Psychology* 15 (4): 620-41.

Robinson, G. E., C. M. Grozinger, C. W. Whitfield. 2005. "Sociogenomics: Social life in molecular terms." *National Review of Genetics* 6 (4): 257-70.

Rose, S. 1997. *Lifelines: Biology, Freedom, Determinism*. Nova York: Oxford University Press.

Rosvold, H. E., A. F. Mirsky e K. H. Pribram. 1954. "Influence of amygdalectomy on social behavior in monkeys." *Journal of Comparative and Physiological Psychology* 47 (3): 173-78.

Rutter, M. 2005. "Environmentally mediated risks for psychopathology: Research strategies and findings." *Journal of the American Academy of Child and Adolescent Psychiatry* 44: 3-18.

Sapolsky, R. M. 2004. "The frontal cortex and the criminal justice system." *Philosophical Transactions of the Royal Society B* 39 (1451): 1787-96.

Scarpa, A. e A. Raine. 2003. "The psychophysiology of antisocial behavior: Interactions with environmental experiences." *Biosocial Criminology: Challenging Environmentalism's Supremacy*, org. de A. Walsh e L. Ellis. Nova York: Nova Science.

Schacter, D. L. 1987. "Implicit memory: History and current status." *Journal of Experimental Psychology: Learning, Memory, and Cognition* 13: 501-18.

Schwartz, J., J. Robert-Ribes e J. P. Escudier. 1998. "Ten years after Summerfield: A taxonomy of models for audio-visual fusion in speech perception." *Hearing By Eye II*, org. de R. Campbell, B. Dodd e D. K. Burnham, 85. East Sussex: Psychology Press.

Scott, S. K., A. W. Young, A. J. Calder, D. J. Hellawell e J. P. Aggleton, e M. Johnson. 1997. "Impaired auditory recognition of fear and anger following bilateral amygdale lesions." *Nature* 385: 254-57.

Scutt, D. e J. T. Manning. 1996. "Symmetry and ovulation in women." *Human Reproduction* 11: 2477-80.

Selten, J. P., E. Cantor-Graae e R. S. Kahn. 2007. "Migration and schizophrenia." *Current Opinion in Psychiatry* 20 (2): 111-15.

Shams, L., Y. Kamitani e S. Shimojo. 2000. "Illusions: What you see is what you hear." *Nature* 408 (6814): 788.

Sheets-Johnstone, M. 1998. "Consciousness: A natural history." *Journal of Consciousness Studies* (3): 260-94.

Sherrington, C. 1953. *Man on His Nature*. 2ª ed. Nova York: Doubleday.

Shipley, T. 1964. "Auditory flutter-driving of visual flicker." *Science* 145: 1328-30.

Simons, D. J. 2000. "Current approaches to change blindness." *Visual Cognition* 7: 1-15.

Simons, D. J. e Levin, D. T. 1998. "Failure to detect changes to people during a real-world interaction." *Psychonomic Bulletin & Review* 5 (4): 644-49.

Singer, W. 2004. "Keiner kann anders, als er ist." *Frankfurter Allgemeine Zeitung*, 8 de janeiro. (Em alemão.)
Singh, D. 1993. "Adaptive significance of female physical attractiveness: Role of waist-to-hip ratio." *Journal of Personality and Social Psychology* 65: 293-307.
Singh, D. 1994. "Is thin really beautiful and good? Relationship between waist-to-hip ratio (WHR) and female attractiveness?" *Personality and Individual Differences* 16: 123-32.
Snowden, R. J., N. S. Gray, J. Smith, M. Morris e M. J. MacCulloch 2004. "Implicit affective associations to violence in psychopathic murderers." *Journal of Forensic Psychiatry and Psychology* 15: 620-41.
Soon, C. S., M. Brass, H. J. Heinze e J. D. Haynes. 2008. "Unconscious determinants of free decisions in the human brain." *Nature Neuroscience* 11 (1): 543-45.
Stanford, M. S. e F. S. Barratt. 1992. "Impulsivity and the multi-impulsive Personality Disorder." *Personality and Individual Differences* 13 (7): 831-34.
Stanovich, K. F. 1999. *Who is Rational? Studies of Individual Differences in Reasoning*. Mahweh, NJ: Eribaum.
Stern, K. e M. K. McClintock. 1998. "Regulation of ovulation by human pheromones." *Nature* 392: 177-79.
Stetson, C., X. Cui, P. R. Montague e D. M. Eagleman. 2006. "Motor- sensory recalibration leads to an illusory reversal of action and sensation." *Neuron* 51 (5): 651-59.
Stetson, C., M. P. Fiesta e D. M. Eagleman. 2007. "Does time really slow down during a frightening event?" *PLoS One 2* (12): e1295.
Stuss, D. T. e D. F. Benson. 1986. *The Frontal Lobes.* Nova York: Raven Press.
Suomi, J. S. 2004. "How gene-environment interactions shape biobehavioral development: Lessons from studies with rhesus monkeys." *Research in Human Development* 3: 205-22.
_____. 2006. "Risk, resilience, and gene x environment interactions in rhesus monkeys." *Annals of the New York Academy of Science* 1094: 52-62.
Symonds, C. e I. MacKenzie. 1957. "Bilateral loss of vision from cerebral infarction." *Brain* 80 (4): 415-55.
Terzian, H. e G. D. Ore. 1955. "Syndrome of Kluver and Bucy: Reproduced in man by bilateral removal of the temporal lobes." *Neurology* (6): 373-80.
Tinbergen, N. 1952. "Derived activities: Their causation, biological significance, origin, and emancipation during evolution." *Quarterly Review of Biology* 27: 1-32.

Tom, C., C. Nelson, T. Srzentic e R. King. 2007. "Mere exposure and the endowment effect on consumer decision making." *Journal of Psychology* 141 (2): 117-25.

Tong, F., M. Meng, R. Blake. 2006. "Neural bases of binocular rivalry." *Trends in Cognitive Sciences* 10: 502-11.

Tramo, M. J., K. Baynes, R. Fendrich, G. R. Mangun, E. A. Phelps, P. A. Reuter-Lorenz e M. S. Gazzaniga. 1995. "Hemispheric specialization and interhemispheric integration." *Epilepsy and the Corpus Callosum.* 2ª ed. Nova York: Plenum Press.

Tresilian, J. R. 1999. "Visually timed action: Time-out for 'Tau'?" *Trends in Cognitive Sciences* 3: 301-10.

Trimble, M. e A. Freeman. 2006. "An investigation of religiosity and the Gastaut-Geschwind syndrome in patients with temporal lobe epilepsy." *Epilepsy and Behaviour* 9 (5): 407-14.

Tulving, E. D. Schacter e H. A. Stark. 1982. "Priming effects in word- fragment completion are independent on recognition memory." *Learning, Memory, and Cognition* 8: 336-41.

Tversky, A. e F. Shahr. 1992. "Choice under conflict: The dynamics of deferred decision." *Psychological Science* 3: 358-61.

Uexkull, Jakob Von. 1909. *Umwelt und Innenwelt der Tiere.* Berlim: J. Springer.

_____. 1934. "Streifzüge durch die Umwelten von Tieren und Menschen". Trad. de Claire H. Schiller como "A Stroll through the Worlds of Animals and Men." Em *Instinctive Behavior: The Development of a Modern Concept,* org. de Claire H. Schiller, 5-80. Nova York: International Universities Press, 1957.

Uher, R. e P. McGuffin. 2007. "The moderation by the serotonin transporter gene of environmental adversity in the aetiology of mental illness: Review and methodological analysis." *Molecular Psychiatry* 13 (2): 131-46.

Ullman, S. 1995. "Sequence seeking and counter streams: A computational model for bidirectional information flow in the visual cortex." *Cerebral Cortex* 5 (1): 1-11.

Van den Berghe, P. L. e P. Frost. 1986. "Skin color preference, sexual dimorphism and sexual selection: A case of gene culture coevolution?" *Ethnic and Racial Studies* 9: 87-113.

Varendi, H. e R. H. Porter. 2001. "Breast odour as only maternal stimulus elicits crawling towards the odour source." *Acta Paediatrica* 90: 372-75.

Vaughn, D. A. e D. M. Eagleman. 2011. "Faces briefly glimpsed are more attractive".

Wason, P. C. 1971. "Natural and contrived experience in a reasoning problem." *Quarterly Journal of Experimental Psychology* 23: 63-71.
Wason, P. C. e D. Shapiro. 1966. "Reasoning." *New horizons in Psychology*, org. de B. M. Foss. Harmondsworth: Penguin.
Waxman, S. e N. Geschwind. 1974. "Hypergraphia in temporal lobe epilepsy." *Neurology* 24: 629-37.
Wegner, D. M. 2002. *The Illusion of Conscious Will*. Cambridge, MA: MIT Press.
Weiger, W. A. e D. M. Bear. 1988. "An approach to the neurology of aggression." *Journal of Psychiatric Research* 22: 85-98.
Weiser, M., N. Werbeloff, T. Vishna, R. Yoffe, G. Lubin, M. Shmushkevitch e M. Davidson. 2008. "Elaboration on immigration and risk for schizophrenia." *Psychological Medicine* 38 (8): 1113-19.
Weiskrantz, L. 1956. "Behavioral changes associated with ablation of the amygdaloid complex in monkeys." *Journal of Comparative and Physiological Psychology* 49 (4): 381-91.
Weiskrantz, L. 1990. "Outlooks for blindsight: Explicit methodologies for implicit processes." *Proceedings of the Royal Society of London* 239: 247-278.
Weiskrantz, L. 1998. *Blindsight: A Case Study and Implications*. Oxford: Oxford University Press.
Weisstaub, N. V., M. Zhou, A. Lira et al. 2006. "Cortical 5-HTzA receptor signaling modulates anxiety-like behaviors in mice." *Science* 313 (5786): 536-40.
Welch, R. B., L. D. Duttonhurt e D. H. Warren. 1986. "Contributions of audition and vision to temporal rate perception." *Perception & Psychophysics* 39: 294-300.
Welch, R. B. e D. H. Warren. 1980. "Immediate perceptual response to intersensory discrepancy." *Psychological Bulletin* 88: 638-67.
Wilson, T. 2002. *Strangers to Ourselves: Discovering the Adaptive Unconscious*. Cambridge: Harvard University Press.
Winston, R. 2003. *Human Instinct: How Our Primeval Impulses Shape Our Modern Lives*. Londres: Bantam Press.
Wheeler, H. R. e T. D. Cutsforth. 1921. "The number forms of a blind subject." *American Journal of Psychology* 32: 21-25.
Wojnowicz, M. T., M. J. Ferguson, R. Dale e M. J. Spivey. 2009. "The self-organization of explicit attitudes." *Psychological Science* 20 (11): 1428-35.
Wolpert, D. M. e J. R. Flanagan. 2001. "Motor prediction." *Current Biology* 11: R729-732.

Wolpert, D. M., Z. Ghahramani e M. I. Jordan. 1995. "An internal model for sensorimotor integration." *Science* 269 (5232): 1880-82.

Yarbus, A. L. 1967. "Eye movements during perception of complex objects." *Eye Movements and Vision*, org. de L. A. Riggs, 171-96. Nova York: Plenum Press.

Yu, D. W. e G. H. Shepard. 1998. "Is beauty in the eye of the beholder?" *Nature* 396: 321-22.

Zago, M., B. Gianfranco, V. Maffei, M. Iosa, Y. Ivanenko e F. Lacquaniti. 2004. "Internal models of target motion: Expected dynamics overrides measured kinematics in timing manual interceptions." *Journal of Neurophysiology* 91: 1620-34.

Zeki, S. e O. Goodenough. 2004. "Law and the brain: Introduction." *Philosophical Transactions of the Royal Society of London B: Biological Sciences* 359 (11): 1661-65.

Zhengwei, Y. e J. C. Schank. 2006. "Women do not synchronize their menstrual cycles." *Human Nature* 17 (4): 434-47.

Zihl, J., D. von Cramon e N. Mai. 1983. "Selective disturbance of movement vision after bilateral brain damage." *Brain* 106 (Pt. 2): 313-40.

Zihl, J., D. von Cramon, N. Mai e C. Schmid. 1991. "Disturbance of movement vision after bilateral posterior brain damage: Further evidence and follow-up observations." *Brain* 114 (Pt. 5): 2235-52.

Impressão e Acabamento:
EDITORA JPA LTDA.